権力と女性表象の日仏比較

フランスから見る日本ジェンダー史

Histoire des femmes au Japon: Une approche française

棚沢直子・中嶋公子 編

フランソワーズ・コラン
アンヌ＝マリー・ドゥヴルー
西川　祐子
荒木　敏夫
服藤　早苗
舘　かおる
加納実紀代
佐藤　浩子

新曜社

目次

第II部　日本ジェンダー史の再検討　権力と女性表象　91

装幀　谷崎スタジオ

序文

棚沢　直子
中嶋　公子

本書はフランスの女性研究に携わる者たちが、日本史の研究者の全面的な協力を得て、日仏比較の視点から日本ジェンダー史を作成しようとする、その最初の記録である。

なぜフランスを学ぶ私たちが日本ジェンダー史に取り組むのか

私たちは、ボーヴォワール以来のイリガライ、クリステヴァ、コフマン、デルフィなど現代フランスの女性思想家たちを、原書で長い間読んできた(1)。まずわかったのは、彼女たちの思想の骨格が、西欧思想全体の徹底的な批判から生まれたということだった。しかし、初めは徹底的に思えた批判にも、やがて限界が見えてくる。西欧思想家は女も男も西欧以外の言語を習得しない。とくにフランス人は自国の歴史や文化を学んだだけで思想形成する。のちに西欧以外の文化に興味をもっても、もう遅い。彼らの思想の骨格はできてしまっている。こうして彼らは攻撃した当の西欧的「世界性＝普遍性」の枠内に無自覚的に収まったままになる。現代フランスの女性思想家たちもまた西欧的「世界性＝普遍性」の枠内でジェンダー理論をつくり上げてきたのだ。

さらに日本にとって始末の悪いことがある。それはフランスの女性思想家たちがまずアメリカ経由で日本に紹介され解説されたことだ。そのせいで彼女たちの思想内容は二重に（フランス→アメリカ→日本）ずれてしまった(2)。結果として、彼女たちの西欧批判の鋭さを理解しないまま、日本のフェミニストたちは欧米のジェンダー理論を日本に無自覚的に応用するか、したと思い込むことになる。こうした欧米のジェンダー理論の応用だけで、日本のジェンダーのあり方は分析できるのか。近代以前の男女の序列化、女性抑圧のあり方は西欧理論の枠組みに収まりきれるのか。その歴史的考察を抜きに、近代以降の女の位置とその変化の手続きは解明できるのか。そう思って、私たちは日本のジェンダー史に取り組むことにしたのである。

無自覚的な応用、あるいはその思い込みのどこが悪いのか

第一に男女というジェンダー関係について。

西欧では古代ギリシャ・ローマの時代から男女という性別は明確に二分化され、すべての名詞を「男」「女」に分ける言語が生まれ、この言語に沿って思考そのものがつくられた。やがて、文化と自然、精神と物質（＝身体）、理性と感性などを対立させて、前者が「男」、後者が「女」の属性とされるようになり、両者を序列化するようになった。こうした思考が西欧中世になると、キリスト教とドッキングし、神―人間（＝男）―女―動物という序列に拡大していく。男は女より神に近く、女は男より動物に近いというわけだ。さらにフランスでは大革命以後、男女は政治たる公領域と家族たる私領域に振り分けられ、私領域に閉じ込められた女たちは「法律上存在しないもの」とみなされることになった(3)。このように、西欧では思想、文化、制度などすべてが対立・序列化された性別二分化を基盤として成立しているから、この性別二分化は簡単には崩壊しない。女がそこから脱出するには、「男」の属性を獲得し、「男のように」なる以外はない。

　ところが日本では、男女を明確に二分化し、西欧的な対立関係ととらえることは近代までなかった。近代になって日本は西欧化の波に洗われ、西欧諸国を模倣して政治などの諸制度や法体系がつくられるとともに、改めて公私領域も西欧的に分けられ、「男は外、女は内」なる振り分けも再構成された。

　にもかかわらず、西欧を模倣したつもりでも、日本人は西欧人が思いつかないことを言う。たとえば、第一次大戦ののち、戦中の西欧の女たちが活躍したとの言説に感銘を受けて、日本の知識人たちは、女子教育のレベルを上げるために、次のように表明したのだ。「物質文明の担い手は男、精神文明の担い手は女」(4)と。西欧で男をさしおいて女が「精神文明を担う」ことなどありえない。これでは西欧思想の基盤にある男女の対立・序列の逆ではないか。そもそも歴史のある時期から日本の「至高の神」はアマテラスではなかったか。アマテラスの性別は不明確であり、ときに男神になったりするが（棚沢、本書四四―四六頁）、通常は女神とされる方が多い。とすれば、日本では男が女より神に近いなどと気安く言えないではないか。「男って女よりケモノっぽい」などとフランスでまず言わないのと同じである。近代以前の家の中で男の「横座」に対して女が「家主座《エヌシ》」の位置を占めたこと（服藤、本書一二四頁）と、近代の女＝「精神文明の担い手」の発想はどこまで関わるのか。日本にはいまも「高学歴専業主婦」なるひとたちがいる。フランスでは考えられない。「高学歴」なら、なぜ外に出て「男のように」働かないのかと質問される。企業で働く男たちが「物質文明の担い手」で、彼女たちは「精神文明の担い手」ということなのか。西欧のジェンダー理論の中で日本の女たちが共有できる部分を読みとるのは当然としても、それだけで日本のジェンダーのあり方は理解できない。

第二に親子関係・世代関係について(5)。

大革命以後、私領域に閉じ込められたものは女たちだけではなかった。フランスの社会科学分野で親子や世代が研究対象になるのは、なんと一九九〇年代からである（Bihr et Tanasawa éds. 2004）。親子関係・世代関係は民主主義の平等原理に合致しないから、私領域の中に封印され思考されなくなったのだ。ところが、日本では明治期から第二次大戦までの国体化の中で、親子こそが国家の要だった。公領域でアマテラス－天皇、天皇－臣民の関係が「親子一体」で表象された。戦後一九六〇年代に誕生した核家族について、それまでの三世代同居から「二世代家族」になったと日本では親子を中心に考えられたが、フランスで核家族の別名は「夫婦家族」または「カップル中心家族」であり、「二世代家族」と呼ばれたことは一度もない。そもそもフランスのフェミニズムにおいて親子・世代を問題の中心にすることはまずない(6)。フェミニズムは男女関係を問題にするから親子・世代は間接的にしか関わらない。つまり西欧のジェンダー理論の枠組みとはひとえにジェンダー（＝男女）それだけである。

しかし、日本ではフェミニズムやジェンダーが外来語のせいか、西欧のジェンダー理論を無自覚的に応用しつつ、その枠組みの中で親子・世代を主題にできると思い込んでいる。西欧理論の枠組みを見定めないから、西欧で親子・世代がフェミニズムやジェンダー理論の研究対象にまずならないことは、わからないのだ。親子関係・世代関係と正面から向き合って研究したいなら、これまでの西欧のジェンダー理論の枠組みから出なければ、何も見えてこない(7)。

要するに、日本では近代期に西欧化された制度や法体系がつくられても、国家の要がアマテラス・天皇の「親子」で表象されたように、それらから「ずれ」たかたちで、国家形成され国民統合されたのである。このような「ずれ」が近代以前のジェンダーのあり方とどう関わるのか。日本のジェンダーのあり方は、親子関係・世代関係を考慮した、西欧理論ができなかった枠組みを設定しない限り、理解できない。

現在でも女についての国家政策はフランスと明らかにちがう。戦前では天皇を「愛護する」アマテラスが至高の権力表象にされ、植民地争奪戦争に向けた国民統合が「より速く」進んだように、戦後も経済戦争を勝ちぬくために「専業主婦」が再度理想化された。やがて「高学歴専業主婦」というフランスにない表象が女の生き方のモデルにされていく。現在のところ「男女共同参画」の推進下にあって、このモデルを実現できるのは、少数エリートの妻たちである。それでも国家政策から簡単に消えないのは、現在の経済的な世界化の中で日本が生きぬくのに必要だと政府が思っているからだ。このように、制度や法体系と実施される個々の国家政策との「ずれ」を見るには、女と権力や表象との関わりを日仏比較しながら分析するのが適当だろう。というわけで、私たちの日本についての最初の本は、権力と表象の主題をめぐっている。

フランスから見れば、現在でも日本の女たちの社会進出は大きく遅れ、男との賃金格差は目を覆うばかりだ。これを後進性の名だけで片づけることはしたくない。近代以前の日本の男女の序列化や女の抑圧のあり方を歴史的に考察しなければ、現代社会における女たちの位置とその変化の手続きは思考できない。

研究の《位置》

これまで「外国人から見る日本」的な本は、うんざりするほどあった。この本は「フランス人から見る日本」ではまったくない。「日本を学ぶフランス人研究者から見る日本」でさえない。あくまでも「フランスを学ぶ日本人研究者から見る日本」の本である。このたぐいの本はいままでないと私たちは自負している。

この本は私たちの宣言書である。何の宣言か。研究するときの《位置》の宣言である。私たちはフランスを学んでも無自覚的に輸入即応用（または自覚的にずらして輸入即応用）などしない。かといって、私たちの日本を見る位置は日本史の研究者とはちがう。彼らには見えないものをできる限り見たいと思う。そのために私たちは次のことを心がける。フランスを研究するときに、日本での私たちの経験と比較することで、フランス人研究者の思考しなかったものをフランスに探る。このフランスにありながら思考されないものが、日本を考えるときの出発点になる。私たちは、日本での経験の方がはるかに長いし、日本語で思考する時間の方が長いから、日仏双方に対して等距離をとっていないのは確かだが、少なくとも双方に対して「観照できる距離」をとりたい、これが私たちの位置である。この位置が自覚的に見えてきた過程は、本書ができる長い過程と一致していた。

ここで第Ⅰ部と第Ⅱ部の説明をしておこう。

第Ⅰ部「日仏比較の方法：文化間のずれと誤解をめぐって」では「日本ジェンダー史」自体にまだそれほど踏み込んでいない。フランス人研究者ふたりとフランスを学ぶ日本人研究者ふたりが、どんな位置から日仏共同研究をするかについて述べているだけである。日本人ふたりは、日本近代史の中で個別の研究対象をそれぞれ選ぶことで、自分の研究する位置を示そうとしたはずだ。四人の位置はかなりちがう。このちがいは「フランスから見る日本ジェンダー史」の導入にふさわしく、文化間の「ずれ」を出発点に比較方法へと接近する試みとなっている。

第Ⅱ部「日本ジェンダー史の再検討：権力と女性表象」では、政治権力と女の表象との関わりを比較の視点として、「フランスから見る日本ジェンダー史」を仮説的に提示しようと試みている。そのために、まず日本人の日本史研究者四人が古代から近代までの政治権力と女の表象との関わりやそれにともなう女の位置を記述した。現代については、フランスを学ぶ日本人研究者ふたりが、それまでの日本史の流れを考慮しつつ、日仏比較の視点から女をとりまく状況とその変化を分析している。第Ⅱ部まとめはこのような六人の記述から日本ジェンダー史の通観を試みた。

結論では、まずさまざまな主題から日仏比較を模索し、次に近代以前・近現代の日本ジェンダー史の仮説を提示し、最後に「日本から見るフランス・ジェンダー史」の素描を試みた。

なお、本書は一九九九年（日本、東京）、二〇〇〇年（フランス、パリ）と二年間にわたって開催された日仏女性研究シンポジウム（概要については本書二九九—三〇九頁参照）に基づいている。出版までにこれだけの年月がかかってしまったのは、本書が単なるシンポジウムの記録ではなく、そこで得た困難な課題を引き受け、日仏比較を通して、日本とフランスのジェンダーのあり方の歴史的文脈をどうにか把握したいと考えたからである。フランスの研究者、聴衆の反応に応えるためにも、本書をフランスに向けて書き直し出版したいと考えている。

第Ｉ部はシンポジウム報告と同じであるが、編者論文を大幅に書き直し、第Ｉ部まとめはあらたに書き下ろされた。第Ⅱ部については、シンポジウム報告をもとに、日本の読者向けに全員が書き直している。第Ⅱ部まとめと結論は編者があらたに書き下ろした。

注

(1) シモーヌ・ド・ボーヴォワール 1997『決定版　第二の性』全3巻、『第二の性』を原文で読み直す会訳　新潮社（新潮文庫 2001）。リュス・イリガライ、ジュリア・クリステヴァ、サラ・コフマン、クリスティーヌ・デルフィについては、棚沢直子編 1998『女たちのフランス思想』勁草書房、参照。

(2) どのようにずれたか。フランスでは、リュス・イリガライ、ジュリア・クリステヴァはフェミニズムとは思想的に関係ないとされているが、アメリカでは「フレンチ・フェミニズム」の主流に位置する思想家とされてしまった。デルフィは「フレンチ・フェミニズム・メイド・イン・USA」と題した論文で、アメリカの理解がどれくらいずれたかを皮肉っている。さらに日本ではイリガライがラディカル・フェミニストとして紹介されたりした。

(3) Duby, Georges et Michelle Perrot (dir.) 1992 *Histoire des femmes*, 5 Le XXe siècle. Paris: Plon: 479. G・デュビィ、M・ペロー監修　F・テボー編 1998『女の歴史』二十世紀Ⅱ　杉村和子・志賀亮一監訳　藤原書店 : 762.

(4)『婦人問題』一九一八―一九年（成瀬仁蔵「女子高等教育の必要」大正7年11月号 : 171-188、平沼淑郎「廿世紀の精神革命は婦人の職」大正8年1月号 : 175-182、下田次郎「戦後の女子教育」大正8年1月号 : 236-260）。

(5) 親子関係と世代関係という概念用語のちがいについて。親子関係は比喩以外には家族内の用語であるが、世代関係は家族の内外で使用できる。世代関係はより広義であり、この中に親子関係も含まれる。

(6) イリガライやクリステヴァの思想の主題は親子関係だったが、まさにそのせいで彼女たちはフェミニストを自称しなかったのだ。

(7) このことは Bihr et Tanasawa（2004）で詳しく説明した（中嶋公子も寄稿している）。Bihr, Alain et Naoko Tanasawa（éds.）2004 *Les rapports intergénérationnels en France et au Japon, Etude comparative internationale*. Ouvrage coordonné par Alain Bihr et Naoko Tanasawa, coll. Logiques Sociales, Paris : L'Harmattan

（アラン・ビール、棚沢直子編 2004『日仏における世代関係――国際比較研究』パリ、ラルマッタン社）参照。なお本書でもフランソワーズ・コランが「世代問題への取り組みは、これまであまりにも消極的なものが多すぎた」と指摘し、「世代関係をどう考えるのか」は二十一世紀冒頭の問題だとしている。さらに注で「女性運動と親子関係の劇的な変化との相互影響について、私の知るかぎり、信頼できる研究が欠如している」と言っている（本書一一三、一一七頁）。

第Ⅰ部　日仏比較の方法　文化間のずれと誤解をめぐって

1　対話的な普遍に向けて　フランスと日本――近代性との関係のふたつのあり方

フランソワーズ・コラン
伊吹弘子・加藤康子・棚沢直子　訳

二十世紀末のフェミニズムによって、もう後戻りできないほど進んだもっとも根本的なことは、女たちの出会いと交流の空間が創出されたことだろう。この空間の中で女たちは、支配的な言説のお墨つきなしに、お互いの発言をまず信じた。そうして、女たち一人ひとりは、自分やほかの女たちのことばが知識の源泉になると理解できるようになった。おそらく、これは、シモーヌ・ド・ボーヴォワールが主体になることと名づけたものなのだろう。主体になるのは、お互いに自分たちが主体であると認めることで実現される。こうした出会いは、自分とほかの女たちとが存在するのを保証してくれ、男の言説を模倣せずに、できるだけ正確に自分について語るのを許してくれた。

1　女たちの出会いの空間

このようにして、ひとつの新しい「共通の世界」が生まれた。その世界は、女たちを隔離するあらゆる境界、さまざまな文化が女に割り当ててきた従属的共同体のあらゆる境界を打ち崩した。女たちは、これまで、フランスのような個人主義の社会では、女同士の対話から隔てられていたし、反対に共同体中心の社会では、男社会に従属しその管理下に置かれるかたちで、ひとつにまとめられてきたからである(1)。

ところで、この共通の世界によって、まず覆されたのは共通の世界の定義そのものだった。女たちの共通の世界は私的なものと政治的なもの(2)の間にあったこれまでの境界線を越えた。少なくとも境界線を移動させ、その意味を再定義した。この境界線こそが性差別を長いこと許し保証してきたのだ。女性解放運動が個人の自由と集団的な課題とを同時に引き受けたからである。

女たちの発言空間の成立は、女のアイデンティティが男と比較して特殊なのかどうかの問題とは何の関係もない。これは、女たちがそのままのかたちで自分であることを認め合う空間なのであり、女の自然性とか女の本質とかを決める空間ではない。女たちはそこでは自分を規定することなく語り、語り合う。フランスでは昔から女と男は同じ人間であり、女の特殊性とみえるものは男の支配が生み出したものだとする普遍主義の支持者と、女は男と本質的にちがうという本質主義の支持者の対立(3)があるが、こんな問題はここでは棚上げにされている。

しかも、女の発言空間は男女がともに思考し行動する空間からの退却ではまったくない。むしろ中性的であるとされながら、長い間男に専有されてきた空間を逆に定義し直し、この空間へ新たに進出するのを可能にしてくれる。女たちの出会いは、女を強くし、男との共通の世界を男にだけゆだねることなく、その世界の討論に参加することを可能にしてくれる。

ところで、新しい世代の女たちは前の世代に比べ自信があるようにみえるし、男女の共通の世界への可能性は前よりも広く開かれているようにみえる。それなら女だけで話し合う空間はもう必要ないのではないかという声が聞こえそうだ。しかし、私はそうは思わない。今日の世界は、その運行において男女の構成比率ひとつとっても、本当に平等だとはとてもいえないからだ。女の交流空間は、国のレベルで、それにもまして国際レベルで、新しい形態をとりながら、さらに発展している。この空間は開かれた空間であり、ネット状の空間である。私がその空間――日仏女性研究学会もそのひとつ――に参加するのは、私にとって意義があり、私がそれを必要としているからだ。今日、この研究学会の招きで来日できたことを、この場を借りて感謝したいと思う。

2　変わらぬものの変わりうる形態

ふたつのちがう文化や歴史に属する女たちを比較するのは、どんな意味があるのだろう。国際比較の意味は何なのだろう。国際比較の意味といわれるものは、学説や教義によってすでに支配されているのだろうか。

ボーヴォワールが五十年前に『第二の性』を執筆したとき、彼女は社会、経済、セクシュアリティ、政治などを貫くひとつの同じ男女の支配構造があると示したかったにちがいない。世界とは男が専有する世界のことであり、女は排除されたもの、周辺的なもの、よくてせいぜい招かれたものとして、第二義的にそこに参入しているのだと。彼女はこの構造が歴史の推移にしたがって形態を変える点を強調している。しかし、この構造がさまざまな社会文化の中でちがう形態をとる点にはほとんど言及していない。これこそがボーヴォワールの後継者たちの仕事であり，私たちがいまここですべき仕事なのだろう。

男女関係が超文化的な不平等構造に規定されているとしても、この構造は国、文化、社会階級によってちがう具体的な形態に組み込まれているから、その変化はそれぞれの文脈に応じてちがう過程を経るはずだと私たちは早くから気づいてはいた。にもかかわらず、周知のように、フェミニズム理論は、ひとつの特権的状況に基づいた解放モデルを唯一のモデルにしたとして、ブルジョワ的フェミニズムとか西欧中心主義的フェミニズムといった非難を何度も受けてしまった。女性運動をひとつのイデオロギーに還元してはならない。この運動に必要なのは、男女関係の根本的な問題の情報一つひとつを理解しながら、それぞれの状況に応じて、思考と行動を絶えず問い直していくことである。

まず一般的な問題を明らかにしたうえで、女たちがその問題にどう取り組んでいるかを、それぞれの文化的差異に基づいて明確にする必要がある。この文化的差異は、固定的かつ理論的な知の対象として、目に見えるかたちで解明できるかもしれない。それでもなお、この差異は流動的であることに変わりはないし、自分や他者についての女一人ひとりの経験の中に具体的に存在し、自分の文化や異文化の中にいるほかの女たちとの関係の中にも具体的に存在することに変わりはない。

あらゆる文化交流には、おそらく共犯的意識、共同体的意識といった要素もあれば、不透明さ、不可解さといった要素もあるだろう。後者の要素があるからといって、お互いに拒否し合って、閉じ込もってはならず、まずこれらを受け入れる必要がある。とくに不透明さと関わりをもつことは、同質だと思われた女性空間のまさにその中で他者性を経験することであり、思考が推し進められ促されることになるはずである。

自分とはちがう文化に属する女たちには、その背景についての知識が広く知られている場合でも、やはり第一に発言する主体であってほしい。知識を得るのが、出会いに先立つ場合も、後になる場合もある。知識は出会いに役立つが、だからといって出会いによる思いがけない驚きや問題提起が省けるわけではない。複数性の経験は出会いを経由するものである。複数性は、意見や知識の差異と結びついているだけでなく、知識が形成される基盤の差異、知識を取り巻く状況の差異、それらの中での経験の差異にも結びついている。他者性は回避することができない。

他者の問題には、「彼女は何を言っているのだろうか」だけでなく、「彼女はどこから発言しているのだろうか」の問題も含まれる。この「どこから」は、イデオロギー的地平を意味するのでなく、歴史的で経験的な地平を意味する。私たちの行動、ハイデガー流に言うなら道具の有用性を重んじる私たちの世界、私たちの言説などに表面的な同質性があったとしても、この同質性は相対的であり、さまざまな歴史、さまざまな出身からくる経験的で象徴的な価値判断を見かけ以上に含んでいる。このことは、たとえばフランスにもいくつかのフランスがあり、いくつかのフランス人のあり方があるように、すでに同じ文化の内部について当てはまるのだから、複数の文化間ではなおさらである。出会いがなければ、一般性の名のもとに他者を同一者へと追い立てるような自民族中心主義に陥る危険がある。

ところで政治に関わる作業においてはつねに偶発的なことを引き受けなければならない。この作業は偶発性の始末をどうつけるかの作業と言ってもいいくらいだ。近代の幻想は、白紙還元を信じるというデカルト的な理性の幻想、あるいは諸革命の幻想だった。変わらない差異を対象化して信じることもまた幻想である。文化的なアイデンティティはそのアイデンティティの引き受け方に結びついている。このアイデンティティは一人ひとりの歴史の中でつくられる。ポール・リクールとともに、アイデンティティとは、つねに偶発性を秘めた「語りのアイデンティティ」であると言うことができる。

3　普遍的な主体から対話的な普遍へ(4)

男女をひとくくりにする人間という普遍、また文化的差異を超越するような普遍は存在するのだろうか。ボーヴォワールは普遍的な主体の立場から主張した。この主体は男に掌握され支配されているから、女は女性解放により男と同等になり、この普遍を掌握しようというのが彼女の主張だった。しかも彼女はこの普遍を支配者の地位と同一視することがよくあった(5)。ヘーゲルの弁証法により再検討され修正された西欧啓蒙哲学の継承者であるボーヴォワールは、客体に対する主体という用語で世界との関係を考え、女が「主体 - 主人」の位置につくように切望したのだ。

しかし忘れてならないのは、現代の西欧哲学者の何人かがすでに言及しているように、民主主義という近代性と帝国主義・植民地主義という近代性の間にある関係である。このふたつの近代性は両立しえないはずなのに、実際は、民主主義の原理をつくりあげた近代の主体哲学、個人主義哲学が、だれも否定できないその先進性ゆえに、情報や人びとそして文化でさえも自分の目的に沿って支配しようとする野望をもち、近代性の暴力をはぐくんでしまったのだ。主体哲学は、ハンナ・アレントがいみじくも指摘したように、民主主義の起源であると同時に、帝国主義的資本主義の起源でもあった。普遍的な主体は通る道筋で出会うものすべてを同化できる客体として吸収していくのである。

抽象的な普遍という考え方そのものが、〈人間〉の一般的な定義に合致するだけでなく、高潔だがあいまいな〈人権〉思想の論拠になっている。だからこの考え方を問い直すことは、西欧文化の内部での男女関係という観点からいっても、いま私たちが取り組んでいる文化間の関係という観点からいっても、問題提起になるのである。西欧の男たちに支配されたこの普遍は、男性中心主義、西欧中心主義といわれても仕方がない。むしろ民主主義的な文化が、人類の半分を排除するこの普遍を、これほど長い間、標榜できたのは驚きといってよい。この普遍という概念は、女に対して提起する問題に類似する問題を、非西欧文化に対しても提起する。この普遍主義は単一普遍主義（monoversalisme）である。それは女を排除するか、少なくとも遠ざける。だからこそ、デリダを初めとする現代の哲学者たちが、普遍主義は男性中心主義であると同時に、西欧を創立したギリシャ的ロゴスの伝統に沿ったロゴス中心主義であると評して、男根ロゴス中心主義なる用語を編み出したのだ。

思考と行動への女たちの取り組みは、あいかわらず、こうした抽象的な普遍を拠りどころにしなければならないのだろうか。そうではなく、複数の対話に支えられた、変動する普遍に結びつくのがよいのではないか。そうすれば、普遍は専制的で決定された経験的なものと同一視されなくてすむ。普遍は、私たちそれぞれの視座の境界、私たちの交流の境界に位置するのであり、支配者と同一視されるような唯一者の観点なのではない。普遍主義は《複数普遍主義 pluriversalisme》(6) でなくてはならない。

4　複数のフェミニズム

以上、一般的なかたちで述べてきた。ここからは具体的にフェミニズムの思考と行動について複数普遍主義の意味を検証していきたい。女性解放ということばは、このことばが受け入れられる文脈に応じて、さまざまな意味をもつ。それは、それぞれの国、文化、歴史の時期などによって状況がちがうからであり、そうした状況の中で、また政治という偶発的なものの中で、自分自身を分析し判断して選ぶ女たちの行動方式や行動目的がちがうからである。変化というものは、そのかたちもそのリズムもさまざまである。女性解放は、自分の条件を白紙還元して、まったく新しい基礎のうえにまったく新しい世界をつくるような急激な革命ではない。たしかに大きな革命ではあり、歴史を新しくするものだが、その革命の実現には長い時間がかかり、しかも省くわけにはいかない文脈の中でなされる。この運動は未来を構築するために過去を消去するような運動ではない。そんなことは望んでもいない。その仕事は、いっそうの困難が伴うが、むしろ変えようとするいまそこにある過去をまず受容することから始まる。単一の性にかたよった昔からの知をまず受容し、両性に共有される知へと根本的に転換させていくのだ。理論においても政治においても、歴史は一筆で消し去れない。そもそも無理に否認された事柄はつねに回復されるものなのである。

しかし、西欧人かどうかにかかわらず、フェミニストとしての私たちの意識の中には、けっして譲歩できない恒常的な指標があることは言っておきたい。たとえば女の身体についての自己決定権である。自分以外のだれによっても専有されない身体ということは、超文化的な不可避な原則であると私には思われる。この問題について、当事者である女たちが自分で決める行動に代わってだれかが何かをすることはできない。フェミニズムは知識や意見のある女がほかの女に押しつけるイデオロギーではない。たとえばアフリカの国々で行われている性器切除の慣習に反対する闘争では、国際的な運動がまず始まり、国際的に支持され、法的な禁止で具体化しようとした。しかし、アフリカの女たちが、自分で、自分のために、自分の娘のために、ある文化の特徴とされる伝統、むしろある支配の特徴といえる伝統と断絶するという困難な作業を引き受けないかぎり、この闘争は何の意味ももたなくなってしまう。

フェミニズムの闘争とその目的設定については、勝手に解釈されたり、歪曲されたりすることへの警戒がつねに必要である。その明白な例として、避妊や中絶の問題を取り上げよう。これらの手段は、女たち一人ひとりが自由な意志をもって選択する場合は前向きなものである。しかし、これらの手段が人口増大の抑制を目的とする国家からの強制へと方向転換してしまえば、これらは優生学の形態をとってしまう。女性差別には、出産奨励政策のかたちもあれば、出産制限政策のかたちもあるからだ。批判的な警戒はつねに必要である。たとえば、一人っ子が絶対的に要請された中国のあの制限政策によって、何百万人もの女児が、胎児の状態でも出生のあとでも、犠牲にされている。男児が女児より値打ちがあるとの偏見が存続しているからである。

女性の行動は、警戒を絶えずしながら、状況分析に応じたさまざまな形態をとるのが重要である。私たちの国際交流では、画一的な前進形態を設定するよりも、私たちの経験と知識をまず交換することから始めよう。

それぞれの個人はまず最初にそれぞれの固有の世界に基づいて世界全体をつくり直すものだ。対話的な普遍が必要だからといって、私たち一人ひとりに固有の文化的文脈が優先されているのを隠すことはできない。しかしこの優先権は独占権ではありえない。これは、私という個人が世界を見る観点を公認させようとする優先権であるが、その観点は絶対的なものではない。ひとの観点はそれぞれちがう。メルロー＝ポンティが力説するように、共通の世界はこれらの観点が交差するところにある。中立的な観点に立って発言していると自負する者は、中立的と称する自分自身の観点を押し通そうとするものだ。

経済はグローバル化していくが、私たち一人ひとりは、自分の社会や環境の中に現れてくるさまざまな決まりにしたがって、まず自己を形成し行動することを余儀なくされる。女性解放にはインターナショナルな次元も含まれるが、このインターナショナルは対話的であり、それぞれの国がもつ背景を消去したり除外したりすることを前提にはしていない。私たちは話し合うためのひとつの共通の言語体系を見出すべきだが、だからといって、私たちは個々の言語体系を捨てることはないし、第一、捨てられはしない。私たちは共同して問題の所在を確認しあうが、一人ひとりは自分の場から行動する。政治的な行動は原則のみに支配されない。それは、思考形態と具体的状況の偶発性とに関わっており、そうした形態や状況にふさわしい想像力が必要とされる。フランスのフェミニストは、自分の歴史と理論的・政治的構造との重みを担って、フランスという文脈の中で考え行動する。日本のフェミニストが考え行動するのは日本という背景においてである。私たちは同じであるが、異なってもいる。

私たちは自分の状況・時代・歴史・文化に基づいて語りながら、そこに埋没したり一体化はしない。私たちは、対話者が対話者の状況・時代・歴史・文化に基づいて語るのをわきまえたうえで、対話を始める。しかし、それぞれの観点はちがっても、私たちはひとつの世界、共有できる世界、ともに生きる共通の世界に関わっている。この世界こそが私たちの対話と行動の目的である。私たちは、この世界のおかげで出会い、この世界を見守ることになるのだ。これは、私たちの同世代の世界だが、同時に次世代の男女に手渡す世界でもある。男女という水平関係は再考されなければならないが、世代という垂直関係もまた検討されるべきである。

世代問題への取り組みは、これまであまりにも消極的なものが多すぎた。私たちに割り当てられる場を離れたからといって、その場が空白になるわけではない。自律を獲得するには、人間という存在を構成する他律性についての新しい思考が必要である(7)。自由の領域が拡大しても、だれも自分自身から生まれることはできないのだから。女性解放は親子関係の再考を促してくれる。妊娠・出産をコントロールするのは、女にとって不可欠な自由裁量権だが、親子関係を考える代わりにはならない。「子どもをもつなら、私がほしいときに」のスローガンは、「世代関係をどう考えるのか」という二十一世紀冒頭の問題へと導いてくれる。おそらく将来もっとも懸念される遺伝子操作の問題に加えて、慣習の変遷や性アイデンティティの変化によって家族構造の解体と再構成の問題が生じているが、これらは、女の権利要求が引き金になったか、少なくとも暗に示唆されて生じたと考えられる(8)。

5　フランスと日本　近代性との関係のふたつのあり方

私たちが、いま行っているフランスと日本の対話は、実に意義深い。おそらく考察に値することを多く含んでいる。この対話は、根本的にちがうものの中に組み込まれたほとんど同一のものに基づく対話である。これを、神話的な表象の中に固定された東洋・西洋の対話と同一視するのは単純すぎる。これらふたつの文化は、リズムや時代を異にしながらも、経済的な生産性に連動する科学技術の冒険に、すでに共通して乗り出しているからだ。

日本はごく最近までそのチャンピオンとさえいわれるほどだった。この共通の近代性には、東洋・西洋という単純な対称パターンには収まりきらない、非対称な歴史・伝統・文化・精神が含まれており、それらに男女関係の慣行と表象とが刻み込まれているのだ。近代という進歩のイデオロギーへの取り組みは、ふたつのちがった形態をとっていると思われるから、近代への批判的分析、自己批判的分析は、その目的設定において、それぞれちがう前提に基づいてなされる必要がある。日本は、技術の進歩と社会文化の発展との関係について、また生産領域と人間関係領域の関係について、西欧のオルタナティヴを表している。都市計画、交通、消費などを規定する道具的な装置の発達に信をおくなら、パリと東京の間には一定の連続性がある。しかしこの装置は外観を画一化しても歴史や経験まで侵食することはしなかった。

経済のグローバル化はおそらく非文化的なものだろう。そうでないなら、ただ単調で専制的な文化を諸大陸にまたがって広めていくだけだろう。文化的な差異の弾圧は、世界市場がその野蛮な生命を世界中に一様に広げていった結果、産み出されたものだ。しかし政治生活はこうした平板化をすべきではない。それは相互に具体的に作用すべきである。私たちのめざすインターナショナルは対話的であり、フォーストフードの国際化ではない。「お金にはにおいがない」とフランスではよくいわれるが、私たちはにおいの世界を捨てようとは思わないだろう。

グローバル化への抵抗は、私たち自身の文化を懐古的・人為的に維持するのではなく、変動していく自分の文化を引き受け、その内部で具体的な自由を獲得することにある。過去を尊重することは過去を懐しむことではない。根なし草状態を一般化していくような抽象的な普遍は荒廃のもとである。ハンナ・アレントが言うように、「そこでは人間は余分なものになる」(9)。対話的な普遍は金銭の抽象作用に身体を売り渡したりしない。金銭の抽象作用・普遍作用のせいで、身体の切り売りが一般的に広がっていくと、かのマルクスも糾弾したではないか。

複数の普遍は、こうした一般化していく拝金主義に対して、さまざまな言語で語るという立場、一人ひとりの具現化を一人ひとりに任せるという立場を明確にしていく。女たちのインターナショナルは、同一種の同一単位からなるインターナショナルでなく、思考と行動の冒険にさまざまなやり方でともに関わる「あれこれの人びと」からなるインターナショナルである。

フランスと日本の近代性との関係のあり方を比較するには、それぞれの知的・文化的文脈の中で、女という同じテーマの研究をさらに深めていくことが必要である。現に私は自分の研究をこのように二重に深めていくように促されている気がする。私たちの研究が続いていくうちに、それは可能になるだろう。

注

(1) アフリカの例を引くまでもなく、西欧社会にも構造的に組み込まれた伝統的で重要な女の社会文化活動はある。アングロサクソンの社会はそのひとつで、そのせいでフェミニズムの発生はこうした女たちの活動がないフランスより容易だったのだろう。

(2)「私的なことは政治的である」と初期のフェミニストたちは主張した。

（3）この論争は、普遍主義者が大多数を占めるフランスの論壇をにぎわせ、ときに混乱させた。本質主義あるいは差異主義の思潮については、リュス・イリガライや、イタリアのルイザ・ムラノ、ならびにいわゆるミラノ学派の研究がある。さらに第三の思潮としてポスト・モダンが加わった。これは、デリダの著書を経由したポスト形而上学の思想から出発したものだが、とくにアメリカのフェミニストの間で大きく発展した。これらのテーマについて、私のいくつかの論文と著書（Collin 1999a）を参照してほしい。

（4）対話的な普遍という考えはハンナ・アレントの著作から着想を得た。フランクフルト学派の哲学者であるアドルノやハーバマスにもこの考え方がいくらか見られるが、その論じ方は私とは異なる。

（5）『第二の性』の中心テーマはこのように見なされる場合が多かった。再読するたびに、ボーヴォワールの立場はかなり複雑で、あいまいなところも多いのがわかってくる。Rogers（1998）、ボーヴォワール（2001）参照。

（6）先験的な判断を下すわけではないが、フェミニズム研究についていえば、普遍主義の危険性は、フランスを含めてヨーロッパからくるというより、アメリカの理論が今日及ぼしている影響からくるところが大きいことを力説したい。フェミニズム研究がアメリカで集中的に発展していること、英語が国際語として認められていることを無視することはできない。

（7）カントが『道徳形而上学原論』で提起している自律における他律の問題とその世代問題との関わりについて、私はいくつかの論文で論じている。

（8）女性運動と親子関係の劇的な変化との相互影響について、私の知るかぎり、信頼できる研究が欠如している。

（9）このフレーズを自著の書名にした（Collin 1999b）。

参考文献

Collin, Françoise 1999a *Le différend des sexes*. Nantes: Pleins feux.

Collin, Françoise 1999b *L'homme est-il devenu superflu? Hannah Arendt*. Paris: Odile Jacob.

Rogers, Catherine 1998 *Le Deuxième sexe de Simone de Beauvoir. Un héritage admiré et contesté*. Bibliothèque du féminisme. Paris: L'Harmattan.（シモーヌ・ド・ボーヴォワール 2001『決定版　第二の性』全3巻、第二の性を原文で読み直す会訳　新潮文庫を参照）

2　男女関係と国際比較

差異の概念は何に役立つのか

アンヌ＝マリー・ドゥヴルー
伊吹弘子・加藤康子・棚沢直子　訳

ふたつの国、ふたつの文化圏を比較するとき、何を知るのが目的なのか。実践的成果が伴わない一般論で終わりたくなければ、次の点を忘れてはならない。日仏の社会文化における女の状況と位置を比較することの目的は、それぞれの国内状況の決定要因を比較によってよりよく把握すること、その決定要因の相違点と共通点が状況の一つひとつを生み出したプロセスにどう関わったのかを知ることであると。

それでは、このシンポジウムのタイトル「文化間のずれと誤解をめぐって」にあるように、最初から誤解やずれを強調するのは、問題の入り方として適切だろうか。私たちが理解し合えない点をまず注視しなければいけないのか。

そんなことは急務ではないとの感想を、私はまずもった。しかし、日欧関係や日本の歴史についての論文や著書を読み進むうちに、まず否定的な側面を強調するやり方が、このふたつの文化圏の比較方法研究の一部であることに次第に気づいてきた。日欧の、さらには西欧とそれ以外の地域との歴史・政治・文化的関係という一般論が、女の状況の比較研究の一部であることもまたわかってきた。というわけで、私にはかなり挑発的と思われた誤解やずれなどの語から問題に取り組むことに最初は抵抗を感じたのだが、また類似点を研究したいという私自身の願望はひとまず脇におくことにして、とりあえず差異の概念にはどんな意義があるのかを考えて、私たちの対話のきっかけにすることにした。

しかし、私の結論は、比較方法論へのこうした入り方について、それほど好意的でない。差異を強調すること、とりわけ比較の一方の項（ここでは日本）だけを決定的に特殊なもの、議論の余地のないもの、歴史的に証明されたものとして強調することは、女性研究については、方法論的な袋小路に入るだろうと思えるからだ。日仏社会の女の位置がどうつくられるかを理解するのが私たちの目的ならば、私たちはこの袋小路から抜け出さなければならない。

1　日本と西欧、男と女　支配関係のなかの差異、普遍主義、特殊主義の使い方

日本人の個人やグループ、日本人の著書や論文に接すると、すぐに非日本人の注意を引くことがある。それは、日本という国、その文化、その経済成長、その自然との関わり方が特殊だという主張である。ひとつのエピソードを述べよう。昨年、初めての東京滞在中に、「日本はどこがちがうと思いますか」と質問される回数の多さに私は驚かされた。私の方は、日仏女性研究学会の会員たちに囲まれて滞在す

るという恵まれた機会の中で、男女関係について私たちが共通の見方をし、女同士の知的交流の仕方がフランスと似ているという強い印象をもち、興味を覚えたのに、である。シンポジウムのテーマを決める予備討論で、日本の特殊性、西欧の普遍主義の問題が、なぜ繰り返しもち出されたのだろうか。共通のアプローチや比較方法について、さらに話すことはできるのだろうかと自問したほどであった。

予想される、あるいはすでに現実になった外国からの干渉や支配の危険に対して、日本社会の特殊性を強調する日本人の主張やこの立場を生む歴史的な決定要因は、フランスのフェミニズム運動で男性支配への反応として「差異主義」と呼ばれる思潮が形成された仕方を思い起こさせる。

女は生まれつき「ちがう」存在だということ、性の不平等の問題は女が生まれつきちがうからだとすることは、昔も今も、女がこうむるもっとも普及したイデオロギー手段である。女の生物学的な特性のせいで、とくに生命を生産する機能のせいで、女が自分で不利な状況を生み出しているというわけだ。しかし、フェミニスト社会学者コレット・ギヨマン（Guillaumin 1992）が問いかけたように、女が単独で異なっている、女自身が異なっているなどと、論理的にありえるのか。何と比較して異なっているのか。同じ労働なのにだれと比較して女の賃金は低いのか。余暇時間が少ないのか。家事育児に費やす時間が多いのか。国の決定機関やすべての権力の座に占める場が小さいのか。その答えは、すべて、普遍的基準と称するものと比較してである。

しかし、西欧と非西欧（これらの用語も議論の余地あり）のフェミニストたちが数十年にわたって行ってきた研究で、この普遍的基準と称するものは中立的でないことがすでに明らかにされている。つまり普遍的基準は、まさに何が差異の位置に相当し、何が基準の位置に相当するかを独断的に決められる社会的カテゴリーと一致すると主張してきたのだ。女までもが受け入れる支配の位置についたこのカテゴリーとは、男のことだというのは今では当たり前になってしまったが、これが当たり前になるためには、とくに社会学や民族学の分野で、中立的、一般的とされてきた知全体を脱構築するような一大作業が必要だった。

フランスでは女性思想のある部分が――この部分の思想の持ち主たちがフェミニストと自称するかどうかはさておき――差異の論理に立脚している。彼女たちはこう述べる。「女は根本的に異なっている。私たちは女を異なるかたちで社会の中に位置づけたい。私たちは特有の権利を要求し、固有の文化、固有のエクリチュールの評価を高めたい」と。

この思想は自然主義的な基盤に立っており、それが女に不利に働くとして、ほかのフェミニストたちから批判された。とはいえ、この差異主義的な思潮の論理の一部分は、社会文化の中での女たちの経験を女の特性の定義の出発点にしているから、その限りにおいて、これを本質主義と断定するのは少々性急だと思われる。この経験の差異を女の文化・女のエクリチュールに導入したいという欲求が、この思潮には感じられるのも事実だ（Schor 1993）。

しかし、リュス・イリガライのような著述家には、彼女の著書『東洋と西洋の間で』（Irigaray 1995, 1999）にあるように、男女には決定的な差異、つまり文化的な差異があるという思想への信奉が見てとれる。この差異の拠りどころは、女が同性から生まれるのに対して男は異性から生まれる、男女はこの決定的にちがう基盤に立って、世界との関係、他者との関係を築くというような、いってみれば自然的な事実である。イリガライはこうして「男女関係が導き出す差異アイデンティティ」と名づけるところまできている。

この思潮に対して、性差別と女性抑圧には物質的・具体的な基盤があり、性別分業は社会関係によってつくられ、物質的資源たる富、象徴的資源たる権力を取得する男女差もまた社会関係によってつくられただけでなく、管理され、組織化されているとする思潮がある。これは唯物論フェミニズムが選んだ道であり、フランスの社会学においては、性社会関係（rapports sociaux de sexe）理論を奉じるフェミニズムに到達している（棚沢 1998）。私はこの視点から述べているわけだ。この理論については後述する。

東洋と西洋の関係、とくに日本と西欧の関係について、歴史学者ジャック・プルーストは、西欧文化が自分を普遍的基準にするために、歴史的に他者を差異化する論理に頼ってきたことを明らかにした。彼は、著書『日本のプリズムを通したヨーロッパ』（Proust 1997）の中で、ヨーロッパが、布教と商業を通じて十六―十八世紀にかけて自らの宗教的モデルや社会文化的規範を日本だけでなく世界に押しつけたことを指摘している。この時期の日本における商人はオランダ人であって、興味深いことに，聖フランシスコ・ザビエルの例は別にして、フランスは日本に対する宗教的・商業的干渉をさほどしていない。

いずれにしても、ジャック・プルーストの研究で見えてきたのは、アイデンティティを確立しつつ知的・倫理的な支配を企てるヨーロッパ中心主義（すでにこの頃から……）が、日本で遭遇した抵抗によって布教と商業の両面から浮き彫りになったことである。その例証として結婚の意義を取り上げてみる。プルーストによれば、西欧の宗教家たちは、日本の結婚の絆が自分たちの基準に合致していないから、日本の結婚は無効である、日本には結婚の真の絆は存在しないと結論づけたということである。彼らにとって、結婚の本質と特性は、絆の永続性を前提としていた。彼らの目には、妻を好き勝手に離縁する男の習慣があって、そのせいで日本の結婚の契約は永続的ではないと映ったのである。カトリック教会の代表者たちは日本の結婚には何の価値もないと思ったのだ（Proust 1997: 104-105）。

人類学者ジャック・グッディによれば、「ヨーロッパとアジアの比較、その中でのアジアへの低い評価は、西洋史の中でごく初期に根づいた」（Goody 1999: 7）のだそうで、アリストテレスが東洋人は隷属的であると書いた頃からだろうという。この隷属というテーマは、今日でも繰り返されるフランス人の考え方だと日本の著述家たちが指摘している。たとえば、三好信子は、「日本の女たちが男に隷属しているというフランス人のもつイメージ」（Miyoshi 1985）や、現代でも日本の女たちは奴隷的だとのフランス人の憶測について述べている。ただし、こうした戯画化は、日本の男女関係そのものの中にというより、むしろ日本の著述家が自分の論証を裏づけるために、日本についてのフランス人の言説を誇張してみせる著述の中にある。たしかに、ある国の人びとにとって、自分が優越していると言うためには、ほかの国の人びとが生まれつき奴隷的で遅れていると規定するのは、つねに有用だったにはちがいないのだが。

経済の発展段階についてのマルクス主義的モデル、宗教倫理と資本主義の発展との関係についてのウェーバーの分析は、東洋文明が経済・社会面で後進的だと認定するのに大きく貢献した。グッディによれば、「西欧との比較でほかのすべてのシステムを秩序だてる世界システム理論」（Goody 1999: 10）が、このようにして、少しずつ形成されていったのだ。この理論において日本は法則を確認する際の例外として時おり現れる。このことが経済発展のモデルは西欧からほかの国々へと広がっていくという説をさらに強固にした。「研究者たちは、われ知らず、ほかの国々がひたすら模倣するしかない近代化の能力をヨーロッパに与えたかった」と彼は言う。普遍化していくこの思考形式が、社会経済システムを先進・後進レベルに応じて分類するのは、まさに近代化についてであり、近代という時期に現れる個々の状況が、近代化と西欧化の重なり合う単一基準による成功度で測られてしまうのである。

ほかの社会を序列化しようと努めるこのやり方は、西欧が自分に与えるイメージについても教えてくれる。それは、たとえばカトリック文化とプロテスタント文化の差異を隠した、内部矛盾のない同質な西欧というイメージである。

急速な西欧化による東洋諸国の経済発展の理論が、日本の社会学者富永健一によって踏襲されているのは興味深い。経済・政治・社会文化という三つの下位システムが全体的な社会システムを構成しており、日本では社会文化システムが国の近代化プロセスの中で遅れをとったが、それは、「伝統的制度を温存してきたこの下位システムの内的成熟度の低さ」によると富永は考える。ここでは社会文化の「成熟度」が西欧の尺度で測られている（Tominaga 1991）。

フランスの雑誌 *Corps écrit* の特別号「日本の表象」に掲載された西川長夫の論文によれば、現在の日本は、幕末開国以来の西欧主義 vs. ナショナリズムの反復の第三周期にあるという（Nishikawa 1986）。日本は周期的に西欧近代化モデルへの傾倒と日本の伝統的価値への回帰との間を往来しているらしい。日本の現代史や現代文学を読むと、日本が自分の特殊性の表象をつくっていくなかで、一九四五年の敗戦経験への反動の大きさとともに、とくに法律分野におけるアメリカ・モデルの影響への反動の大きさを容易に見てとれる（Seizelet 1995）。前述のとおり、自分の他者性の輪郭と限界を規定するような、覇権主義的な権力に立ち向かうこの特殊主義のやり方は、多くの点で，差異主義フェミニズムを連想させる。特殊とか差異とかいうものは、支配に対する抵抗の象徴的な形態として現れてくる。

政治史の知見に欠けるので、また時間もなかったので、日本の特殊主義の起源についてまでは述べられないが、とにかく、以上のふたつの特殊主義理論の共通基盤を確認しておきたい。それは母との関係が理論展開の強力な基盤になっているということだ。

差異主義フェミニズムは精神分析に依拠しながら次のように言う。女の子は出生のときから同性の母親とより直接的な関係を結ぶから、外界との関係や自律性の獲得が男の子とはちがう。男の子は自律性の確立度が高く、また早いという（この理論は母親かつ配偶者である私をとまどわせる……）。日本文化の特殊性の構築もまた、何人かの著述家たちを信じれば、母のフィギュアの重要性に基づいているようだ。母のフィギュアは、家族関係の中で伝統に忠実である必要性を主張するときに現れてくる。またこのフィギュアは、近現代の小説が示しているように、自然、生命、死とのつながりを永続させるものとしても現れてくる。

私は、とくに最近仏訳された、戦後が舞台のある推理小説のことを考えている。母の死後ひとりで娘を育てる父、亡き母の象徴的な座を取られないように父の愛人を殺す娘。この殺人がうまくいくのは、戦争中にアメリカ人の掘った井戸が雪に覆われており、幼い娘はその井戸にライバルを転落させるように手はずを整えるからだ。家族の住む屋敷周辺の自然を計略に使っている。小説の最後に、登場人物たちが日米を往来する戦争直後の場面で、父の愛人が、実は、娘の産みの母だったことがわかる（Koike 1999）。現代日本の文化的特殊性の形成について重要なテーマがこの小説で示されている。敗戦とそのつらさ、アメリカの魅力とそれへの嫌悪、自然の力と母という中心イメージ。

イザベル・ブスケの指摘によれば（Bousquet 1986）、母子関係とりわけ母－息子関係は「日本社会の関係全体の母胎」の役割を果たしている。母との関係は、日本の表象の中で社会関係の図式の基盤になっているようだ。

差異を消去するような普遍化の立場への反動として現れる差異主義の立場は、まず抵抗の手段なのだが、それが文化的な特殊性の主張に行き着けば、ブルディュー的な意味でのディスタンクション（卓越さ）（Bourdieu 1979）を見せつける戦略となる。この特殊性の拠りどころとしてエクリチュールの重要性が強調されてくる。この点について、十世紀も前に女が書いた最初の小説『源氏物語』を筆頭に、日本文学史の中で女の占める独自な位置を思い起こさずにはいられない。『源氏物語』は、フランスの日本文学研究者ルネ・シフェールなどによって「世界で最初に書かれた小説」（Sieffert 1995）と評価されてしまうのである。

このように普遍主義への抵抗から文化の特殊主義の主張へと至る歩みは、どれも似通っていて印象的である。以上述べてきたふたつの特殊主義だけでなく、たとえば中央集権化していく国家に対するフランスの地方自治主義からアメリカの黒人文化主義までの動きについても、同じ確認ができるだろう。

2　女性支配の社会的事実の分析における差異主義の行き詰まりと比較方法の道具としての性社会関係

差異主義は、過小評価された女の状況から女が男と異なる人間的社会的経験をすることの確認になるとしても、またそこから文化の中で価値ある位置を占めたいと女が要求することの正当性を見せてくれるとしても、私の考えでは、個々の社会的事実の分析においては方法論上の障害になる。ただし、差異主義が、「ちがうもの」と「基準になるもの」の相互的な位置を見つめるふたつの差異主義になれば話は別だが。この場合、ふたつの関係が重要なのであって、単独で存在するそれぞれの特殊性が問題なのではない。ということは、結局のところ、差異主義それ自体をあきらめることになる。差異主義がこの関係の中の支配者の位置の特殊性を考慮することはまずないからだ。

西欧（同質な統一体と見なすべきではない）と日本（これも社会学的にいって同質ではないだろう）の女の社会状況を比較分析するときに、日本の特殊主義にも同じことがいえると思う。もし日本というひとつの表象を、普遍的な事例に対する決定的かつ全面的な特殊な事例と見なしてそれに固執するならば、日本の中にある世界各地に共通の女性抑圧の一般的状況を見落とし、同時に〝普遍的な〟事例にある政治・経済・文化の地域的形態としての特殊性を見誤るおそれがある。

女の状況を社会学の分野で分析しようとすれば、差異主義は、女がこうむる不利益を確認することはできても、その不利益を生み出すプロセスの理解には至らないことがわかる。しかし、唯物論フェミニズムは、性別カテゴリーが対立する社会関係の中にしか存在しないこと、性差別がシステムを形成することを明らかにすることによって（Delphy 1998）、たんに男女の不平等を確認するだけにとどまらず、不平等を生み出すプロセスの分析へと一歩踏み出したのである。性社会関係社会学は、こうした唯物論フェミニズムを継承しており（Battagliola et. al. 1990）、無償の家事労働や低賃金の職業労働などを通じた女の経済的搾取だけでなく、女への象徴的支配がとるさまざまな形態とその相互関連性へと分析を発展させてきた。

性社会関係は、ひとつの社会全体に、そしてさまざまな社会に横断的であり、歴史力学にも組み込まれている（コンブ、ドゥヴルー 1998）。性社会関係社会学は、女の従属の自然主義的、非歴史的な根拠に基づく概念とは決別する。とはいえ、そのことが地域、国、文化により性社会関係の形態や表現が異なり、自然的生物学的な条件に対して関係のもち方が男女では異なるのを考慮することの妨げにはならない。男女では自然との「象徴的関係」が歴史文化的に異なること、また国内の経済・社会・法・文化の文脈によって女の要求を作成するときに優先順位が異なるのを考慮することの妨げにもならない。世界的秩序と称する西欧的秩序から見て遅れていると断言する前に、女性解放の手段を獲得するときの政治経済の文脈の地域的分析がまず必要なのである。女のための新しい法律を制定し、女の社会参加のための新しい基盤を整備する際に、分析の段階と要求作成の段階を同一視しないように気をつけるべきである。以上のことは、必要な場合には外国の研究を役立てながら、それぞれの国で女たちが決めることである。

ヨーロッパの女の状況が同じでないことを考慮すれば、ヨーロッパの女たちが同じ具体的目標に向けて、同時に、同じ原則を採用するのは誤りだろう（Hantrais et Letablier 1996）。欧州連合（ＥＵ）の建設はヨーロッパ内部の比較研究の発展の機会をもたらしたが、類似点だけに基づいて共通のアイデンティティをつくるのが目的でないのは確かである。ただし、ヨーロッパの女たちがさまざまな欧州機構の設立の機会を捉えて、それぞれの国で女性解放をできるだけ促進し、超国家的な法的枠組みをともにめざしているのも事実である。そのために多くの場合、知識形成を第一段階とし、国内の女の状況と近隣諸国の女の状況を比較できるような情報の収集と公開が、各国に義務づけられている。具体的には、各国がすでにある女の権利の適用とその適用を妨げる障壁を評定するのである。それは、各国間の女の差異を否定し、画一化することではない（ただし、周知のように、ヨーロッパ経済のいくつかの部門にはこのことは当てはまらない。とくに農業政策には共同のプログラムがある）。欧州機構においては、男女についてのレポートの類は数多いのだが、女性解放闘争の制度的な要求が最終的に成功を収める保証はないことをつけ加えておこう。

ヨーロッパと日本の男女の家事育児労働に費やす時間を例にとれば、明白な差異がある。大工仕事を除く家事労働に費やす1日あたりの時間は、日本では、男全体31分、女全体4時間41分、専業主婦だけでは7時間23分であるが（一九九五年のデータ）、フランスでは男全体1時間18分、女全体3時間37分、家庭にいる妻だけでは5時間10分（一九九九年のデータ）、オランダでは、男2時間3分、女4時間53分（家庭にいる妻のデータなし）（一九八五年のデータ）となっている。

育児（学童期も含む）については、日本の男は1日4分とほとんどしていない（女33分、専業主婦1時間15分）。フランスの男は9分（女26分、家庭にいる妻55分）、一四年前のオランダの男は15分（女49分）である（Dumontier et Pan Ké Shon 1999; ＮＨＫ放送文化研究所 1995 ―資料提供　船橋恵子氏による）。

このような差異を明確にしたあと、次の手続きは、それぞれの国で異なる女性労働の歴史、家族構造の歴史があることを確認しながらも、家事労働の男女分担と男が主導する労働市場の中の女の位置との間には一般的に同じタイプの関連性があることも確認すべきである。この関連性を明らかにするには、母性、父性、女性労働の表象に関わる心性の歴史やそれぞれの国自体の進歩を評定する必要がある。

というのも、ある国の近代化は必ずしもほかの国の近代化ではなく、近代化はさまざまな道をたどりうるからだ。たとえば、オランダでは、男女両方の《長期パートタイム》（週20―36時間労働）の定着をめざす労働時間短縮によって、男が家庭生活でより多くの役割を担う方向に動いている。この方向は、オランダの女たちの給与生活への参入が最近始まったことにより生まれたわけだから、まだ主流でないとしても、この国全体には、職業労働、家事労働を男女が平等に分担すべきだとするイデオロギーがすでにある。しかし、これもまた最近のことであり、子どもは母が育てるべきだとする伝統的なイデオロギーも依然として強力である。このせいで子どもの就学時間が短くなっているにもかかわらず放課後の保育施設が不足しており、事実上は、女だけが子どもの世話をし、女の職業就労が進んでいかない(Frinking et Willemsen 1997; Wierink 1998)。

ところで、フランスでいま話題になっている労働時間短縮は何を意味するのか。男女の家事分担を改善してくれるのか、週5日労働を4日にするのか、1日の労働時間を削減するのか、年間休暇を延長するのかなど、選択はさまざまに考えられる。たとえば、保育費の負担軽減のために、休校日に働かないことを女が選択すれば、それは、男の余暇時間の増加に並行して、女の家事負担の増加になってしまわないか。フランスでは、就労男性は、1日の余暇時間をすでに就労女性より15%多くとり、家事労働時間は就労女性の3分の1である。ちなみに、日本では、余暇時間(社交時間は別)について、就労男性は36%多くとり、家事労働時間は就労女性の7分の1であるのは注目に値する。これらの数字は、無論、女の1日当たりの勤務時間の長さ、労働市場への女の参入形態に左右される(NHK放送文化研究所1995)。

性社会関係社会学は、以下のようなさまざまなファクターに力点をおいている。分析は社会生活の諸領域の関連性を強調するものであること、労働を生産と生命の生産、職業と家事の総和と考えること、社会における男女両方の位置を同時に考察すること等々である。男女については本質主義的カテゴリー化をすべて排除し、男が女を支配するかぎり、男についての考察を必要と考えるということである。

性社会関係の諸概念を使用した分析は、男女の位置についての社会学的データを国際比較する方法論的な道具として提示できる。私が思うに、女の地位とか性別役割とかの概念用語を使用したこれまでの分析は、社会の条件や社会の現状をその進歩の度合いに応じて、分類、序列化、順位づけする傾向があった。しかし性社会関係分析にはこの傾向がない。男性支配のさまざまな表現形態を考慮に入れて、その歴史・文化・社会的な決定要因の関連性を明らかにしようとするからだ。性社会関係の概念を使えば、少なくとも社会学分野においては、「具体的普遍」はそう遠くはないと私は思う。

参考文献

Battagliola, Françoise, Danièle Combes, Anne-Marie Daune-Richard, Anne-Marie Devreux, Michèle Ferrand, Annette Langevin 1990 *A propos des rapports sociaux de sexe. Parcours épistémologiques*. Paris: CSU-CNRS.

Bourdieu, Pierre 1979 *La distinction. Critique sociale du jugement*. Paris: Editions de Minuit.（1990『ディスタンクシオン』1・2 石井洋二郎訳 藤原書店）

Bousquet, Isabelle 1986 "La mère et l'enfant dans la société japonaise et contemporaine." *Espace des femmes*, Tokyo: Centre de Documentation Franco-Japonais sur les Femmes, n°4: 69-73.（『女性空間』第4号 日仏女性資料センター）

D・コンブ、A・M・ドゥヴルー 1998「性的社会関係概念―その起源、構築、利用」支倉壽子＋井上たか

子訳　棚沢直子編訳『女たちのフランス思想』勁草書房：65-116.）

Delphy, Christine 1998 *L'ennemi principal. Tome 1: Economie politique du patriarcat*. Paris: Syllepse, Collection Nouvelles questions féministes.（1996『なにが女性の主要な敵なのか』井上たか子ほか訳　勁草書房）

Dumontier, Françoise et Jean Louis Pan ké Shon 1999 "En 13 ans, moins de temps contraints et plus de loisirs." *Insee Première*. Paris: Institut National de la Statistique et des Etudes Economiques, n° 675 octobre.

Frinking, Gerard et Tineke Willemsen（éds.）1997 *Dilemmas of Modern Family Life*. Amsterdam: Thesis Publishers.

Goody, Jack 1999 *L'orient en occident*. Paris: Le Seuil, La Librairie du XXème siècle.

Guillaumin, Colette 1992 *Sexe, race et pratique du pouvoir. L'idée de Nature*. Paris: Côté-femme.

Hantrais, Linda et Marie-Thérèse Letablier 1996 *Familles, travail et politiques familiales en Europe*. Paris: Presses universitaires de France, Cahier du Centre d'Etude de l'Emploi.

Irigaray, Luce 1995 "Femmes et hommes: une identité relationnelle différente." In Ephesia（pseudonyme）, *La place des femmes. Les enjeux de l'identité et de l'égalité au regard des sciences sociales*. Paris: La découverte, Collection Recherches: 137-142.

Irigaray, Luce 1999 *Entre Orient et Occident*. Paris: Grasset.

Koike, Mariko 1999 *Le chat dans le cercueil*. Paris: Editions Philippe Picquier pour la traduction française. Titre original: Hitsugi no naka no neko.（1990 小池真理子『柩の中の猫』新潮文庫）

Miyoshi, Nobuko "1985 Entre deux cultures différentes. Femmes japonaises et femmes françaises." *Espace des femmes*. Tokyo: Centre de Documentation Franco-Japonais sur les Femmes, n° 3: 31-45.（『女性空間』第３号　日

仏女性資料センター）

NHK hosobunka-kenkyujo seronchosa-bu 1995 *Seikatsujikan no kokusaihikaku (Comparaisons internationales des budgets-temps)*. Tokyo: Daiku-sha.（ＮＨＫ放送文化研究所『生活時間の国際比較』）

Nishikawa, Nagao 1986 "Occidentalisation et 'Retour au Japon',." *Corps écrit*, n° 17, Représentations du Japon. Paris: Presses Universitaires de France: 81-92.

Proust, Jacques 1997 *L'Europe au prisme du Japon. XVI-XVIIIème siècle*. Paris: Albin Michel, Bibliothèque Histoire.

Schor, Naomi 1993 "Cet essentialisme qui n'(en) est pas un: Irigaray à bras le corps." In Michèle Riot-Sarcey, Christine Planté et Eleni Varikas (éds.), *Féminismes au présent. Supplément à Futur Antérieur*. Paris: L'Harmattan.

Seizelet, Eric 1995 "Un système judiciaire influencé par le modèle américain." In Jean-François Sabouret (dir.), *L'état du Japon*. Paris: La découverte: 250-252.

Sieffert, René 1995 "Introduction: Le Dit du Genji." In Murasaki-shikibu et Soryu Uesugi, *La branche de prunier*. Traduction française d'extraits du Dit du Genji, Paris: Editions Alternatives, Publications Orientalistes de France: 7-8.

棚沢直子編 1998『女たちのフランス思想』勁草書房

Tominaga, Ken'ichi 1991 "Les expériences historiques du Japon pour une théorie de la modernisation des sociétés non occidentales." *Sociologie du travail*. Paris: Gauthier-Villars, n° 1.（富永健一 1999『近代化理論——近代化における西洋と東洋』講談社を参照）

Wierink, Marie 1998 "Temps de travail aux Pays-Bas. La voix des femmes." *Futuribles*, n° 236 novembre Paris.

3　『国体の本義』読解

西洋の世界性・日本の特殊性

棚沢　直子

はじめに

日本近代期に女が権力や表象とどう関わるのか。それを知るためになぜ『国体の本義』を読解するのか。

そもそも『国体の本義』は私の知る限り日本近代期の思想史や女性史の中でまともな分析対象になっていない。なぜなら、この書は、第二次大戦直前という「例外的な」時期に書かれたので、日本近代期の文明化を扱う思想史や女性史の中に位置づけられないとされてきたからだ。綿密な全文読解などする必要ない、ということで、現代の近代思想の見直し研究の中でさえこの書は放置され続けている。これは「教育勅語」の研究が、近代思想史の中でかなりの位置を占めて発展してきたのとは明らかにちがう（八木 2001）。

では、なぜ『国体の本義』をわざわざ選ぶのか。

『国体の本義』が戦争期の「例外的な」書、つまり単なる政治プロパガンダだとは思えないからだ。むしろこれは明治以後七十年を経た日本近代期の思想史的なひとつの到達点である。それだけではない。たしかにこの書は戦前に出版されたが、しかし戦中に準備され戦後から現代まで続く思想のひとつの出発点なのではないか。要するに『国体の本義』は日本近現代という時代のど真ん中にある標柱として読むことができる。論理構成も明快で綿密なテキスト分析に耐えうると私には思える。しかも、日本近代期に女が権力や表象とどう関わるかまで、国体と関連させて書き込んである。

『国体の本義』は、当時の文部省思想局が多くの研究者に執筆を依頼し、論理的・思想的な統一を重視して作成された。この公定本は、一九三七（昭和一二）年三月三〇日に発行され、各官庁や全国の各学校に配布された。続いて出版された数多くの解釈本の中で、ある執筆者は次のように言う。明治以後「教育勅語」を筆頭に国体へ国民の自覚を促す「御聖旨」は、いくどかあった。しかし「政府が責任ある体系的な印刷物を刊行したのは今回の挙をもって嚆矢とする」（三浦 1937: 2）。『国体の本義』は国家政策を司る権力機構が日本近代思想の体系的な書として世に問うた初めての本なのである。

日本近代期は文明化と国体化の間で大きく揺れた。『国体の本義』は、この一見対立する二方向をどう調合すれば日本がとるべき道になるのか、政府が責任をもって結論づけたその処方箋である。同じ公定本で四年後に文部省教学局（思想局の後身）が刊行した『臣民の道』と合わせて読むと、国体の意味内容は、実は、西洋だけでなくアジアに対する位置どりから練り上げられようとしたことが、より鮮明になる。

1　国体を明徴にする

国体とは何か

国体はわかりにくい。政府とその周辺には、明治期から（それ以前からも）国体の名で日本を価値づける思想的な動きがありながら、国体とは何かについてだれもわかっていない。あまりにわからないから、一九三五（昭和一〇）年には、文部大臣が「国体明徴の訓令」を、続いて内閣が二度にわたる「国体明徴声明」を出した。その解答・回答として『国体の本義』が二年後に発行されたのだ。「国体」とは「国の成り立ち」「お国がら」（三浦 1937: 22, 26）のことだが、しかし「国のかたち」、「すなわちその国の全体的な統治のあり方や仕組みという制度」（滝井 2003: 13）[1]のことではないらしい。とくに「本義」とは制度というよりもその背景となる思想・文化の内容のことのようだ。

国体にとって何が敵か

国体の思想的な敵は「緒言」で明確にされている。それは十八世紀の「フランス啓蒙期」に始まる西洋近代思想のうちでも、「個人を至高の価値とし」、「個人の自由と平等を主張する」個人主義である。以後誕生した社会主義・無政府主義・共産主義もすべて、「西洋近代思想の根底をなす個人主義に基づくものであって、その発現の種々相たるに過ぎない」(『国体の本義』1937: 5) と。

では、なぜフランス的個人主義が国体の敵か。それは個人主義が人間を個人のレベルでのみ捉えて、個人の価値に国家を超越した「世界性」「普遍性」を付与するからである。ところが日本には国体がある。その国民性・歴史性を無視して人間の価値を世界に直結させてはならない。

国体のキーワードは何か

キーワードはずばり「一」あるいは「ひとつ」である。この「一」は、二つのものの間の対立を避けるために現れ出る。

第一に**「祭政一致」**。天皇は、肇国(国の成り立ち)からして、「至高の神たる天照大神」(同上: 11)の子孫である。そのアマテラスと「一体」になるために天皇は祭祀を行う。その祭祀と天皇の政治とは根本において「一」である(同上: 26, 127)。

第二に**「君臣一体」**。国体において人間は個人でなく「臣民」として扱われる。ときに国民の名で呼ばれても、それは天皇制国家の下で「皇運のために」「まことを尽くす」「真に忠良なる」臣民(同上: 135-136)の意味にすぎない。こうした「天皇と臣民との関係は、一つの根源より生まれ、肇国以来一体となって栄えてきたものである」(同上: 33)。この関係は個人本位の世界における「我を主として他を従とする」(同上: 96)ような対立ではまったくない。対立を絶した「ひとつの根源」に帰する「**没我帰一**」の関係である。「没我の精神は単なる自己の否定ではなく、小なる自己を否定することによって、大なる真の自己に生きること」（同上：97）、これにつきる。ところで「大なる自己」とは国家のことである！　国家に帰一すれば、没我の心が生まれる（同上：98）。いってみれば「上下一如」（同上：84）が「世界に類例を見ない」わが国体である。

第三に「**忠孝一本**」あるいは「**家国一体**」（同上：49）。日本の生活の基本は「西洋のごとく個人でもなければ夫婦でもない」（同上：43）。それは「家」であり「親子」である。親子は一連の生命の連続であり、子は親という本源に連なる。親子間にある孝道は東洋道徳だが、日本には中国ともインドともちがう特色がある。それは孝が忠と「ひとつ」になったところだ（同上：48）。つまり親への孝行は国家への忠誠と「一本」をなしている。要するに、日本は家と国とが「一体」となった「**一大家族国家**」であって、これが「世界無比の」わが国体である。

国史のキーワードは何か

さて日本史についていえば、そのキーワードは「不変性」（つまり「無時間性」）である。すべては「一」に帰す「国体の自己表現」（同上：64）たる国史は、「過去も未来も今において一になる」（同上：16）。これは天皇制が「万世一系」であることでわかる。西洋諸国をはじめ他の国々にはない「建国の精神が、歴史を一貫して不朽不滅に存続」（同上：63）し、国史と「一体」（同上：115）になっている。

こうした国史に現れる国民性を臣民たちはどう生きればよいのか。それは皇祖皇宗を崇めまつる天皇を範に「**祖孫一体**」となることである。具体的には「祖先を崇敬し、その忠誠の志を（……）現代に生かし、後代に伝え」(同上：37) ればよい。もともと日本は天皇の下に「同一血族・同一精神」の国家として成り立ったのであり、人と人、人と物とが「一体」になるところに、日本の国民性・歴史性がある(同上：88-89)。

2 国体と西洋を調合する

国体と西洋をどう調合するか

さて、以上述べてきた国体の明徴化と西洋化とはどんな関係にあるのか。その答えは「結語」(同上：143-156) にある。なんと両者は対立しないどころか「西洋思想の摂取醇化と国体の明徴とは相離るべからざる関係にある」(同上：155)。つまり国体の明徴化は「必ず西洋の思想・文化の摂取醇化を契機としてなさるべき」(同上：155) なのだ。とくに西洋近代の精神科学における「精密性と論理的組織性」(同上：144) を大いに活用しなければ国体は明徴にできなかった！(日本は精密な論理構成に欠けるらしい)。しかし、こうした「学的体系・方法および技術は(……) 西洋独自の人生観・世界観によって裏づけられている」(同上：149)。これは捨てなければならない(精密な論理構成とその裏づけとなる思想とは切り離せるようだ)。

とにかく、この『国体の本義』作成を通じて、西洋思想の「本質を究明する」(同上：148) ことに努力したからこそ、ようやく国体が明徴に見えてきたのだ。裏づけとなる思想性を捨て、西洋との対立比較を試みるために日本に欠けた精密性・論理性を摂取する。これが国体と西洋のひとまずの調合である。

国体と個人は対立するか

西洋思想の本質である個人主義の主張とはちがって、もともと個人と国家とは対立しない。なぜなら「元来個人は国家より孤立したものではなく、国家の分として各々分担するところをもつ」(同上：97)からである。「国家と個人を相対的に見て、国家に対して個人を否定する」(同上：98)からいけない。そうではなく個人を国家に「同化」(同上：98)させればよい。個人と国家を相対化し、個人を中心にするのが個人主義である。このような「二元的な思想」(同上：149)は「一」を基本とする国体に合わない。

個人主義に基づく自由主義・民主主義は、日本でも自由民権思想として勢いをもった。この場合、「国利民福という精神」が人心を支配していた間は、「個人の溌剌たる自由活動は著しく国富の増進に寄与し得た」(同上：152)のである。しかし、この思想の普及とともに、「経済運営において利己主義が公然正当化せらるるがごとき傾向を馴致するに至った」(同上：152)。国利と民福は「一如」(同上：153)となるべきだから、個人の利だけを追求する自由主義・民主主義は国体に反する。

また社会主義・共産主義は、西洋の個人主義の行き過ぎを是正するために生まれたが、結局のところ、個人間の対立を階級間の対立におきかえたにすぎない。これらは「階級的個人主義」(同上：154)と呼べるものであって国体に反する(『国体の本義』の執筆者たちには共産主義「国家」の分析は無理だったらしい)。

最後に、「ファッショ・ナチス」も「個人主義の行き詰まり」に対して台頭した国家主義・民族主義の運動である。しかし、これらは「抽象的全体主義」だから「そのまま輸入して」(同上:155)「模倣して」も日本という具体的で「特殊な」(同上:97, 143) 国体には合わない (「ファッショ・ナチス」なる国家主義・民族主義における個人の位置について『国体の本義』では何も言及していない)。

国体と世界をどうつなぐか

国体の本義を体得することとは、日本のためだけでなく「個人主義の行き詰まり」の打開に苦しむ「世界人類のため」でなければならない。ここに日本国民の「重大な世界史的使命」(同上:6) がある(2)。ところで、国体の敵たるフランス的個人主義では、個人の価値には世界性があると考える。よって、その自由主義・民主主義さらには社会主義・共産主義にもまた世界性があると思われ、それらを世界人類のために普遍化していけば、文明の進歩を世界に伝播する世界史的使命は全うできるとされる。

では、国体という「世界無比の」特殊性をもつ日本の国民は、どうすれば世界史的使命を遂行できるのか。その答えは「結語」にある。それは「国体を基として」「新しき日本文化を創造し、進んで世界文化の進展に貢献」(同上:155) することである。日本人が「世界に貢献することは、ただ日本人たる道をいよいよ発揮することによってのみなされる」(同上:156)。たったこれだけ (!!) である。本文では日本の国体は特殊だ、特殊だと言い続け、「緒言」と「結語」においてだけ、日本国民の重大な世界史的使命に言及し、それを文化の次元だけに縮小したうえで、この特殊な国体と国民が一体になれば「世界に貢献できる」とする。国体と世界を、さらに特殊性と世界性をどうつなぐかについては、まったく何も言わない。

3　国体の中で女を表象する

天皇をめぐる女たちの中で「だれ」が重要か

明治以降の天皇をめぐる女たちの中で、皇后の研究は近年大きく発展した(3)。この研究により皇太后や皇太子の生母となる女官たちの存在も注目された。しかし、天皇が天皇たる根拠としてのアマテラスは、近代期の思想史や女性史の盲点であるかのように、神道の研究以外にまともに問題にされたことがない(4)。『国体の本義』では、アマテラスの存在の言語表象は29ヵ所以上あるのに対し、皇后についてはて0ヵ所、皇太子の生母0ヵ所、皇太后1ヵ所（同上：90）という配分なのに、である。近代の天皇をめぐる女たちの研究にとってアマテラスは無視できないはずだ。少なくとも『国体の本義』読解には、皇后の研究よりアマテラスの存在理由の考察がはるかに重要である。

アマテラスは「女」か

ところで、アマテラスは「女」なのか。実は、アマテラスの性別をめぐる論争は日本史上にすでにある。古代に中国から輸入され日本に定着した陰陽思想からいえば、太陽神アマテラスを「女」とするのは難しい。しかし、「御国の古伝」の記述に忠実ならば、アマテラスを「男」とする説には無理がある。『古事記伝』の著者本居宣長は「近きころ、此大御神を男神なり、と云人どももこれかれあれど、皆おのがわたくしの強言にて、漢の理にへつらへるものなれば、云にたらず」、「陰陽の理を云は、漢家の風俗なれば、御国の古伝にはかなわぬ」（本居 1968: 284）として、アマテラスは「女」以外ないと明言している。この論争は近代期にも続いていく（上田 1986: 199-208. 現代でもアマテラスは「女」になったり、「男」になったりしている。水林 2001 参照）。

では『国体の本義』でアマテラスの性別はどう表象されたのか。

『国体の本義』でアマテラスと天皇は「男」か「女」か

『国体の本義』ではアマテラスの性別にまつわる直接的な言及はない。この公定本は、記紀神話に忠実だから、アマテラスを「男」とせず、かといって「女」と断言せずに、天皇にとって性別の不明確な「親」として表象する（『国体の本義』1937: 36）。

では天皇の性別の描写はどうか。日本史上初めて一八八九（明治二二）年制定の皇室典範により天皇の性別は「男」と規定されたのに、『国体の本義』における天皇の性別の描写は明確さに欠ける。天皇は一方では臣民と「父子と等しき情によって結ばれている」と言いながら、他方では臣民を「赤子として愛しみ給う」（同上: 46）とする。この「父」の情の形容すべてが、近代において母の情を表象すると思われる「愛撫」「愛護」「愛養」（同上：28-29）の類であり、臣民の方も解説本にあるように「赤子の母を慕う」（三浦 1937: 105）がごとき情を天皇にもつとされる。このように、『国体の本義』で言語表象される天皇は、近代に制定された法体系から《ずれ》て、臣民にとって「父」のみでも「母」のみでもなく、両者が二分化しない「父母」なる「親」である。

皇室典範の制定後に発行されたある雑誌論文も、天皇が「民の父母」である根拠をアマテラスの性的な属性に求めて、アマテラスが「女神」でありながら「男女の御高徳をあわせ」（『大八州雑誌』1892: 16）(5)もつからだと説明する。そもそも明治のごく初期から複数の公文書で、アマテラスの子孫たる天皇は「日本国の父母」として表現されてきた（遠山 1988: 28-29）。

要するに日本近代期にはアマテラスも天皇も性別の不明確な「親」いわば**「親不分化像」**として表象される思想的な流れが一貫してあり、『国体の本義』もこの流れに与するということである。

アマテラスと皇后はそれぞれ何を表象するか

日本史で古代以後は表面に浮上しない皇后の存在が、なぜ近代に必要となったか。その説明は女性史の分野ですでにある（若桑 2001; 長 1999）。それは文明化する日本が、西洋の一夫一婦制に倣って性別二分化（性分化）の明確な夫婦のあり方を国内外に見せつけようと、皇后を表象化したというものだ。天皇の方も、明治初期の薄化粧の女っぽい写真から、髭をそなえ「男性化」した軍服姿の御真影へと変貌する。性別二分化した国家表象は完了したのだ(6)。

にもかかわらず、『国体の本義』では「男性化」したはずの天皇は、不明確な性別を保持したままだし、皇后の姿はついに消えてしまう。アマテラスの表象が皇后の表象を凌駕してしまったのだ。これはどう説明したらいいのか。『国体の本義』によれば、日本国民の生活の基本はどれほど西洋化しようと夫婦でなく親子であって、国民の範となる親子はアマテラス－天皇であるということになる（『国体の本義』1937: 36, 43, 47）。

とすれば、天皇－皇后という性別二分化した夫婦は日本の西洋化を示すひとつの国家表象であり、アマテラス－天皇という性別二分化の不明確な親子は、どうしても西洋化しきれないものを吸収するもうひとつの国家表象だといえるのではないか。しかも国家の要にあるとされるのは後者である。これを範に、公領域で臣民は天皇に忠を尽くし、私領域で子は親に孝を尽くすというのだ。日本の近代女性史は、西洋化しきれないものを無視するか後進性の名を付して片づけてしまい、『国体の本義』に至る思想的な流れを分析しない(7)。まことにアマテラスは近代思想史の盲点である。

しかしアマテラスは西洋化しきれないものを表象するだけに留まるのか。

アマテラスにおいて国体と西洋はどう調合されたか

日本近代期に、なぜアマテラスだけが八百万の神々の中でとりわけ重要な「至高の神」になるのか。アマテラス以外にも近代の皇祖神候補は数多くあるのに、ほかは徐々に捨てられていく。アマテラスは実は日本の西洋化にも深く関わっているのではないか。

確認しておこう。『国体の本義』で、アマテラスは、西洋の二元思想の対極に位置し、日本のすべてが帰する「一」なる根源として表象されている。

ところで、この二元と一元の関係を西洋近代について究明したのはシモーヌ・ド・ボーヴォワール以来のフランスの女性思想家たちだった(8)。彼女たちによれば、西洋思想は明確に二分化された性別を基盤にして古代に成立した。以後、理性と感性、精神と身体、文化と自然、主体と客体などの二元も、つねに前者が「男」、後者が「女」として歴史を通じて表象されてきた。問題はこの「男」「女」の二元が序列化されてきたことだ。西洋近代の思想枠組みは、二元に見せかけながら、唯一神の後身たる「男」即「個人」即「主体」が支配する「一元体制」でしかない(9)。

それならば、「日本の特殊性」の根拠アマテラスは、唯一神の残影を秘めた西洋近代の「一元体制」の模倣なのではないか。しかし、西洋のキリスト教系の唯一神は異端でもない限り一度も「女」「母」にならないのに、日本のアマテラスは天皇と「一体化」した性別の不明確な「親」である。ではアマテラスにおいて国体と西洋はどう調合されたのか。

その処方箋は、私に言わせれば、換骨奪胎、のちに脱構築と呼ばれるものである。すなわち西洋の「一元体制」の枠組みをまず摂取する。つぎにその枠組みを残したまま「男」だけの部分を換骨奪胎して、そこに国体の要アマテラス - 天皇の「一体」を入れ込んだのだ。「結語」で述べたような、西洋の論理性だけを模倣しその思想性を捨てるやり方では、実は、まったくなかった。西洋近代の思想枠組みは、こっそりと、しっかりと、摂取している。

なぜこの調合が日本に必要だったのか。西洋の「一元体制」を模倣したいなら、無理と思われてもアマテラスを「男」「父」に仕立てるか、あるいはせっかく天皇を「男」に制定した法体系があるのだから、天皇だけで唯一神的な表象は担えるではないか。なぜアマテラス－天皇の**「親（子）不分化像」**が必要なのか。それは権力とどう関わるのか。

国家表象アマテラス－天皇は権力にどう関わったか

『国体の本義』の執筆者たちもまた「我を主として他を従とする」（同上：96）個人主義に唯一神の残影を見ていた。彼らはこの個人主義に見え隠れする「一元体制」が文明の進歩を促した要因だとまず肯定的に解釈する。しかし、その文明の進歩の行き着く先には帝国主義・植民地主義がある。「個人」「主体」の哲学は、民主主義だけでなく帝国主義・植民地主義の起源でもあるからだ。フランソワーズ・コランは「普遍的な主体は通る道筋で出会うもののすべてを同化できる客体として吸収していく」（コラン 2002: 10, 60. 本書九頁）と指摘している。

日本の近代化は、西洋が帝国主義・植民地主義の道をまっしぐらに突き進み始めた時代に、ようやく開始された。出遅れた日本はこの危険な文明の進歩の道を西洋《より速く》進まなければならない。《より速く》のための特効薬は何か。『国体の本義』の執筆者たちにとって、西洋の主体《より速く》すべてを同化し吸収する特効薬、これこそがアマテラス－天皇の「一体」なのである。なぜなら、この「一体」は単に同化するのでなく「包容・同化」（『国体の本義』1937: 97-98）するからだ。この包容・

同化には、超国家的な西洋の「一元体制」には付随しなかった「国民統合」を促す目的がある。

普遍的な主体の同化の論理は偽りでも個人間の平等を標榜するが、国体の包容・同化の論理を使用すれば、「上下」をそのまま保持して、それを「一如」(同上：84)とする「没我同化の国民性」(同上：97)に基づく国民統合が可能である。臣民が国家の権力機構を「赤子のように」受け入れるには、「母」のような天皇の「愛護」がなければならない。アマテラス－天皇という「父母」は一体となって子を包容し、子はこの「父母」に一体感をもって国家機構に《自分から》(!)同化していく。

国外的には西洋に伍した植民地主義がいまや露骨な国家政策となる。それと平行して国内的には国民統合を推進していく。これらの政策を超スピードで実践するには、アマテラス－天皇の「御一体」より以上の特効薬があろうか。

「親子」の表象は権力機構が要請する上下関係を正当化する。「女」「母」の表象はこの権力を子への「愛」の名で隠蔽する。西洋近代の「男」支配の「一元体制」を模倣しつつ、そこに「女」「母」の表象も入れ込めば、上下の対立に紗がかかり、国民統合は超スピードで推進される。日本近代期は、西洋と同じく現実に生きる女や母を権力機構から締め出したが、西洋とちがって表象としての「女」「母」をこの権力機構の思想的な要に据えた。**「親（子）不分化像」**アマテラス－天皇は、天皇－皇后の国家表象より以上に、植民地主義・国民統合のための至高の国家表象であり、表象としての至高の政治権力になりえたのである。

4　『臣民の道』読解

『国体の本義』刊行ののち、一九三八（昭和一三）年に国家総動員法が施行され、一九四一（昭和一六）年に『臣民の道』が出版された。この公定本は、『国体の本義』を踏襲しつつも、論理構成は粗雑で思想書とはとてもいえない。ただし、『国体の本義』の思想がさらなる「非常時局」（『臣民の道』1941: 107）にどう変化するかを知るには適当な書である。『国体の本義』では使用しなかった表現を『臣民の道』の中に探りつつ、その変化を跡づけてみる。

「総力戦」

『臣民の道』は、戦争の本質が第二次大戦に至って「武力戦から総力戦へ」（同上：37-40）変化したと述べる。総力戦とは「外交戦・経済戦・思想戦・科学戦等が武力戦と一体になり」、「戦線と銃後との別なく、国民の全部が戦争に従事する」ことを言う。『臣民の道』はこの「思想戦」のために書かれた。というわけで、臣民の道を歩むには、「我らの生命は我がものにして我がものにあらず」（同上：105）とわきまえ、私領域で子が親に孝を尽くす暇はもはやなく、親も子も「私を捨て」「命を捨て」（同上：64, 74）国家に奉仕しなければならない。『国体の本義』になかった「総力戦」とくに「挙国一致」の文字が至るところに躍る。

「世界新秩序」

『臣民の道』は、西洋が世界をわがものと見なし、「政治的・経済的・文化的に世界を独占的に支配」(同上:5, 9) してきたと述べる。西洋思想は、「弱肉強食の正当視、享楽欲望の際限なき助長、高度な物質生活の追求」であり、「世界を修羅道に陥れ」(同上:9-10) た元凶である。こうした「欧米」支配の旧秩序に替わって新秩序を建設しなければならない(『国体の本義』には「欧米」や「世界新秩序」という表現はなかった)。これがいまや「世界の強大国になった」(同上:15) 日本の「世界史的使命」(同上:27-28, 43) である。

『臣民の道』は欧米の糾弾しかしない。『国体の本義』の執筆者たちが苦慮した国体と西洋の調合、国体と個人の対立解消などの処方箋の痕跡すらない。国体は世界新秩序の建設によって世界と直接つながっていく。

「大東亜共栄圏」

世界新秩序は「大東亜共栄圏」の建設から始まる。ではアジアとどう向き合うのか。この問題もまた「包容同化」(同上:62) の論理で処理される。外来民族の中には昔から「皇化を慕って来たる」ものがいたが、これら外来民族はやがて「精神的にも血統的にも君民一体となって」(同上:62-63) 仕えるようになる。これぞすべてを「包容同化する」聖徳であると。こうして満州国との「日満一体」(同上:

19, 21)、さらには支那との「日満支一体」(同上 : 21) など、「国体の本義」になかったキーワードが新たにつけ加わる(10)。ここには欧米だけに向いて、その独占的な世界支配の中に日本が連なるのを正当化する表現しかなく、「包容同化」の論理以外にアジアと向き合う姿勢は皆無である(子安 2005)(11)。なにしろ「日本が指導者となる大東亜共栄圏」(同上 : 41, 88, 96) の建設なのだから。

アマテラスの位置

こうした包容同化の論理にアマテラスはまた使われるのか。たしかに海外神社の新築に際して、アマテラスは次第に独占的に祀られていく。さらに『国体の本義』を踏襲して、天皇は「アマテラスと一体になり」、「臣民を赤子として愛撫せられ」(『臣民の道』1941: 91) る、とあるように、アマテラス－天皇の親子は健在である。しかし、アマテラス出現の頻度はわずかに後退し、『国体の本義』にあるアマテラス－天皇の「一体」の表現を繰り返しながらも、天皇は「国民の父」より以上の「国民の大御親」(同上 : 58) との言い回しが一ヵ所に現れる。『国体の本義』の中の大嘗祭はアマテラスと「一体」になるために「夜を徹して御親祭遊ばされる」(『国体の本義』1937: 25) 天皇に焦点がおかれていた。しかし、『臣民の道』では天皇が「新穀を御親供あらせられる」(『臣民の道』1941: 52, 118) のを、とくに重要だとする。それはアマテラスの神恩に感謝するためである (だから何なの?)。天皇が天皇たる根拠アマテラスの存在理由をもう説明する必要はないらしい。

5 『国体の本義』の思想

『臣民の道』が戦争の正当化のために性急に書かれた政治プロパガンダであるのに対して、『国体の本義』はより時間をかけて論理的な統一に努力した思想書である。とくに国体化と西洋化との関係、国体化とアジアも含めた世界化との関係は、日本近代期を貫く思想的な大問題であって、その結論をどう出すかは執筆者たちがもっとも苦心したところだ。そのあげく、彼らはアジアを視野に入れる世界化をどうしても論理的に説明できずに、思想書の体裁を保つためにかアジアについてまったく言及しないで逃げてしまった。

『国体の本義』読解を通して得た結論は以下の通りである。

女をめぐる権力と表象

日本近代期を扱う女性研究は、これまで女性史学とフェミニズム理論とが担ってきた。一九八〇年代以来の日本フェミニズム理論は、「近代は日本も欧米も皆同じ」の発想のもとに、欧米の家父長制史観、のちのジェンダー史観を輸入し日本に応用してきた。したがって、日本近代期における西洋化の研究は発展したが、西洋化から「ずれ」たものや西洋化できないものは等閑視されるか後進性扱いされた。残念ながら、欧米の現代フェミニズム理論の成立以前からある日本の女性史学においても、日本近代期について個別研究には優れたものがあるのに、史学全体としては、輸入されたジェンダー史観が強力すぎたのか、この史観の応用の枠内に収まる印象をもつ。アマテラスの存在はその枠外にあるから、フェミニズム理論も女性史学も無視するしかない。

では、『国体の本義』読解により、何が新しく見えてきたのか。

1. 皇室典範や民法などの法体系において、またそこから派生した視覚に訴える国家表象において、どれほど西洋を模倣しようと、日本近代期における西洋的な性別二分化はついに完遂されなかった。そのせいで、アマテラスも天皇も国民向けの説明には性別二分化が不明確な**「親不分化像」**として現れてくる。そもそも明治のごく初期に天皇は「日本国の父母」と表現されていた。やがて西洋化の過程で天皇は男性化した軍服姿の御真影として臣民の前に現れた。しかし、その過程を経た後の天皇は、臣民の「父」でありながら、臣民を赤子として「愛撫」「愛護」「愛養」する「母」のように表現され、明治初期よりもはるかに意図的に臣民の「父母」へとつくり変えられていった（『臣民の道』になると天皇像だけで「父母」が担える方向が見える。「朕は父母たり」〔『臣民の道』1941: 57〕と大御心を垂れ給った聖武天皇の例まで引いている）。

2. 性別二分化の不明確さと平行して、アマテラス－天皇の「親子」二分化も不明確である。それどころか、この**「〈親子〉不分化像」**は御「一体」として現れ出る。この「一体」は天皇－臣民の「親子」にも適用された。

3. 不明確な性別二分化と親子一体との国家表象のせいで、国民は男女ともに、権力を意識せずに国家機構に《自分から》一体化していく。「女」「母」を至高の政治権力表象にしたことで、日本は超スピードで植民地主義・国民統合の道を歩んでいった（『臣民の道』ではこれらが総力戦へと発展する）。

西洋の世界性・日本の特殊性

1. 国体化と西洋化の関係を思考するなかで、「日本の特殊性」が、「西洋の世界性」を対立項として、しかも秘密裡に模倣することで生まれた。「日本の特殊性」は近代「西洋の世界性」の中に秘められた「一元体制」の透徹した極端なパロディーである。この「一元体制」は、西洋ではようやく現代になってフランス女性思想家たちが暴き出したのだが、日本ではすでに戦前に模倣されていた。「西洋思想の摂取醇化」に努力した結果の透徹さである。

国体の要たる親子関係にしても、西洋近代では民主主義の平等原理に矛盾するから私領域に押し込めて思考しなくなっただけで、当然西洋にもある。日本は親子一体の国家表象のおかげで、近代期とくに昭和の戦争期に至って、西洋の「一元体制」ができなかったことをやってのけた。上下を「一如」とし、公領域・私領域を「一本」にしたのだ。こうして親子の権力関係が公領域で縦横に利用された。「日本の特殊性」は西洋の「一元体制」の極端なパロディーだった。

西洋近代で時間の停滞は後進性扱いされる。国史を特色づける不変性（無時間性）の主張は、後進性の名を受け入れないためである。

「西洋の世界性」の自負と「日本の特殊性」の主張は表裏一体でしかない。両者にある上下関係のせいで各々が別の概念を使用したにすぎない。ただ特殊性を標榜した日本の方は世界の中に自分を位置づける適切な論理をついに生み出せなかった。

2. 近代期において日本は西洋とアジアに対し二重の上下関係の中に自らを位置づけた。それなのに『国体の本義』はアジアを視野に入れる世界化と国体化との関係を明らかにできなかった。現代に至るまでこの問題が解決したとは、とてもいえない。

『臣民の道』は「西洋の世界性」が内包する同化の論理をアジアに対して極端なかたちで推し進めた。東亜の共栄圏は精神的にも血統的にも一体となれる！　ここまで極端で「特殊な」同化の論理は、西洋の植民地主義の正当化には使用されていない。付言すれば、法的措置において日本人と植民地のひとたちを同等に扱わなかったことは、すでに周知である(12)。

近現代思想史における『国体の本義』の位置と意義

1. 明治初期から第二次大戦までの日本近代思想は文明化と国体化の間で揺れた。しかし、この二方向は対立均衡していたわけでも、交互に主流になったわけでもない（ドゥヴルー引用の西川長夫 1986; 本書二六頁）。国体化は明治初期から天皇制の主流思想たる運命を担っていたし、文明化は日本が近代国家になるために必要だった。近代期を経るうちに、文明化は国民統合の要請のもとに国体化の大枠に呑み込まれていく。しかも、西洋の文明化自体がすでに帝国主義・植民地主義と化していたから、国民統合は日本が国運を賭けて参加した植民地争奪戦争のための手段となった。近代期五十年も経たないうちに、この争奪戦争は二度の世界大戦に行き着く。日本近代思想は第二次大戦へ至る道の追認を余儀なくされた。官民が「一体」となって作成した『国体の本義』は、その追認を表象する、日本近代期が行き着いた究極の思想書である。

2.『国体の本義』によって準備され『臣民の道』で主張された総力戦の思想は、一九六〇—七〇年代の一億《総》中流意識に至るまでの《日本的な》戦後民主主義の出発点になった。戦後以降の思想において、日本特殊論が何度か浮上するものの国体の価値が陰を潜めた間に、西洋思想の直接的な輸入応用が全盛になり現在まで続く。にもかかわらず、アマテラス－天皇「御一体」の国家表象が明示されないとはいえ、国体の価値は完全に否定されてはいない。「私を捨て・命を捨て」るほどではないが、無関心を装いつつも結局は国民が国家機構に《われ知らず自分から》同化する精神風土は、メディアの後押しもあり相変らず安泰である。

3.『国体の本義』が近代「西洋の世界性」のなかに秘められた「一元体制」を掘り起こした現代的な意義は、どこにあるのか。それはまず西洋思想の無批判的な輸入応用に頼る現代の思想風土を問い直すことにある。西洋現代になお残る世界性《ユニヴェルサリテ》・普遍性への自負がかつて帝国主義・植民地主義に至り侵略戦争に行き着いたのを「世界性」自体に内包された論理的必然だと肝に銘じたい。近代天皇制は、この「西洋の世界性」のもっとも危険な部分を極端なかたちで模倣し、性別二分化の不明確な親子一体を入れ込んで「日本の特殊性」と称したうえで侵略戦争の旗印にしたではないか。

経済的な世界化が進むなかで現代を見据える思想は、国家を超えるだけでなく、この「世界性」自体を批判しなければ生まれてこない。そのためには日本と西洋の近現代思想をフェミニズム理論まで含めて同時に問い直すべきである。日本的特殊主義の包容同化の論理も、西洋的普遍主義の同化の論理も、抑圧的だとわかる時代に私たちはすでにいるのだから。

では二十一世紀の世界を考えるうえで、『国体の本義』の思想的な限界はどこにあるのか。それは、西洋－日本の上下関係と正面から向き合わないで、日本的特殊主義に逃げ込んだことにある。今日の多文化主義（文化相対主義）は、私から見れば、『国体の本義』の主張と大してちがわない。双方に欠けているのは、文化間の歴史的につくられた上下関係と本格的に取り組む姿勢である。そのためには、まず下に置かれた者の視座を表現すること、さらにその視座を上の者に共有させるべく努力することである。これがコランの言う「対話的で具体的な複数の普遍」へ向けた創造の一歩なのだろう。『国体の本義』は、西洋－日本の上下関係を見つめなかったせいで、アジアとの関係に言及さえできなかった。私たちはアジアから突きつけられる視座もまた共有すべく努力する必要がある。

おわりに

時代はめまぐるしく変わる。西洋とアジアの間で二重の上下関係の中に自らを位置づけた日本近代思想の視座は、二十一世紀の世界の解釈にはすでに適切でない。かつての上下関係は変質し、新たなものが次々に生まれ、新旧の諸上下関係はアラブ諸国、アフリカ諸国などもまきこみながら、いままで以上に複雑に絡み合っている。「複数の普遍」を成立させる国際的な対話の道は、複雑に絡み合う複数の上下関係と正面から取り組まなければ、その一歩さえ踏み出せないだろう。

付記　本稿では、引用文も含めて、カタカナをひらがなに、旧漢字を現在使用されている漢字に改めた。引用文以外では当時の呼称である「天照大神」を現在使用されている「アマテラス」とした。

注

(1) 滝井一博（2003）は憲法を「国のかたち」と広義に解釈しながら、憲法に関わる国体の問題は言及しない。日本の文明史に国体の問題は入らないかのように。憲法と国体概念の関係は一九二〇年代の第五〇議会で議論されたという。答弁に立った小川平吉司法相は国体とは「憲法一条にあるところのもの」とし、「憲法一条に依って言い表された所の我国体なるものは、すなわち教育勅語にあるところの宏遠にして徳を樹ること深厚なる道徳によってできていると私は考えて居る、即ち憲法の言葉は甚だ簡単であります。けれどもその意味たるや深遠極まりない」と（原・吉田 2005: 181）。一九二〇年代は滝井（2003）が論じた時代以後ではある。しかし、憲法発布から約三五年後に憲法一条がこのように解釈された時代になることを思えば、「文明史のなかの明治憲法」をめぐる滝井の解釈に国体の問題を入れるべきではなかったか。

(2) 新田均（2003: 87）によれば『国体の本義』では〝日本の世界的使命〟の問題は追求されていないそうだが、誤りである。そもそも国民向けの公定本に「〈軍事力による世界征服の教義〉が次から次へと展開され」(同上 : 87) るはずがない。戦争突入期には戦争の正当化が公定本の使命であり、「世界征服」の表立った正当化は近代ではありえない。戦争はすべて「平和のために」遂行される。

(3) 片野真佐子はその先駆者であり、集大成として片野 (2003) がある。ほかに若桑みどり (2001) もあるが、この徹底的批判は棚沢直子 (2003) 参照。本書では舘かおるが皇后の問題を扱う。

(4) 若桑 (2001) の中でアマテラスへの言及はあるものの、アマテラスは大地母神であるとの何とも珍妙な仮説が展開されているにすぎない。詳しくは棚沢 (2003) を参照。

(5) この雑誌のコピーは片野真佐子により送付された。感謝する。

(6) とくに長志珠絵 (1999) はこの立場をとっている。

(7) 若桑 (2001) と長 (1999) はその典型である。ふたりとも日本近代期の性別二分化の問題を「御真影」などの視覚表象の分析だけで結論を引き出す。しかし、国家政策が生み出す国家表象については、視覚表象より以上に言語表象の分析が必要であり、そうでなければ不十分なゆえに誤った結論を導き出してしまう。とくに長は「近代国家が前提とした性別役割やその規範からみて (……)〈男〉でも〈女〉でもない (……) 存在」(1999: 295) は、単なる「過渡期の産物」であり、「三韓征伐」という対外戦争の凱旋後は「まがい」として消去されていくと結論づける。「天子のジェンダー」分析にあたって、近代のアマテラスの存在理由を考えないから、このように正反対の方向に赴く単純きわまりない結論になる。もっともアマテラスをどう分析してよいのやら困って、結局のところ無視することで、西欧の「ジェンダー史観」の枠内に収まったのかもしれない。

(8) イリガライ (1987)、クリステヴァ (1991)、コフマン (2005) など。ほかに現代のフランス女性思想家たちを概観したものとして棚沢編（1998）がある。
（9）とくにイリガライ（1987）が明快に西洋の「一元体制」について論じている。
（10）『国体の本義』ではその執筆時にすでに満州国は建設されていたのに、これらのキーワードは使用されていない。「大東亜共栄圏」の用語もない。
（11）子安宣邦は、福沢諭吉が『文明論之概略』から「脱亜論」へと至るのを『文明論之概略』の中に読み込み、「それは西洋文明に定位した文明論あるいは文明化論自体がもっている性格である」（子安2005: 290）とする。福沢が日本の「一国独立」の道を考えたとき、「福沢文明論とはこれら（国体論や皇国史観―棚沢注）と抗争しながら展開される文明論的な言説」（同上: 152）にならざるを得なかったと。これは滝井（2003）にはない指摘である。結局のところ福沢にとって文明化が「一国独立」のための手段になっていった（同上: 278-281）。つまり「文明化」されないから「独立」できないアジアと向き合う必要はないのだ。
（12）大橋良介によれば、昭和一七（一九四二）年には京都学派と日本海軍の間で「共栄圏の基礎」は「人種」であるとの議論が秘密裡にもたれたそうだ（大橋2001: 217-218）。

参考文献

リュース・イリガライ 1987『ひとつではない女の性』棚沢直子・小野ゆり子・中嶋公子訳　勁草書房
上田賢治 1986『神道神学――組織神学への序章』大明堂
大橋良介 2001『京都学派と日本海軍――新資料「大橋メモ」をめぐって』PHP新書

長志珠絵 1999「天子のジェンダー」西川祐子・荻野美穂編『共同研究 男性論』人文書院：275-296.
片野真佐子 2003『皇后の近代』講談社選書メチエ
ジュリア・クリステヴァ 1991『女の時間』棚沢直子・天野千穂子編訳 勁草書房
『国体の本義』1937 文部省発行
子安宣邦 2005『福沢諭吉「文明論之概略」精読』岩波現代文庫
サラ・コフマンほか 2005『サラ・コフマン讃』棚沢直子・木村信子ほか訳 未知谷
フランソワーズ・コラン 2002「〈対話的普遍に向けて〉フランス―日本：近代性との二様の関係」『日仏共同研究報告書 女性研究における日仏比較――新しい比較方法論の必要性をめぐって』日仏女性研究学会：8-12.（日本語）58-62.（フランス語）（本書1章）
『臣民の道』1941 文部省教学局＝知坂宰治 1941『「臣民の道」解義』昇龍堂書店（同書中の『臣民の道』を参照。本文中の頁も同上。なお文部省教学局編 1941『臣民の道』教育パンフレット第417輯 財団法人社会教育協会も参照した）
『大八州雑誌』1892 第71号
多木浩二 2002『天皇の肖像』岩波現代文庫
滝井一博 2003『文明史のなかの明治憲法――この国のかたちと西洋体験』講談社選書メチエ
棚沢直子編 1998『女たちのフランス思想』勁草書房
棚沢直子 2002「西欧の普遍性と日本の特殊性をめぐって―『国体の本義』の読解から出発して」『日仏共同研究報告書 女性研究における日仏比較――新しい比較方法論の必要性をめぐって』日仏女性研究学会：

18-21.（日本語）70-74.（フランス語）
棚沢直子 2003「文化比較の意義はどこにあるのか、そしてその方法は？―『皇后の肖像』を読む」『女性空間』日仏女性資料センター（日仏女性研究学会）20: 226-235.
棚沢直子 2004「〈母〉〈父〉―どこまで来たか？ 明治期から一九七〇年代までの自己形成の問題を中心に」『女性空間』21: 59-68.（日本語）69-71.（フランス語レジュメ）
遠山茂樹校注 1988「奥羽人民告諭」「鶴舞県人民教諭書」『日本近代思想大系2巻 天皇と華族』岩波書店
新田均 2003『「現人神」「国家神道」という幻想――近代日本を歪めた俗説を糺す』ＰＨＰ研究所
原武史・吉田裕編 2005『岩波 天皇・皇室辞典』岩波書店
三浦藤作 1937『国体の本義精解』東洋図書
水林彪 2001『記紀神話と王権の祭り 新訂版』岩波書店
本居宣長 1968『本居宣長全集第9巻 古事記伝六之巻』大野晋・大久保正編集校訂 筑摩書房
八木公生 2001『天皇と日本の近代上 憲法と現人神』『天皇と日本の近代下「教育勅語」の思想』講談社現代新書
若桑みどり 2001『皇后の肖像――昭憲皇太后の表象と女性の国民化』筑摩書房

4　日本型近代家族の変遷？　比較史の可能性と問題点

西川　祐子

はじめに

私たちが計画している日仏比較の研究交流と共同研究はほんとうに実現可能なのだろうか。私は楽観主義者ではないが、実現へ向かって努力をしたいと考えている。平等か差異か、あるいは普遍か特殊かをめぐるフェミニズム論争は日本においても繰り返されてきた。そこから私は序列化のない差異は現実にはありえない、差異を固定化し制度化するのが政治的力関係であり、差異の発見は権力関係の発見であるということを学んだ。表象のレベルでは女性的とされるとは、下位に位置づけられるということにほかならない。ドゥヴルーの用語である「性社会関係（les rapports sociaux de sexe）」の場合、性社会関係と同じく、日仏両文化関係にも権力の差はあるのであって、それが研究交流を妨げるであろうことが予想される。比較の方法論を考えるとは、この行き詰まりをどう打破するかを共同して考えることであろう。そのためには、性社会関係が力の差がある政治的な関係であると同じく、比較文化研究が扱う二つの文化の間にも、上下はつねに入れ替わるものの、力の差が存在し、文化を考えるとは政治を考えることだということをむしろ積極的に認めた上で、それがなぜ発生するのかをともに考えたい。

私の個人的な限られた経験では、フランスでとくに日本学専攻の研究者ではない一般聴衆に向かって日本社会の諸問題について話をしたとき、私が言いたいことのすべてがまちがいなく伝わり、さらには意見の交換が成立したという満足感が得られることはめったにない。聴衆もまた欲求不満であるらしく、日本の女性はフランスの女性と同じく家族制度から脱出する傾向にあるとか、好むと好まざるとにかかわらず労働市場に出てゆくが、家計補助労働と位置づけられ男性にくらべて賃金の差があるといった話など聞きたくない、日本はフランスといかに、まったく、違うかという話を聞きたかったのにと言う。

ドゥヴルーは、日本人は日本特殊論を立てたがると述べたが（本書二〇頁）、私はフランス人は日本特殊論を聞きたがると思う。つまり両方で日本特殊論を組み立てようとする、この共犯関係がオリエンタリズムというものなのではないだろうか？　しかし性社会関係とはいささか違って、世界は西洋―東洋の二項対立で成立しているのではない。日仏のような二項対立をつくることはいつでもできるが、世界はいわば多数の二項対立図式の連鎖で成り立っている。にもかかわらずヨーロッパ統合の機会に西洋―東洋の二項対立図式が一時期、復活したのだ。

私は一九九二年から九三年にかけて南フランスに滞在し、マストリヒト条約の可否つまりヨーロッパ共同体、現在のヨーロッパ連合への加入の是非を問う国民投票の時期に立ち会った。その前後のフランスをはじめとするヨーロッパ諸国のアカデミズムにおいては比較文化の共同研究が数多く取り組まれ、最初からいくつかの西欧語に翻訳されて同時出版の企画が実現していた。これらの共同研究においてはまず差異を研究するが、最終的にはヨーロッパあるいはヨーロッパ・イデオロギーを成立させるために、類似あるいは同一性が強調される。しかしそれはヨーロッパ域内での比較の場合であって、ヨーロッパ域外との比較研究には、従来にもまして差異が強調される傾向があった。当時はフランス入国の際に税関に三つの入口が用意されていた。フランス人用、ヨーロッパ内外国人用、ヨーロッパ外の外国人用である。むろん私は三番目の入口に並び、二重の外国人性が存在することを興味深く思った。

これから比較研究の方法論を考えるにあたって、まず比較研究に取り組むときに私はどのような立場性をとるかについて述べ、ついで簡単に日本型近代家族についての私の仮説を手がかりにして、二者間比較を行うときにも世界システムを視野に入れる必要性があることを述べたい。日本型という仮説には、型であるからには、ほかの型との比較が可能だという考え方が含まれている。

1　比較研究と立場性

お互いの社会が相手の社会に対してもっている関心と情報量が違うとき、すなわち二つの文化が相手に対して発揮する力が違うとき、相手の言語を学習しようとするのは下位文化の方である。日本語とフランス語の間の関係は、日本語と英語ほど露骨な力関係ではない。日本とフランスの間には植民地された、した、あるいは占領された、したという歴史的関係はなかった。フランス文化はまたフランスという特殊な文化の優越を誇るよりも、人権概念をはじめとして普遍の名においてフランス文化の普及をめざすという態度をとることが多いし、モードにおけるジャポニスムのように、フランスは他文化の自文化への取り込みにも積極的であった。だが、日本とフランスの間にはいわば文化の力の差が明らかに存在する。文化の政治を研究対象にするとき、研究の当事者はいっぽうの文化に全面的なアイデンティティを抱くべきなのだろうか。

ここでこの研究交流を実現した日仏女性研究学会について一言ふれておきたい。このシンポジウム「文化間のずれと誤解をめぐって」の司会者の林瑞枝、報告者の棚沢直子は、この学会の前身である日仏女性資料センターの創生期からのメンバーである。関西を根拠地としている私、西川は早くから会のメンバーとなったが、地理的距離もあって、活動に定期的に参加することはなかった。この会には当初、大学でフランス語を教える非常勤講師が数多く参加していた。参加した当時は私もポストをもっていない非常勤講師だった。またこの集団はフランス文学、フランス思想を研究対象とするフランス学の専門家集団であり、同時にフランス文学、フランス思想を日本語に翻訳し紹介する翻訳家集団という性格もあった。それがなぜ女性研究者集団であるのか。大学の語学の非常勤講師集団に女性の占める割合が高いからにほかならない。

ではなぜ女性の語学非常勤講師が多いのか。明治革命（維新）直後には翻訳家の地位は相対的に高かった。日本の近代化は「西欧に追いつき追い越せ」というかけ声のもとに推進されたから、受容のための語学、つまり翻訳は有用であり発達した。しかし日本の国力上昇、植民地的状況からの脱出とともに翻訳の役割が低下し、それにつれてアカデミズムのなかでのフランス学あるいは語学の地位も相対的に低下し、ポストの数は増えない。男性のフランス学や語学専攻は相対的に減っているにもかかわらず、限られたポストにはハンディのある女性研究者よりは男性研究者が優先的に採用される。こういった差別の構造、差別を受けた側のやり場のないエネルギーが、いわば現在の日仏女性研究学会の歴史と仕事となって蓄積されてきたのだ。私たちは女性問題の研究者であると同時にその当事者であるという立場にいる。

このような性格をもつ日仏女性研究学会にとって、このシンポジウムは一つの画期的な出来事になると思われる。なぜならこの集団は翻訳というういわば受容の役割を脱して、自分たちの抱える問題、すなわち女性問題について発信する研究者集団となる準備をし、じっさいに会報や各自の仕事によってすでに長く国内での発信を続けてきたのだが、このシンポジウムを機会にフランス語でフランスの聴衆へ向けても発信を始めることになる、その意味は何なのだろう？　自意識の問題は後回しにして、むしろ、このシンポジウムからする発信はどう受け取られ、どのような意味をもつのかを考えてみたい。

これはジェンダー研究、あるいは日本語としてはまだ定着していない性社会関係社会学の研究交流である以上、日本に関する発信において日本社会に厚く蓄積されてきた女性史、女性学、ジェンダー研究の研究史をふまえる必要がある。今日私が壇上に呼ばれている理由は、フランス文学専攻出身の私が学生時代から長く日本の女性史、女性学のさまざまな共同研究に参加して仕事を発表し、現在は大学のジエンダー研究のポストに着任しているという経歴から、日仏女性研究学会がこれから行おうとしている日仏の研究交流の仕事と、日本の女性史、女性学、ジェンダー研究の蓄積との間をなんらかのかたちでつなぐことが期待されているのだと思われる。それならば私は私の立場性あるいは位置感覚について述べておかねばならないであろう。

私は日本女性史の研究者集団の中で長く仕事をしてきたが、日本研究の専門家と見なされてはおらず、歴史学者だと認められたこともない。ましてや日本の女性史研究を代表して語ることはありえない。日本女性史の研究者集団の中でさまざまな仕事ができたのは、むしろ私の経歴の異質性、そこからくる視点や方法論の独自性が既成の学問分野ではない女性史という新しい研究分野では、いくらか有効であると認められたからであろう。じじつ私の用いる方法は広い意味でのディスクール分析であり、同じテキストに歴史家が事実を発見しようとするときに、私は語り方に注目し、表象の政治的力を読みとろうとするなどの違いがあった。また日本史研究者集団から見れば、私は日本を研究対象としてはいるが、日本にアイデンティティがある研究者とは見なされていない。国史とも呼ばれることがある日本史研究の立場からみれば、翻訳を稼業としたことのある人間は「ツーヤク」であり、今日この会場で同時通訳の労をとってくださっている方々のお仕事を見ればわかるように、高度の知的労働であるにもかかわらず、「ツーヤク」という日本語がとくに外国語を日本語に翻訳する役割を指すときには蔑称のニュアンスがつきまとう。

他方、フランスにおいてフランス語で日本について語るときの私は、むろんフランス人からフランスにアイデンティティがあると見なされることはまったくなく、いわば人類学者たちが英語でネイティヴ・アントロポロジストと呼ぶ新しい存在、西欧語で自文化を解説できる両棲動物的な、いかがわしい存在である。ネイティヴ・アントロポロジストが普遍的価値を重視して語るとき、彼はかつての支配者である西欧に身を寄せすぎると批判されるし、差異を強調するときには西欧のオリエンタリズムの視線の期待どおりに自文化を描くと言われるだろう。

では私の所属はどこにあるのか。私は比較文化研究を行うときの私の立場を境界線上にとりたいと思う。二つの文化の境界というだけでなく、さまざまな学問の境界線上にとりたい。私は文学研究から始めて、歴史研究から、社会言語学、いまは文化人類学などから共同研究をとおして多くのことを学び、仕事の結果を発表してきた。もっとも参加するということから始めて、各研究集団から異分子のレッテルを貼られて終わることも多い。この「フランス文学専攻ではない」、「日本文学専攻ではない」、「言語学者ではない」、「歴史専攻ではない」まして「社会学者ではない」というように「～ではない」という規定が集まってできたものが現在の私である。同時に私が通過した学問領域はそれぞれ私の一部分であり、全体として研究者としての私を形成しているといえるだろう。

私はまた、他人が私を「あなたはフェミニストである」と呼ぶときには喜んでその称号を受け入れるが、自分からフェミニストを名乗ることは少なくなっている。六十歳を超えてからはとくに、「ある年齢の女性」やあるいはもっと露骨に「老いた女性」と呼ばれる存在は、形容詞のつかない「女性」と同じではないと感じる。私にはいつもそのときの私の抱えている問題があって、その問題をとおして他者との共感や交流が生まれるが、私の抱える問題はそのときそのときによって変化するから、フェミニズムとの関係も「フェミニストではない」と言われて終わるかもしれない。

なぜ長々と立場性にこだわるかというと、私は比較研究には立場性の自覚が重要だと思うからだ。私は日仏女性研究学会が行う比較研究には、いわば文化集団へのアイデンティティが曖昧な、一種の知的ノマドの行う比較研究という特徴が表れるのではないか、と予想している。違う国籍をもつ両親から生まれて二重国籍が宿命だという人びとのほかに、いくつかの文化に積極的な関心を抱きながら自己形成をして複数の所属感覚を抱くようになる人間はこれから増えてゆくと思う。またフランス文学、フランス思想を専攻した集団が日本社会を研究対象にするときには、多領域に足をつっこんだ者のもつ素人臭さ、日曜画家ならぬ日曜研究者的な弱点が暴露されると同時に、視野のある広がり、思いがけない視点が出てくる可能性がある、と考えることにしよう。現在ではすべての学問領域において、既存の枠が問題にされているのではないだろうか。

私個人は、境界性、「いかがわしさ性」を積極的に引き受けるべき自分の位置であると思い始めている。複数の文化さらには複数の学問領域の間を往来する人間には主体性がなく、いかがわしい存在であるというレッテルが貼られるのは、地球が有限の数の国民文化によって棲み分けられており、学問のディシプリンの確立が疑われることのなかった時代のイデオロギーによるものなのではないだろうか。複数のアイデンティティあるいは曖昧なアイデンティティをもつ個人という立場からする比較研究がありうるのかどうか、次に簡単に日本型近代家族研究を例にとって考えてみることにしたい。

2　日本型近代家族

日本型近代家族というときの、型という考え方には、近代家族は形態的、機能的に一通りではなく、いくつかのヴァリエーションがありうる、その相互比較が可能であるし、とくに比較研究は女性の地位、女性の抱える問題の原因を考える手がかりとして有効であるという考えをふくんでいる。比較するには、可能にする共通基盤が必要だろう。私は近代家族を「近代国民国家の基礎単位と見なされた家族」と定義することにした。またすべての国民国家は力関係の変化によってたえず互いの位置関係を変えながら一つの世界システム（ウォーラーステイン）、搾取と被搾取の鎖を形づくると考える。各国民国家の家族政策、家族戦略はこの世界システムに参入する時期と変化する連鎖である世界システムに占める位置によって違ってくる。

多くの近代国民国家は、歴史的にまず、国民の範囲を財産と妻子を擁する家長たちの集団と定めて出発した。家長は家族メンバーに対して保護義務をもち、家族メンバーは家長に対して服従義務をもち、両者の関係は非対称的であった。しかし、国民国家の成立とほとんど同時に家長権の下に封じ込められた家族メンバーそれぞれの個人の権利、とくに女性の権利の主張が始まった。フランスの「人間と市民の権利宣言」の言う市民とは家長たちを指したからこそ、オランプ・ド・グージュは「人権宣言」のパロディである「女性と女性市民のための権利宣言」を書いた。日本では男性の市民権を要求する運動の傍らで岸田俊子が女性の権利を主張した。フェミニズムが近代の所産である所以である。

しかし、それぞれが家長である市民と市民の関係、国民国家の基礎単位としての近代家族のあり方、国民統合のために用いられる家族の表象は各国ごとに同じではない。すべての国民国家は家族国家として出発するが、その家族モデルは一つ一つ微妙に違うし、またつねにモデルチェンジを繰り返す。

フランス共和国の場合は「自由、平等、兄弟愛」の標語のうちの兄弟愛（fraternité）が示すように、それぞれが家長である市民と市民の間の関係モデルは互いが水平な関係にある兄弟モデルである。日本国家が明治革命の後につくった家族モデルは祖先崇拝によって時間軸につながる父―息子の縦関係である。最初はナポレオン民法を参照した明治民法が、ナポレオン民法からいかに異なる戦略をとるにいたったかは、比較研究のテーマの一つだが、いまここでは触れない。明治民法において家長から数えて六親等までの親族を家族の範囲とすると定められた家族モデルは、一種の拡大家族である。この家族モデルは「家《いえ》」家族を形成し、「家」と「家」もまた共通の先祖から枝分かれし、互いに縦関係で結ばれていると想定された。けっきょくは国民全体をおおうことになる家族系統樹の頂点に天皇が位置する、という天皇制国家モデルが発明された。「家」家族に付随する道徳は「孝行」であり、天皇制国家の道徳は「忠義」だが、「忠」と「孝」はアナロジーの関係にあるとされた。

このように日本型国民国家の基礎単位である日本型近代家族の最初の家族モデルは民法上の「家」制度にもとづいた「家」家族である。「家」家族のすべての成員は一括して国家の「戸籍」に登録され、戸籍を代表する戸主すなわち家長からみた続柄により序列化されて記載された。「家」家族モデルは家長の権利が強いことを特徴とする。家長権の下にある家族メンバー、なかでも娘たちの労働力はしばしば本人ではなく父によって、工場の親方に売られた。このように取引される安価な労働力は日本製品、とくに製糸、紡績産業が世界市場に進出するのに大きな役割を果たした。いまだ植民地をもたない日本帝国は植民地の労働力のかわりに、国内の安い娘労働力に依存していたのだ。しかも不況や経済恐慌のときの失業者、悪い労働条件の下に多量に発生した病人の扶養義務があったのもまた、戸主すなわち家長だった。「家」という家族制度は国家にとっては社会保障を節約する手段でもあった。つまり「家」家族というモデルは、遅れて世界システムに参入し、資本主義競争において追いつき追い越すことをめざす日本国家が戦略として創出したモデルであったということができる。

しかも「家」制度は巧妙にも、一種の二重構造をとって現実の変化に対応した。明治革命直後に戸籍制度がつくられたとき、戸籍によって把握された「家」家族集団はしばしば農林漁業などの生産業や、製造業や商業の、家族経営を行う経営体でもあった。しかし近代化とともに日本社会の産業構造は急速に変化し、給与生活者層が厚くなると、戸籍の上では父や兄を戸主とする戸籍に属しながら、現実には故郷の村から出て都会で給与生活者となり、結婚して妻と子どもからなる「家庭」と呼ばれる小家族を形成する若い男たちが増えてゆく。すると家族の容器である住まいモデルも二重モデルとなり、都市に大量に建設された小家族用住宅のモデル＝「茶の間のある家」は「家」家族の容器モデル＝「いろり端のある家」よりも小さく、しばしば賃貸住宅となった。

「家」家族と「家庭」家族の経済的世帯範囲の境界は曖昧で、「家庭」家族は世襲財産よりも会社の給与の価値の方が上がると「家」から独立するし、親たちが息子の「茶の間のある家」に引き取られる場合さえあるが、経済不況や災害のときには借家である都市の住まいを放棄して故郷へ帰り、「家」家族に依存する。二つのモデルの間を行き来し、揺れ動きながらも、巨視的に見れば、「家」／「家庭」の二重構造の比重は、産業構造の変化にともなってしだいに「家」から「家庭」へと移っていく。

一九四七（昭和二二）年に公布された改正民法では、家族の定義は一組の夫婦と未婚の子どもたち、つまり核家族であるから、二重構造の一方の「家」が切り捨てられて「家庭」家族モデルが残ったことになる。ただし国民の身分登録はいぜんとして個人登録ではなく、家族単位でする戸籍制度が残っていた。しかし「家庭」家族がモデルとして認められたとたんに新たに「家庭」家族／個人という二重構造が発生した。二重構造は家族用のｎＬＤＫの「リビングのある家」と独身者用賃貸住宅である「ワンルーム」といった住まいモデルの二重構造から社会保障の二重構造にまでおよんで現在にいたっている。

日本型近代家族モデルが繰り返した二重構造とは「家」家族／「家庭」家族・「家庭」家族／「個人」なのだが、その痕跡はじつは平均的日本人がもつ三種類の法的住所に残っている。すなわちかつての「家」家族の根拠地であった、現在は戸籍の住所である「本籍地」、「家庭」家族の住所である住民票記載の「住所」、そしてワンルームの住民は会社や学校にもう一つ「居所」を届けているだろう（もっとも本籍も移すことが可能なので三住所の一致、不一致の統計をとることにはあまり意味がない）。

まとめるなら、日本型近代家族の特徴は、第一次産業従事者が人口の九〇％以上であった社会が近代化一三〇年で逆転して第三次産業従事者が九〇％となったという急激な産業構造の変化に対応した二重構造の繰り返しであり、モデルチェンジのたびにモデルの普及速度と徹底度が著しいことである。そしてこのような近代家族日本型の特徴に、一七八九年のフランス大革命の約八十年後、一八六八年の明治革命から誕生した日本国家が世界システムに参入したときに、日本国家および国民が選んだ、集団としての生き残り戦略を読みとるべきであろう。

3　近代家族比較研究

このシンポジウムで問題となっているのは日仏二者比較であるが、私はフランス型近代家族が普遍であり、日本型が特殊だという立場はとらない。どちらも型すなわちヴァリエーションなのであって、比較の真の根拠、あるいは対象は絶えず変化する力関係の世界システムなのだ。私は比較研究においては違う相手と二者比較を繰り返す、あるいは三者比較を繰り返し行うことが必要だと思う。東洋―西洋という二項対立を仮定すると、あたかも女性―男性の二項対立とのアナロジーが成立するかのようにみえるが、私は世界は二項対立で成立してはいない、連鎖だと思っている。

また私は日本にアイデンティティを抱いて日本から発信する必要を強調しようとはとくに思わない。むしろ女性問題を抱えた個人という位置から世界システムの中のフランス社会の特殊性むしろ特徴、日本社会の特殊性むしろ特徴を見てゆきたい。世界システムの中で見るとき、日本は一方では西欧世界から圧倒的な圧力と影響を受けた政治的・経済的とくに文化的に被植民地的な体験をもち、他方ではアジアの国々に対してじっさいに植民地侵略を行った体験をもっている。世界システムが抑圧と被抑圧の連鎖でできあがっている以上、どの国家も多かれ少なかれ加害者であり被害者であるわけだが、日本の場合はそれが典型的に表れていることが重要である。

今日の私たちの出会いはしたがって、互いの差異や共通点の発見につとめるということ、それも大切ではあるが、それよりも、女性問題を考えるとき、搾取の世界システムが私たちには共通の、そして真の研究対象であるということを確認しておくことが必要であろう。

そのうえで日本型近代家族の問題に戻ると、日本の女性解放運動の歴史的な歩みは、二重構造を二度繰り返した日本型近代家族のモデルチェンジと深い関係をもっていた。単純化していえば、日本の近代女性には父が主宰する「家」家族からの脱出と夫が主宰する「家庭」家族からの脱出という二重の課題が当初から課せられており、二重の闘いを経てはじめて個人の確立が可能になった。一九九八年日仏女性研究学会のシンポジウムにおいて林瑞枝はいみじくも、家族の脱制度化は世界の先進諸国に共通の問題であるが、フランスの場合「国家と個人」の対立図式であるところが、日本ではまず脱戸籍制度、すなわち「国家と家族」という対立図式があると述べた。その場合「国家と個人」という問題がまだないということではなく、日本の場合は「国家と家族」「国家と個人」の二重の闘いがあるということなのだと考えたい。

また日本型近代家族の二重構造、「家」家族から「家庭」家族への移行の成功には植民地の存在が大きい。戦前の日本の大都市において貧困ラインすれすれの生活をしていた若い男女が、植民地においては二倍になる給料を得て、安い賃金で現地の家事使用人を多数雇って中流の家庭生活を営むということがしばしばあった。敗戦、植民地からの引き揚げ、さらには夫の戦死を経て、かつて中流家庭の専業主婦であり、家事使用人を雇っていた女性が、戦後は占領軍の基地のアメリカ軍人の家庭でメイドとして働くということは珍しくなかった。そしてまた戦後の経済の高度成長期には、ふたたび、当時は高かった円の威力により、日本の商社マンの家族が、あるいは独身者が海外において、アジア、アフリカ諸国だけでなく、たとえばニューヨークで、日本では不可能な家事使用人つきの生活を送るということがありえた。安価な外国人労働への依存など抑圧を外へ送り出すしくみがあるとき、衣食住の原料、エネルギー源、労働力にいたるまで外部からの収奪のしくみがあるとき、一国のあるいはヨーロッパという域内社会の中だけである程度実現する男女平等がある。

また一国が他国を植民地化することにより、収奪を行うだけでなく、制度を残してゆくということも起こる。戸籍制度は日本の旧植民地に少しずつ形を変えて残っている。「家庭」という日本語は英語の「ホーム」(home) の翻訳語であったという説があり、歴史的には正しいが、同時に「家庭」という日本語の単語には「ホーム」にはないニュアンスやコノテーションが加わっており、さらにこの日本製漢語は漢字圏の国々に逆輸入されて、各国の家族政策の用語として定着し、さらには日本語の「家庭」にはない新しい意味が付加されている。

おわりに

日仏比較研究を始めるにあたって、私は三つの提案をしたいと思う。第一は立場性にこだわること。第二は、二者間比較を行うとき、比較の共通基盤として世界システムを視野に入れる。第三は表象を重視する比較研究を行う。これはドゥヴルーの提案でもあるが、彼女の意図と私の意図が同じであるかどうかは、後におたずねしたいと思う。

表象研究とは、あらゆる現象をテクストとして読む方法であると、私は理解している。いわば言語よりも広い意味の言語を研究対象とすると同時に手段とするということではないだろうか。日本型近代家族について話すとき、私は日本型近代家族とは現実というよりはモデルつまり表象であるということに注意を促したつもりだ。モデルは複雑な現実を単純化して提示するだけでなく、一つのイデオロギーを伝える意図をもってつくられる表象である。モデルは現実ではないが、現実を変える力をもつ点で現実と密接に関係している。比較研究には相互の言語の壁が最後までつきまとうに違いないが、表象には共通言語という性格もあって、双方から解釈を試みるとき、ずれが生じるとすれば、そのずれもまた研究対象になる可能性があると思う。

付記　本報告は、「比較研究のために―その可能性と問題点」として、西川祐子 2000『近代国家と家族モデル』吉川弘文館：232-251に収録した。なお、日本型近代家族論については、西川祐子1998『借家と持ち家の文学史――「私」のうつわの物語』三省堂、および西川祐子2004『住まいと家族をめぐる物語――男の家、女の家、性別のない部屋』集英社新書、を参照されたい。

第Ⅰ部まとめ　どのような位置から発言するか

棚沢　直子

第Ⅰ部の四人の位置はそれぞれちがう。

まずフランソワーズ・コランの位置から見てみよう。コランによれば、西欧のフェミニストたちにいまなお足りないものは、「男女の不平等構造が国や文化によってちがう具体的な形態に組み込まれていること」への認識である。なぜ彼女たちがこの問題に鈍感なのか。それは西欧文化の基底に残る、他者を排除し同一者しか認めない「単一普遍主義」を共有しているからである。男性中心主義を告発した彼女たちは西欧中心主義を問い直すことまではしなかった。それならとコランは提唱する。ハンナ・アレントにしたがって対話的な「複数普遍主義」を考えたらどうだろう。

対話的な「複数の普遍」を考える前提として、コランは次の二点を挙げる。第一点は他者の《位置》の複数性の確認。他者への理解は何よりも「彼女はどこから発言しているか」を見定めることにある。この他者の位置は、一人ひとりの経験とその歴史・文化的な文脈により決まってくる。重要なのは、そうした文脈が、ひとつの文化の中でも複数あるから、ちがう文化間ではさらに複数になるのを忘れないことだ。第二点は「普遍」の《位置》の確認。「普遍は私たちそれぞれの視座の境界に位置する」とコランは明言する(1)。この普遍によって他者との対話が初めて可能になる。対話とは共通性を探すその中で他者性を経験することであると。

最後にコランは日仏比較研究に言及する。日本とフランスは「共通の近代性」に関わりながら、その近代性の中には「非対称な歴史・伝統・文化・精神そして男女関係の慣行と表象が刻み込まれている」から、近代性への取り組みはちがう形態をとっていると思われると。その意味で日本は「社会文化の発展との関係について、西欧のオルタナティヴを表す」のではないかと。

コラン自身の発言する《位置》は明快である。「抽象的・絶対的・中立的」なものに陥らないように、自分がそのただなかにいる状況・時代・歴史・文化をまず引き受ける、しかし「そこに埋没したり一体化はしない」、そうした位置である。

これに対し、アンヌ＝マリー・ドゥヴルーはどこから発言するのか。コランと比較しながら探ってみる。

ドゥヴルーによれば、日仏共同研究の目的は性差別の共通状況を理解し合うことにある。そうした共通目的があるのに、なぜ最初から「誤解やずれ」を設定するのか（シンポジウムの題は「文化間のずれと誤解をめぐって」）。彼女は「西欧と非西欧」というふたつに分ける用語さえ「議論の余地あり」とする。ところが、日欧関係についての日仏研究者のやり方は「差異を強調する」ことのようだから、それを跡づけながら「差異の意義」についてまず考えざるを得ない。というわけで、彼女はプルースト、グッディ、富永、西川などの著作を読んでこう結論づける。「西欧の普遍主義と日本の特殊性」という見方は、女性運動の中にある「男性支配に対する差異主義」の主張と似ている。つまり日本が西欧との差異を強調するのは西欧中心主義に対抗するためであると。この理解は日仏研究者で一致している。

たしかに差異の強調は抵抗の手段として意義があるとドゥヴルーは認める。しかし、それが「文化の特殊主義の主張」へと行き着けば、共同研究の障害になると彼女は言う。「日本の中にある世界各地に共通の女性抑圧の一般的状況を見落とす」ことになるからだ。このようにドゥヴルーはコランと同じく「西欧の普遍主義」を問題にしながらその「普遍の質そのもの」を問い直すことはしない。逆に、西欧という普遍的基準に対抗する「文化の特殊主義の主張」は、「ちがうもの」と「基準になるもの」の相互的な位置をまず考慮しないから、やめるべきだとする。こうして彼女にとってコランの「複数の普遍」「他者性の経験」などの提唱は不必要になる。

ドゥヴルーは「性社会関係社会学」の創始者のひとりとして発言する《位置》にいる。これまで西欧内で国際比較してきたように、この社会学の方法は日仏共同研究にも有効だと彼女は言う。たとえば日欧の「男女の家事育児労働に費やす時間」の比較研究はすでに始めていると。「それぞれの国でちがう女性労働の歴史、家族構造の歴史がある」のを認めながらも、彼女が重視するのは日欧の「家事労働の男女分担と労働市場における女の位置」との「同じタイプの関連性」である。この共通性の確認こそが国際共同研究の目的である。

ここには、西欧の男女関係の分析のみに基づいて創始された「性社会関係社会学」が、西欧を基準とする「単一」普遍主義の枠内に収まりはしないかの検討はない。その検討のない彼女の方法が結局は「抽象的・絶対的・中立的」になる危険はないかの心配もしない。コランはそれぞれの社会の近代性の中には「非対称な歴史と文化そして男女関係の慣行と表象」が刻み込まれると指摘した。しかしドゥヴルーにとって歴史・文化間の《非対称性》の問題は考慮の範囲外にある。

そもそも「共通」なるものとは何か。私に言わせれば、それは、たいていの場合、「近似」のことである。近似は同一ではない。わずかの「ずれ」が含まれる。この「ずれ」から表面的に「同じタイプの関連性」とされたものを転倒させる糸口が見つかる(2)。その追究は共同研究の障害になるどころか、むしろ「性差別の共通状況」の「誤解」なき確認と新しい研究主題の発見とに導いてくれる。ドゥヴルーが提唱する研究方法は共通性の枠内での研究には有効である。それは私も認める。しかし、共通性の確認だけでは新しい研究主題の発見はなかなかできない。共同研究を実り多いものにするためには、新しい研究主題と研究方法との発見にたえず努力することが重要である。「ずれ」と「誤解」の意義をドゥヴルーがこのような方向で理解してくれたらよかったのに。

さて『国体の本義』読解を試みた棚沢直子はどんな位置にいたのだろう。自分自身に対して「観照できる距離」をとるなど不可能なのは承知で、それでも考えてみる。

「西洋の世界性・日本の特殊性」の副題からして、私はドゥヴルーと問題意識を共有していた。「文化の特殊性の主張」は西欧の普遍的基準に対抗するためだったという彼女の結論も共有している。しかし共有はここまで。私は、「西洋の世界性・日本の特殊性」の相互的な位置を分析し、後者が前者の表面に現れないもっとも危険な部分を模倣してつくられたと読解した（棚沢、本書四八頁、五六―五九頁参照）。よってドゥヴルーとちがって私の批判する矛先は「日本の特殊性」だけでなく「西欧の普遍性」にも向けられている。文化間の理解に必要なのは、何よりも「文化間の歴史的につくられた上下関係を考慮する視座」である。コランが「非対称」と形容した関係を、私はより強い含意の「上下」で表現した。

私は、『国体の本義』の読解から、日本近代期の権力機構が、西欧古代にはすでに表面に浮上しなくなった「性別二分化の不明確さ」を国民統合に利用したこと、さらに西欧近代に思考されなくなった「親子関係」を国家という公領域の要にしたことに言及した。日仏共同研究のための「性別二分化」と「親子関係」の主題は、西欧にとってこれまで研究主題にならなかったがゆえに、日本から発信できる新しい問題提起にならないかと思ったからだ。これらの主題の共有から、歴史的な日仏文化間の上下関係を超えて、複数で平等な新しい普遍を提唱し、対話の出発点を日本から発信できるのではないか。

なぜ私は『国体の本義』を読解したのか。一九三七年の時点と現時点との距離を見定めたかったからだ。私がいまなおそのただなかにいる歴史・文化の近代期の道程をよく知らないから理解したかった。『国体の本義』の思想に「一体化」はまったくできないが、日本近代期の歴史・文化を『国体の本義』読解を通して引き受けたかった。いまの私は日仏の《間》《境界》にいると思ってはいない（本書、序文x-xi頁）。そうではなく自分の属する歴史・文化の中にいながら、文化間の境界近く、接点近くに《位置》したいと思う。われ知らず「超越的・絶対的」な位置をとらないように自分を看視したい。

西川祐子は日仏文化の間にある上下関係から論を進める。この点、私とも共通性がある。西川によればその上下関係は相手への関心度と情報量の差でわかるという。相手の言語を学ぶのは下位文化の方である(3)。

ではフランスを学んできた西川自身はどんなアイデンティティをもつのか。彼女は自分の帰属を「境界線上」に設定する。彼女がジェンダー研究をするときには、日仏文化のだけでなく、諸学問の境界線上にも位置していると。自分は文化的なアイデンティティが曖昧で「いかがわしい」「知的ノマド」を積極的に引き受ける《位置》にいると。

自分の位置を以上のように規定したあと、西川は日本型近代家族の分析に移る。彼女によれば、日本型近代家族は「家」制度から出発した。家長権に家族メンバーの扶養義務を負わせる「家」制度は、社会保障を節約する手段であり、資本主義競争で西欧に追いつき追い越すことをめざす日本国家のとった戦略モデルだった。しかし、産業構造の急激な変化とともに、都市の給与生活者が「家庭」という小家族を営むようになる。日本型近代家族モデルは、「家」家族と「家庭」家族の二重構造になっており、巨視的に見れば「家」から「家庭」へとモデルは移った。女が解放されるには父が主宰する「家」家族と夫が主宰する「家庭」家族からの脱出という二重の課題があったと。

西川によれば、重要なのはこの家族が近代世界システムという力関係の連鎖のただなかにあることだ。それぞれの型はこのシステムに参入する時期とその中に占める位置とで決まってくる。日本の場合、西欧に遅れてシステムに参入したから、その中での生き残り戦略の型になった。近代家族の型は比較可能だし、相互の差異や共通点を発見するのも意義ありだが、西川個人はその比較を本格的に試みようとは思わないと言う。なぜなら、私たちの真の研究対象はこの「搾取の世界システム」そのものであるから。

このように西川の思考を解釈してくると、なぜ彼女が日本型近代家族の分析より《先に》自分の位置を「境界線上」に設定したか理解できる気がする。いまある諸国家間の上下関係ならびに近代家族の型のちがいは、ひとえに近代世界システムによるのであり、このシステムの分析には「自分が属する歴史・文化を引き受ける」必要はないのだ。

しかし、「引き受ける」とは、「同一化する」ことではない。私たちの生活の日常を規制するものが歴史・文化であり、私たちはそこから自由ではいられない。コランが指摘した「共通の近代性に含まれる非対称な男女関係の慣行と表象の（各々の）歴史」の比較検討はしなくてよいのか。いまなお残る西欧という単一の普遍的基準を打破するには「搾取の世界システムの連鎖」を研究対象にするだけでよいのか。「引き受ける」とは自分自身を取り巻く状況への自覚にほかならない。よって次のような疑問が残る。日本型近代家族を分析するときに「知的ノマド」の位置にいたと西川は思っているようだが、位置を《先に》決定してしまうと、個別研究する自分自身の意識的な検討はどうしてもおろそかになる。境界線上の「曖昧でいかがわしい」位置は《われ知らず》の中立的・超越的な視座に通じはしないだろうか。

とはいえ、自分が属する歴史・文化を「引き受ける」ことは、その歴史・文化が不確かな場合、問題が生じる。世界全体を見れば不確かな場合の人口の方が多いくらいだ。西川はこのことを視野に入れて発言したのかもしれない。ただし『フランスから見る日本ジェンダー史』という題の枠内にこの問題は収まりきらない気がする。私にも課題が残った。

注

(1) この「視座」と訳された原語 perspective はさらに広義であり、「どこから、どんな視野で、どんな方向へ発言するか」を同時に意味する。このような複数の perspectives の交差する境界に普遍が位置するというのだ。

(2) 取るに足らない細部に着目し、全体を転倒させる脱構築の方法を私に教えてくれたのは、サラ・コフマンだった。彼女は、男の大哲学者たちのテキストに極小の穴を開け、そこから西欧哲学体系の背後に隠されていたものを引きずり出し、彼らの主張とは正反対の彼らの欲望の意味するところを提示した。棚沢（2005）参照。

（3）相手の言語を学習しないと「文化間のずれと誤解」はドゥヴルーのようにあまり感じないですむ。とくにフランス語を日本語に翻訳すれば、誤訳も含め「ずれと誤解」の発生現場にいると私はいつも痛感する（日本語からフランス語への方が、この感じは大きいかもしれない。「シンポジウム報告」本書三〇一頁参照）。たとえば、ここで西川も言及しているfraternitéは、フランス的なエリート民主主義の基本を担う概念なのに、日本近代期には「博愛」と訳されたことで、政治概念というよりも倫理概念であるかのように思われてしまった。いまでも「友愛」と訳されることが多い。これではフランス的民主主義との関係がわからない。fraternitéの含意は、「自由の権利をすでに獲得している、女を含めない市民（つまりエリート）の間の兄弟同士関係」だから、せめて「兄弟愛」と訳してほしい。しかしそれでも正確ではない。この語にはbrotherと同じで兄と弟の区別がないから、両者は平等である。棚沢（2006）参照。

参考文献

棚沢直子 2005「サラ・コフマン追悼」サラ・コフマンほか『サラ・コフマン讃』棚沢直子・木村信子ほか訳　未知谷：276-287.
棚沢直子 2006「《フラテルニテ fraternité》—翻訳の問題から「比較思想」の研究へ（その1）」東洋大学『人間科学総合研究所紀要』第4号：93-99.

第Ⅱ部　日本ジェンダー史の再検討　権力と女性表象

5　古代の政治権力と女性

荒木　敏夫

はじめに

私の報告の主題は、歴史学の立場から、日本の王権ともいえる「天皇制」の特色と関連させて、第一に日本古代の女性が政治権力とどのように関わっていたのか、第二にそれが日本の歴史にどのような表象を示しているかを具体的に示すことである。

1　ふたつの事実

ここでの主要な点は、次のふたつの事実である。

事実1　日本の「天皇制」は、五世紀に始まる。五世紀から六世紀末までの王は、男性の王（以下、「男帝」と記す）が連続して保持していた。

ところが、六世紀末に女性の王（以下、「女帝」と記す）が誕生すると、以後、八世紀末までに八例の女帝が断続的に誕生している（表5-1参照）。その後、十六世紀と十七世紀に一例ずつの即位例があるが(1)、本章では除外する。

これは、中国・朝鮮などの東アジアの古代王権が、「牝鶏之晨」（めんどりが時を告げる＝女性が主〈あるじ〉となって万事を取り仕切ること）という警句(2)が示すように、女性が「中心」となることを嫌うイデオロギーが強固となっている世界と比べると、大きな相違である。

日本の古代は、六世紀末からの約二百年で一七例の天皇即位例の中で八例もの女帝を生み出しており、この点で明瞭に相違する。このことは、その数の多さだけでなく、大王・天皇統治二百年の歴史の中で、そのおおよそ五〇％にあたる九二年間が女帝の統治していることも留意すれば、きわめて特記すべき事実である。

事実2　日本古代の男帝は、通常、複数の婚姻相手――これを古代では「キサキ」と呼んでおり、以下、報告ではこの語を使用する――をもつが、それらのすべてが従属的な地位にあったのではない。日本古代の六世紀から八世紀までは、男帝と政治権力を分掌する最高位のキサキが存在し、それは制度的に王権構造の中に位置づけられていた。

2 「女帝」の言説

女帝が世界史的にみて数が少ないことは確かなことである。日本においても、伝説上の天皇も含めて、今日までに一三〇人の天皇がいたことになっている。このうち一〇代が女帝であるにすぎない。

これまで、女帝の数の少ないことから日本では、女帝即位の例は「女性」であるという点を前提にして、「異例」・「特別」として評価されることが多かった。女帝はシャーマンであったからというのもひとつの納得のいく説明として通用した。また、女帝は、本来男帝が即位すべきであったが、すぐに即位できない事情から「中継ぎ」として即位したという見解は、これまでの通説であった。これらの言説は、九世紀以降の前近代を通じて再生産され、近代において強化された言説を、女帝即位の理由を充分に検討することなく、今日に至るまで継受してきたものであった。

ここには、女性は政治権力の最高位に位置する王の地位にはなじまない、という思い込みが潜んでいる。

しかし、男性と女性の場・領域は、固定的なものでない。それは、身分や階級・時代によって異なり、それはまた流動的なものである。したがって、特定の時代、特定の身分・階級から男と女の場を固定的にとらえ、そこから一般化するのは多くの誤りを犯すことになる。

3　古代の女帝即位の特質

本報告では、この点に留意して、先に指摘した事実1にあたる日本古代の女帝の存在を、その即位の理由に絞って探ると、次のような点が明らかになる。

すなわち、日本古代の女帝は、女性であるから即位できたのではない。女帝即位に見られる最高の政治権力への関わりが可能であったのは、性差を問わない王推戴の時代的環境が存在したからである。日本における六世紀末から七世紀末までの王位継承は、何よりも王としての職務に耐えうる資質や実際の政治経験および特定の王族の血統が優先されて行われていた。表5-1に示したように、この時期にあたるa推古—d持統の女帝らは、いずれも最高位のキサキとして王（大王）と共同で執政した経験を有した女性である。この条件に加えて、有力な王位継承資格をもつミコらの熾烈な王位継承争いが予想されるとき、最高位のキサキであった女性が女帝として即位することが可能であった。

このような王位継承の特徴は、八世紀になると変化し、王（天皇）や皇太子の推戴に際し、男女の別なく国政関与の経験を問うことが少なくなり、特定王族の血統が重視されるようになってくる。

表5-1に示したように、七世紀に次いで八世紀にもe元明—h称徳らの女帝が即位している。これらの女帝は、最高位のキサキとしての政治経験をもたなかったものの女帝として即位している。これらの例が示すように、まだ、八世紀は王族女性の即位を排除するものではなかった。すなわち、八世紀に

表 5-1　東アジアの女帝の時代

	日本	唐	新羅
592年	a 推古即位		
628年	推古死去		
632年			善徳即位
642年	b 皇極即位		
645年	皇極譲位		
647年			善徳死去 真徳即位
654年			真徳死去
655年	c 斉明重祚		
661年	斉明死去		
686年	鸕野元大后（持統）臨時朝政		
690年	d 持統即位	武照皇太后即位	
702年	持統太上天皇死去		
707年	e 元明即位		
715年	f 元正即位		
721年	元明太上天皇死去		
748年	元正太上天皇死去		
749年	g 孝謙即位		
764年	h 称徳重祚		
770年	称徳死去		
887年			真聖即位
897年			真聖死去

至っても王の選定にあたっては、特定王族の血統を引く者である限り、男女の性差はないのである。

それでは、六世紀末から八世紀末の女帝に、女性であるがゆえにつけられた特別の条件がまったくなかったであろうか。

この点に関して、女帝は不婚であったことを指摘しておきたい。これは二つのケースに分けられる。

ひとつはa推古―e元明の女帝らである。彼女らは婚姻関係を結んではいたが、女帝即位時には婚姻相手は死去しており、即位後も婚姻関係を結ぶことができなかった。いまひとつのケースは、即位の前後を通じて婚姻関係を一切結ぶことができなかったf元正―h称徳の場合である。

貴族から庶民までの女性が婚姻関係を

結んだ相手を亡くした場合、新たな婚姻相手を求めることが七―八世紀には珍しいことではないにもかかわらず、王族女性が王として即位する場合や共同執政した男王の死後の最高位のキサキには不婚が強制されている。その理由については、明確な解答が得られておらず、ここでは指摘するにとどめておきたい。

不婚の女帝h称徳は、皇太子を定めることなく死去している。その後、王族女性が即位する可能性は潜在的にはあったが、近世に至るまでその例はない。したがって、日本古代の女帝の時代は、八世紀末をもって一応の終末を迎えたことになる。

八世紀末の古代女帝の終焉は、先に述べたふたつめの事実である男帝と政治権力を分掌する最高位のキサキの歴史にとっても大きな画期であった。そこで、そのことを最高位のキサキの生成の時期にまでさかのぼって、その制度の変化を次に述べよう。

4　大后の歴史

その点に関して確実に指摘できることは、次のことである。

すなわち、六世紀以前のキサキたちの政治的役割については明らかでないことが多いが、六世紀になると、キサキたちの中からひとりの王族女性を選び、最高位のキサキ（大后）として、彼女が王と共同して執政する制度が新たに創設されたと考えられることである。

この地位にいる女性は、王が病気となったとき、また、王の死期の迫ったとき、政務の処理を有力なミコと共同で執行した(3)。

そのもっとも重要な政務のひとつは、王と政治権力を分掌してきた政治的経験に基づき、王位にもっともふさわしいミコを有力貴族の代表らと合議のうえ、選出し、推挙することであった。

この最高位のキサキは、王の死後、他の王族男性と婚姻関係を結ぶことをしない不婚の状態を維持することで、その力を失うことなく、王権内に影響力を行使している。このことから、その権力の淵源が王の婚姻相手であったためではないことがわかる。

ところが、八世紀に入ると、古代国家は中国から継受した成文法（律令）によって、六世紀から七世紀には王と共同で執政した最高位のキサキの権限を制約するようになる。最高位のキサキは、王（天皇）のもつ権限と比べわずかな権限しかもてないことになったのである。

しかし、成文法は最高位のキサキの権限を制約したが、その実際の姿は法の規定とは大きく異なっている。

このことを明瞭に示すのが、七二九年に最高位のキサキ（皇后）になった女性（光明子）の例である。彼女は、法では許されず、王だけが用いることのできる文書形式（詔勅）をもって命じる場合もあった。

これは、かつての王と共同して執政する最高位のキサキの制度（大后制）の伝統が、法による制度的改変を容易に許さなかったものと評価でき、また、この伝統が八世紀に至ってなお、残存していたとみることができる。

だが、七七〇年に最高位のキサキとなった女性（井上皇后）は、すぐにその地位を剝奪されている。この事件は、王と並んで権力を保持し、国政に参画した六―八世紀までの最高位のキサキ制度の事実上の終焉と評価できる。

以上、3と4で述べたことをまとめておこう。

王と共同で執政する最高位のキサキの制度が六世紀に生まれ、最高位のキサキは国政関与することができるようになる。王の死後、次期の王が定まらず、王位継承争いが激化したとき、王権の自壊を防ぐためにも彼女の政治経験が考慮されて、日本古代では女帝が誕生する。その誕生の経緯のなかで、最高位のキサキや女帝には不婚の制約が負わされるが、その後、約二百年、男女の性差を問わない王位継承が行われ、また、最高位のキサキが王と並んで権力を保持していたのである。

5　天皇とキサキの居所

これまで指摘した王とキサキたちは、どのように日本の歴史の中で表象されているか。それを彼らの居住空間から簡単にふれておこう（図5-1、図5-2）。

図5-1は、八世紀に完成し、人口一〇万人が推定されている古代日本の最大の都市であり、王の都（平城京）でもある。図中に示したA（宮域）は、A―1とA―2にわかれ、A―1の区域は、特別の区域で、王と退位した王・皇太子らの「家」（家政機関）がある。A―2の区域は、政務執行の場や国

図5-1　平城京（8世紀）

家的儀礼の場があり、官庁がおかれていた。

図5-1のA以外（京域）には、皇太子以外のミコや貴族および一般庶民の居住地があり、身分の高下によって広さが相違する。

いうまでもなく、八世紀の王は、男帝であれ、女帝であれ、王であればA-1の特別区域に居住した。ところが、八世紀のキサキは、A-1の特別区域に居住しなかった(4)。彼女らはA以外に独自の居住区域をもち、そこが彼女らの「家」（家政機関）であった。

ところが、図5-2の京都に遷都した九世紀の王都（平安京）になると、キサキらは王の居住区域である

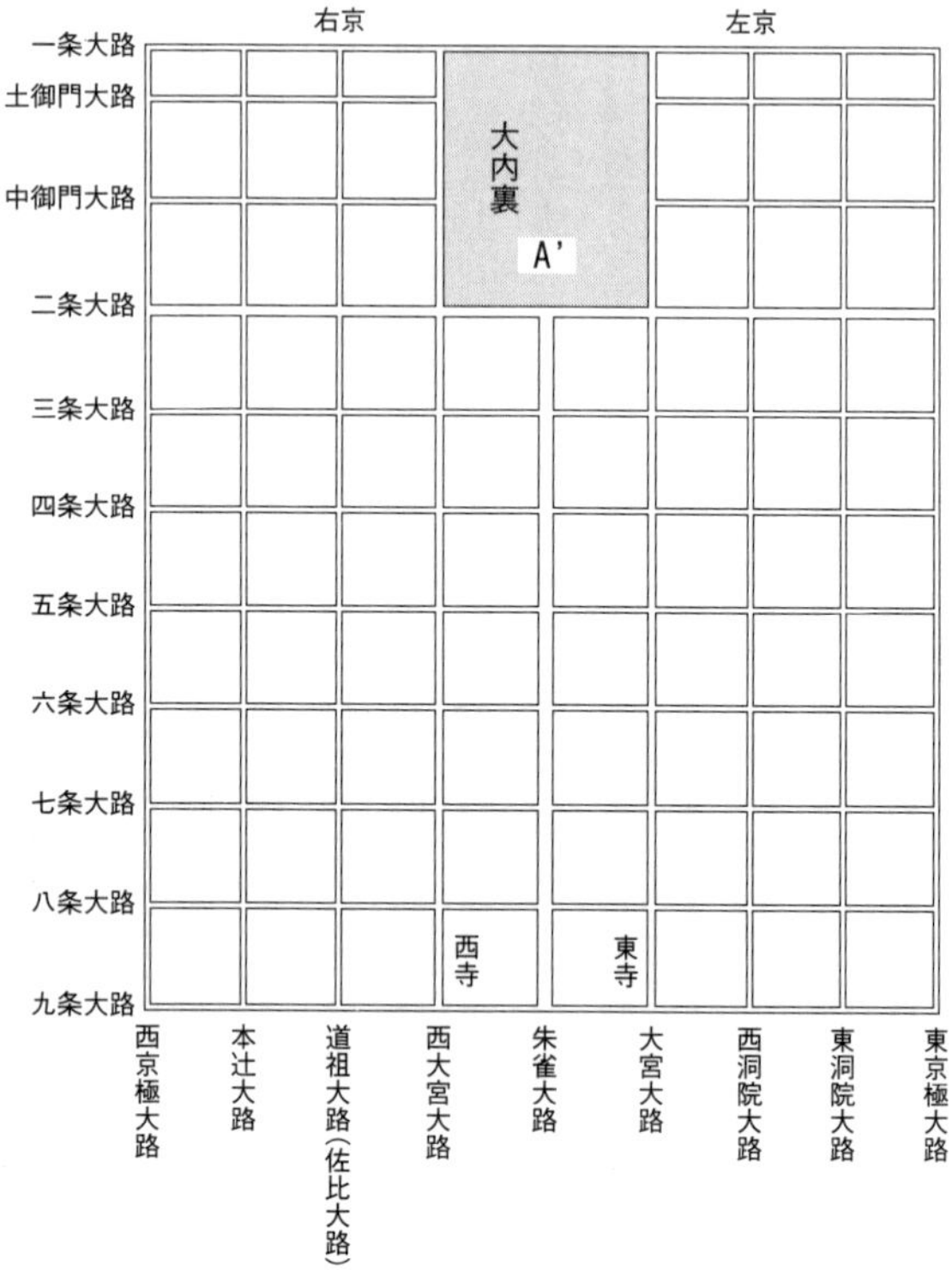
右京
左京
一条大路
土御門大路
中御門大路
二条大路
三条大路
四条大路
五条大路
六条大路
七条大路
八条大路
九条大路
大内裏
A'
西寺
東寺
西京極大路
本辻大路
道祖大路(佐比大路)
西大宮大路
朱雀大路
大宮大路
西洞院大路
東洞院大路
東京極大路

図5-2　平安京(９世紀)

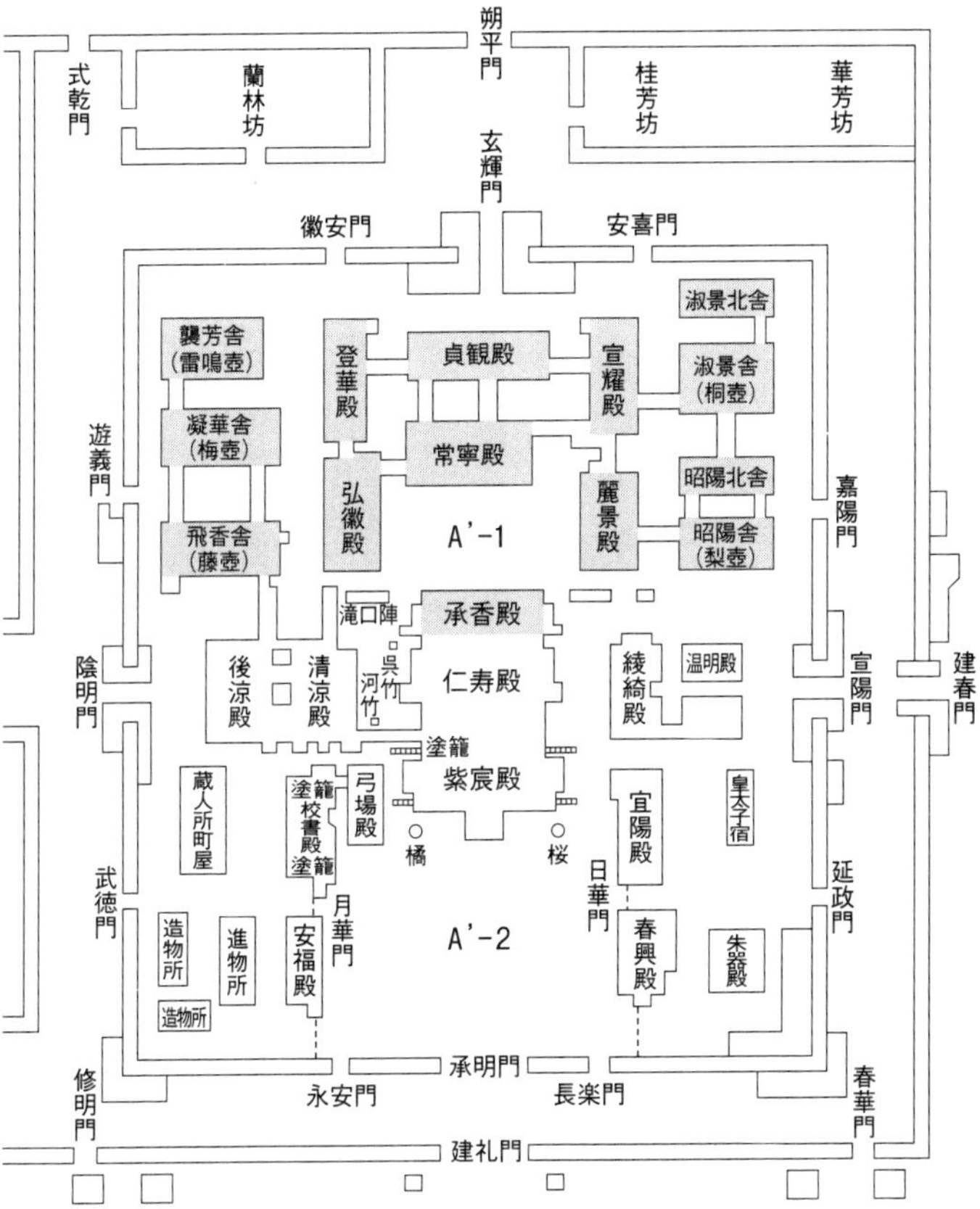
朔平門
式乾門
蘭林坊
桂芳坊
華芳坊
玄輝門
徽安門
安喜門
淑景北舎
襲芳舎
(雷鳴壺)
登華殿
貞観殿
宣耀殿
淑景舎
(桐壺)
遊義門
凝華舎
(梅壺)
常寧殿
昭陽北舎
嘉陽門
弘徽殿
麗景殿
飛香舎
(藤壺)
A'-1
昭陽舎
(梨壺)
滝口陣
承香殿
陰明門
後涼殿
清涼殿
呉竹
河竹
仁寿殿
綾綺殿
温明殿
宣陽門
建春門
塗籠
紫宸殿
蔵人所町屋
塗籠
校書殿
塗籠
弓場殿
橘
桜
宜陽殿
皇太子宿
武徳門
延政門
月華門
日華門
造物所
進物所
安福殿
A'-2
春興殿
朱器殿
造物所
修明門
永安門
承明門
長楽門
春華門
建礼門

図5-3　平安宮内裏図

A'−2の後方にあたるA'−1（グレーの殿舎）の区域に居住することになる（図5−3）。

このことは、先に述べた八世紀以降のキサキたちの地位の変化と合致し、次のことを物語っていると考えられる。

すなわち、第一に、八世紀のキサキたちは、王とは別に独自の「家」（家政機関）をもっていた。これは、八世紀以前のキサキたちが王とは別に独自の「家」（家政機関）をもっていた歴史を継承したものと考えられる。第二に、八世紀末に至ると彼女らの「家」（家政機関）は、宮殿内に封じ込められていった。これは、六世紀から八世紀を通じてキサキたちが独自の「家」（家政機関）をもっていた歴史の否定であり、王の居住空間の後方に従属して存在すべきとした法制上のキサキたちの宮殿（後宮）観が九世紀に至ってやっと実現したことを意味するのである(5)。

王とキサキのふたつの「家」（家政機関）の並存の時代はここに終焉し、以後、王とキサキらがひとつの「家」（家政機関）で共存する時代を迎えることになる。

結びにかえて

これまで、六世紀に芽をふき、七―八世紀の二百年を通じて開花した男女両性のふたつの中心の時代が、八世紀末に大きな画期を迎えることを政治権力との関わりを中心に述べてきた。

今回の報告ではふれることができなかったが、女性と宗教との関わりから見ても八世紀と九世紀の間には大きな変化がうかがえる。

七世紀に本格化する仏教寺院は、僧寺だけでなく尼寺も建設され、留学する尼僧も存在した。同様のことは、八世紀中葉の古代国家による地方寺院（国分寺）の建設の命令にも貫かれている。それは、約六〇の地方行政区域（国）に国家的仏教寺院を建てるに際し、僧寺だけでなく、尼寺の建設も命じたもので、この命令は最高位のキサキの強い意思から出たものと考えられている。

また、日本の固有信仰である村々のカミ祭りに従事する神職者（祢宜《ねぎ》・祝《はふり》）も、七―八世紀を通じて男女の性差を問うことなく選ばれていた。

七世紀末には、こうした神職者らが祭るカミの頂点に女性神である「アマテラス」が最高神としておかれるようになり、八世紀を通じて日本のカミ祭りは「アマテラス」を祭る伊勢神宮を頂点にして全国の神々が序列づけられ、体系化されていく。

これらのことが、七―八世紀を通じて女帝が輩出され、また、キサキらが独自の権力をもっていたこととどのような深い連関をもつものであるかについて、現在もなお研究は進行中である。本稿では女帝の時代と関連させて、ふれることができなかったが、この点が重要であることを指摘しておきたい。

注

（1）近世において、明正天皇（在位　一六二九―一六四三）と後桜町天皇（在位　一七六二―一七七〇）の二人が女帝として即位しており、この二代を加えたのが日本の女帝のすべてである。なお、報告では、論点の拡散を防ぐことから、新羅の女帝即位の三例、善徳王（在位 六三二—六四七）、真徳王（在位 六四七—六五四）、真聖王（在位 八八七—八九七）や、中国における唯一の女帝即位例である唐代の高宗皇后の則天武后＝則天大聖皇帝（在位 六九〇—七〇五）との比較を論じることができなかった。日本における女帝即位の数の多さは、中国史・朝鮮史と比較しても特記できる事実であり、それゆえにこそ女帝研究は日本の歴史の特質を明らかにできる研究領域なのである。

（2）『書経』牧誓編に、「牝鶏晨《あかつき》するなかれ。惟家の索《ただ》《おとろう》なり」（「古人有言、曰牝鶏鳴晨、惟家之索」）とある。その後、中国の史料に散見され、『後漢書』（楊震傳）に「牝鶏牡鳴」・『顔氏家訓』（治家）に「牝鶏晨鳴」の語が見える。新羅における真徳女帝末年の毗曇《ひどん》の乱も、女帝統治の否定としてこの種のイデオロギーを背後においており、『三国史記』はそのことを隠さない。

（3）病重くなった天智朝の末年における「倭姫」の例（「請ふ。洪業を奉げて、大后に付属まつらむ。大友王をして、諸政を奉宣はしめむ。」天智一〇年一〇月庚辰条・天武即位前紀）や同じ状況下の天武朝末年の「鸕野皇女＝持統」の例（「天下之事、大小を問わず悉く皇后・皇太子に啓せ」天武朱鳥元年条・持統即位前紀二年条）等が、顕著な例である。

（4）すべてのキサキが独自の家政機関を宮域内にもっていなかったことの証明は、これまでの研究を見る限り、できていないが、光明皇后の家政機関が宮外の藤原不比等邸＝のちの法華寺であったこと、また、「後宮」の成立が八世紀末の光仁朝であることを指摘した橋本義則の研究（橋本 1995b）に依拠すれば、本文の指摘は大きな誤りでないと考えられる。

（5）なお、後宮に封じ込められた九世紀以降のキサキらの「家政機関」の実態は、八世紀までのそれと比較してどのような変容を遂げているかについて未詳の点が多い。「家政機関」の語で共通して使用したが、その妥当性を含め、今後の研究の進展にまつ部分が多い。

付記　本章は、二〇〇〇年十二月二日、パリ日本文化会館で開催された「権力と女性表象」シンポジウムにおいて「古代の政治権力と女性」と題して報告した原稿をほぼ忠実に再現したものである。報告は、フランス人の聴衆を対象としていることから、主題を鮮明にするために、古代の細部にわたる事実や固有名詞の多くを省略した。日本での出版にあたり、シンポジウムの記録という性格を残すために、本章では、固有名詞を復活させ、論の足りない部分や論の典拠となる史料は、注や（　）を付すことで対処している。この点をあらかじめお断りしておきたい。

また、報告後二〇〇一（平成一三）年十二月の愛子内親王の誕生後は、その成長とともに女性天皇即位の可能性が現実味をおびて議論されることになった。二〇〇五（平成一七）年一月には、吉川弘之氏（産業技術総合研究所理事長（当時）、元東京大学総長）を座長とする「皇室典範に関する有識者会議」が発足し、二〇〇五年十一月二四日に「皇室典範に関する有識者会議報告書」を作成し、小泉純一郎内閣総理大臣に提出した。この前後をひとつのピークとして、女性天皇・女系天皇の容認か、はたまた男系天皇維持かで議論は白熱化した。二〇〇六年九月六日には、天皇家に四一年ぶりの男児である悠仁親王が誕生し、皇室典範改訂の問題は新たな段階に入ったといえる。

こうした事態の進展は、女性天皇をめぐってさまざまな言説を生み出してきているが、女性天皇の歴史学からの検討は、本稿での主張を大きく変更させる必要を感じさせるものはない。他方で、皇位継承の将来を展望する言説のなかには、明治以来の旧説である「女帝＝中継ぎ」論に固執するものもある。

私は報告後、『日本の女性天皇』（主婦と生活社、二〇〇三年）を公刊し、それを増補改訂した文庫本『日本の女性天皇』（小学館文庫、二〇〇六年）や『日本古代王権の研究』（吉川弘文館、二〇〇六年）を上梓している。それらは、本稿で述べた点をさらに多様な視角から検討し、具体的に述べている。参照願えれば幸いである（二〇〇六年十月記）。

参考文献

荒木敏夫 1999『可能性としての女帝』吉川弘文館

梅村恵子 1996「天皇家における皇后の位置」伊東聖子・河野信子編『女と男の時空――日本女性史再考』Ⅱ 藤原書店

岡村幸子 1996「皇后制の変質」『古代文化』48-9.

小林敏男 1988「大后制の成立事情」『古代女帝の時代』校倉書房

西野悠紀子 1997a「母后と皇后―九世紀を中心に」前近代女性史研究会編『家・社会・女――古代から中世へ』吉川弘文館

西野悠紀子 1997b「中宮論―古代天皇制における母の役割」『日本古代の史的特質――古代・中世』思文閣出版

橋本義則 1995a『平安宮成立史の研究』塙書房

橋本義則 1995b「「後宮」の成立」村井康彦編『公家と武家――その比較文明史的考察』思文閣出版

服藤早苗 1992『家成立史の研究』校倉書房
三崎裕子 1988「キサキの宮の存在形態について」『史論』41.

6　女性の位置とその変遷　平安時代から江戸時代まで

服藤　早苗

はじめに

本章では、日本の前近代社会における女性の座す空間の変容過程、すなわち女性の位置の変遷を検討する。現在でも、会議の席では議長が中央に座すように、また和室の場合では床の間の座席は主賓や座長であるように、空間的配置は、役割や秩序を可視的に表象する。

たとえば、近代の明治憲法発布式の絵画では、明治天皇が中央に座し、皇后は一段下がった場に立っている構図が、高校の教科書などでおなじみである(1)（7章絵図7-4）。このような空間配置は、身分秩序や役割がより鮮明な近代以前の社会では、きわめて重要な意義を有していた。儀式や会議での座席は、間違いなく列席者の序列や役割を可視的に表象しているのである。これは、現在の日常的な生活空間でも同様であろう。各家庭では、父と母と子どもの座席は固定している場合が多く、テレビの真正面の、テーブルの中央には、父親の座席があることがいまでも主流なのではないだろうか。

本章では、十世紀から十九世紀半ばまでの、すなわち前近代日本社会における女性の可視的表象としての座の位置を検討することになる。お気づきのように、平安時代から江戸時代と、千年以上もの長い時期を扱うことは、あまりにも無謀である。ここでは、家に着目し、家内における男女の位置をきわめて理念的に扱うことしかできないこと、したがって各時代の家族史研究を網羅するものではないことを、まずお断りしておきたい。

近年の研究によれば、日本における男性優位社会は、九世紀頃から萌芽し始めるものの、成立するのは十世紀から十一世紀にかけてである（関口 1993）。六世紀末から八世紀にかけて、女性と男性の天皇は、ほぼ同代位同在位期間であり、しかも天皇の地位についた場合、女帝と男帝の政治的権限はほとんど差がなかったこと、八世紀の皇后は、内裏外の皇后宮で独自の経済基盤をもち、多様な機能をもつ下級官司を配置した皇后宮職が運営しており、朝廷内に仕える宮人・女官たちは、男性官人と役割を分担しつつ王権に奉仕していたことなどが、さまざまな研究で明らかになっている（荒木 1999; 義江 2002; 鬼頭 2000; 橋本 1995a; 1995b; 勝浦 1995）。

八世紀後期になると、男女対等に近かった政治的権能発揮や朝廷奉仕は、大きく後退し始める。きわめて重要な点は、称徳天皇を最後に、男帝と同等に近い政治権能を発揮する女帝は二度と輩出されないことである(2)。さらに、男性官人と同じように顔をさらし、儀式に列席していた女官たちが、朝儀に出なくなるなど大きな変化が出てくる（岡村 1993）。この頃、女性は政治権限から後退し始めるのである。

いっぽう、家長である男性が家族員を統括する家が、まず九世紀に天皇家において萌芽し、さらに十世紀から十一世紀には上層貴族に成立していき、十二世紀には農民層まで浸透する（服藤 1991）。この家は家長に統括されてはいるが、家長と家長の妻である家妻は、それぞれ役割分担を行い、家妻も重要な役割を果たすのである（服藤 1997）。

以上のような政治や家での女性役割の変容に対応して、女性の象徴としての場が、きわめてはっきりと変化する。女性役割や権限の象徴としての場に注目しつつ、十世紀から十九世紀中頃までの、日本前近代社会における女性の地位の歴史的変容をみたいと考えている。この約千年を、Ⅰ十世紀から十二世紀までの平安時代、Ⅱ十三世紀から十六世紀までの中世、Ⅲ十七世紀から十九世紀中頃までの近世、の三つに区分する。その前に簡単に三期の歴史的概観を行っておきたい。

Ⅰ期は、平安時代である。平安時代の政治形態は、以下の二つである。天皇が幼少の時は天皇に代わって政務を執行する摂政と成人後は政務を補佐する関白が、上層貴族の藤原氏によって独占された十一世紀後期までの摂関政治の時代と、十二世紀の、天皇の父親である院が政治権力を掌握する院政の時代であった。

Ⅱ期は、中世である。十三世紀から十四世紀中頃までは、鎌倉に幕府を開いた武士が次第に全国の在地領主である武士を統括し、京都の天皇や貴族の政治的権限を弱体化させていった鎌倉時代である。十四世紀の中頃には新興武士たちの内乱が続き、内乱収束により京都の室町に拠点をおいた足利氏が、各地の守護大名を統括して室町幕府を開いた。十五世紀末になると、新たな新興武士たちや守護大名たちが地域的な権力抗争、領地拡大戦争を繰り広げる、群雄割拠の戦国時代へと突入する。十六世紀中頃には世界大航海の時代を象徴するかのように、南欧の人びとが渡来し、鉄砲やキリスト教など西欧文明を直接もたらし、その鉄砲を有効に利用して戦乱を最終的に統一したのは、徳川家康であった。

Ⅲ期は、武士の徳川氏によって江戸、今の東京に幕府が開かれ、各地の半ば独立した大名を統括する江戸時代である。日本人の海外渡航禁止と、幕府の統制によるオランダ・中国・朝鮮・琉球・アイヌ民族との交易以外他国の来航を禁止し、キリスト教も禁止した。およそ二六〇年間は戦争もなく、商品経済と都市が発達した時代だった(3)。

以上、なんとも簡略な概略だったが、この時代背景を踏まえて、本論に入ることとする。

1　平安時代　十世紀〜十二世紀

政治

この時代は、男性優位社会が、支配者層から次第に始まっていく時期である。まず、政治権力行使における女性の位置であるが、前述のように九世紀以降、女性が皇位につくことは、一部の例外を除きなくなった。しかし、国母《こくも》、すなわち天皇の母として天皇を補佐する後見力によって、政治的な発言権を行使した。十世紀以降、天皇は皇位を幼い皇太子に譲り上皇になり、父親として後見する譲位制が定着するが、その画期は九世紀前期の嵯峨天皇の譲位である。それまで上皇は天皇と同等の権能をもっており、そのため兄の平城上皇と嵯峨天皇が対立し二所朝廷とよばれる状態になり皇権が分裂した歴史を鑑み、嵯峨上皇は、天皇から上皇の身位を与えるという上皇宣下制を確立させ、さらに、朝廷から出て後院に居住することになった（春名 1990; 春名 1991; 筧 1994; 仁藤 1996）。これ以後、上皇は天皇の執務の場である朝廷＝内裏にはけっして入ることはできなかった。

その後、息子の天皇が、正月三日前後に、父母の居所に行幸する朝覲《ちょうきん》行幸が始まる。臣下の見守るなか、天皇は庭に立ち、殿上に南面して座す父母に最高礼の拝舞を行うのである。天皇より上位にある父母と従う子の関係、すなわち父母権を可視的に表象する儀礼として定着する。家父長制的家儀礼の成立である（服藤 1999）。

しかし、幼い天皇の母である国母は、天皇が幼少の場合は天皇の執務室である内裏内でしばしば同殿し、後見役を果たす重要な任務があった。九世紀中頃には、内裏内のそれまでの皇后の執務室であった常寧殿《じょうねいでん》が、国母の執務室になる（西野 1997; 西野 1999; 東海林 2001）。朝廷内に、国母としての場が明確に存在したのである。

九世紀後期になると、国母の父や兄弟が、太政大臣や摂政になり、国母の内裏内の殿舎に直廬を賜り、ここで政務を行うようになる。天皇の後見を行う国母の殿舎で政務を行うことは、国母の権能を男性である父や兄弟が代行することを示している。これが天皇の幼少期には天皇に代わり政務を行う摂政、成人天皇を補佐する関白の成立の背景である。従来、天皇の外祖父や伯叔父が摂政関白になる理由や意義を説得的に説明することはなかったが、場の視点を導入すると、きわめて明確に「国母の代行」としての摂政関白の位置が指摘しうるのである（服藤 2003）。

もっとも、父である上皇も内裏外で政治的発言を行い天皇に介入したが、十一世紀後期までの上皇は早く死亡し、逆に国母の方が長生きをしたこともあり、国母の権限は、政治上に大変強く反映した（服藤 1998a）。たとえば、一条天皇の皇后（中宮）藤原彰子《しょうし》は、二十四歳のとき夫一条天皇を亡くし、以後八十七歳で亡くなるまで、六三年間、二人の息子、二人の孫、一人の曾孫の天皇たちの後見をし、摂政関白をめぐる人事や、天皇のキサキ選び等に絶大な発言権を誇った。5章図5-3（本書一〇三頁）に見られるように、九歳の天皇は清涼殿《せいりょうでん》で日常生活と執務を行ったが、国母彰子は、後宮の弘徽殿《こきでん》におり、幼い天皇を補佐し続けた。内裏空間に国母の場がたしかに存在したのである。この空間的配置から、後見的発言権をもつ国母の政治的地位が象徴的にうかがえよう(4)。

十二世紀になると、上皇が長生きし天皇に父権を発揮する。これを院政といった。この間も、院が生存中は父権が強かったが、国母が院と連携して強大な発言権をもつことも多かったことが、近年明らかにされている（栗山 2001; 2002）。

国母になるためには天皇の寵愛を得、男子を出産する必要があった。天皇のキサキとなる摂関の娘たちは、天皇の足を自分の殿舎に頻繁に向かわせるために、あるいは夜の御殿への招きが頻繁であるように、才能ある女房たちを引き連れて入内した。キサキの殿舎では、歌合わせや管弦の遊びや、ときには男性の特権である漢籍について議論することも多かった。気の利いた和歌が詠め、琴や笙《しょう》が演奏でき、男性貴族たちとの漢籍に関する議論を対等に闘わせることのできる才能ある女性たちが集められた。この女房たちの中で、長編小説『源氏物語』を書いた紫式部、随筆集『枕草子』を書いた清少納言、官能的な恋の歌を詠んだ和泉式部など、多くの女性たちが文学作品を遺したのである。また、院政期の絵巻物も女房たちが描いていたことが指摘されている(5)。

庶民の場合、政治参加はどうであったのか。十世紀には、村落秩序を支配し、神祭りも行う司祭者に女性が就任することができなくなっていた。しかし、村落運営を左右する重要な集まりである、いわば公的な祭りの場には、村の男女全員が年齢順に座り、老人男女が、若い男女から饗応を受ける構造が続いていた。村落内では、男女が対等に近く政治に参加していたことが対等な座の位置からうかがえよう(関口 1997)。この男女対等で年齢によって区別された座の構造は、おそらく古く農業が始まり祭りが始まった頃から続いていたものと思われる。

十世紀から十二世紀にかけての村落では、各家の男性家長たちが優位な位置を占め始めるものの、女性も力があったと思われている。

家

貴族層では、夫婦と未婚子を核とし、従者・下人等多くの家構成員を包摂する家が成立する。その家は、「婿取婚」という当時の婚姻形態に特徴づけられて、ゆるやかな家父長制だった。十世紀から十一世紀中頃までの新家族は、まず妻の両親が婿を迎える「婿取」儀式から始まる。新郎は新婦の邸宅に婿として迎えられ、一定期間妻の両親と同居する。この期間はいわゆる母系直系家族である。その後、婿が朝廷内の役職に就き生活が安定すると、夫婦と子どもは夫の両親が提供する邸宅に移居し、独立する。単婚家族の成立である。世界でもめずらしい、一定期間妻の両親と同居する「婿取婚」、すなわち「妻方居住を経た独立居住婚」である。妻方居住期間は十一世紀初頭頃から次第に短くなり、十二世紀初頭には、完全に終焉をとげ、新婚当初から新居で夫婦生活をするようになるが、結婚式や新婚生活の費用、子育て費用は、いまだ妻の両親の方が多く用意した(6)。

同居が定着する十一世紀中頃には、摂関家では、夫方提供の家屋に移居した後の家長の正妻である家妻は、北政所《きたのまんどころ》とよばれるようになる。北政所は、家長に並び強大な権限をもっていた。このことを可視的に表象するのは、儀式の場での家長と北政所の場である。

たとえば、摂関家に仕える家司、女房、従者、下人たちを統括する家長夫妻の権限を象徴する意義をもった正月元旦の儀式である節供などには、貴族邸宅の主屋である寝殿正面に、家長と北政所の食料が並べられる。家長の食器は、代々家長に伝わる食器、朱塗りの朱器台盤であり、北政所の食器は少し劣る物、栗栖野様器であるとの相違があるが、盛られた食料はほぼ同じである。家長と北政所が箸を立てたあと奉仕人に分配される。図6-1がその儀式の場であるが、家長と北政所のペアーが、家統括責任者であることを奉仕人たちに指し示し、また貴族層たちの家安定化の規範を示す象徴的行為である。

また、北政所は、夫婦の寝室である寝殿内の塗籠《ぬりごめ》・納戸《なんど》におかれる鏡の管理を行う。この塗籠や納戸は、夫婦の寝室ばかりでなく、家の大切な財産を保管しておく場所でもあった。家財管理や夫婦の性愛

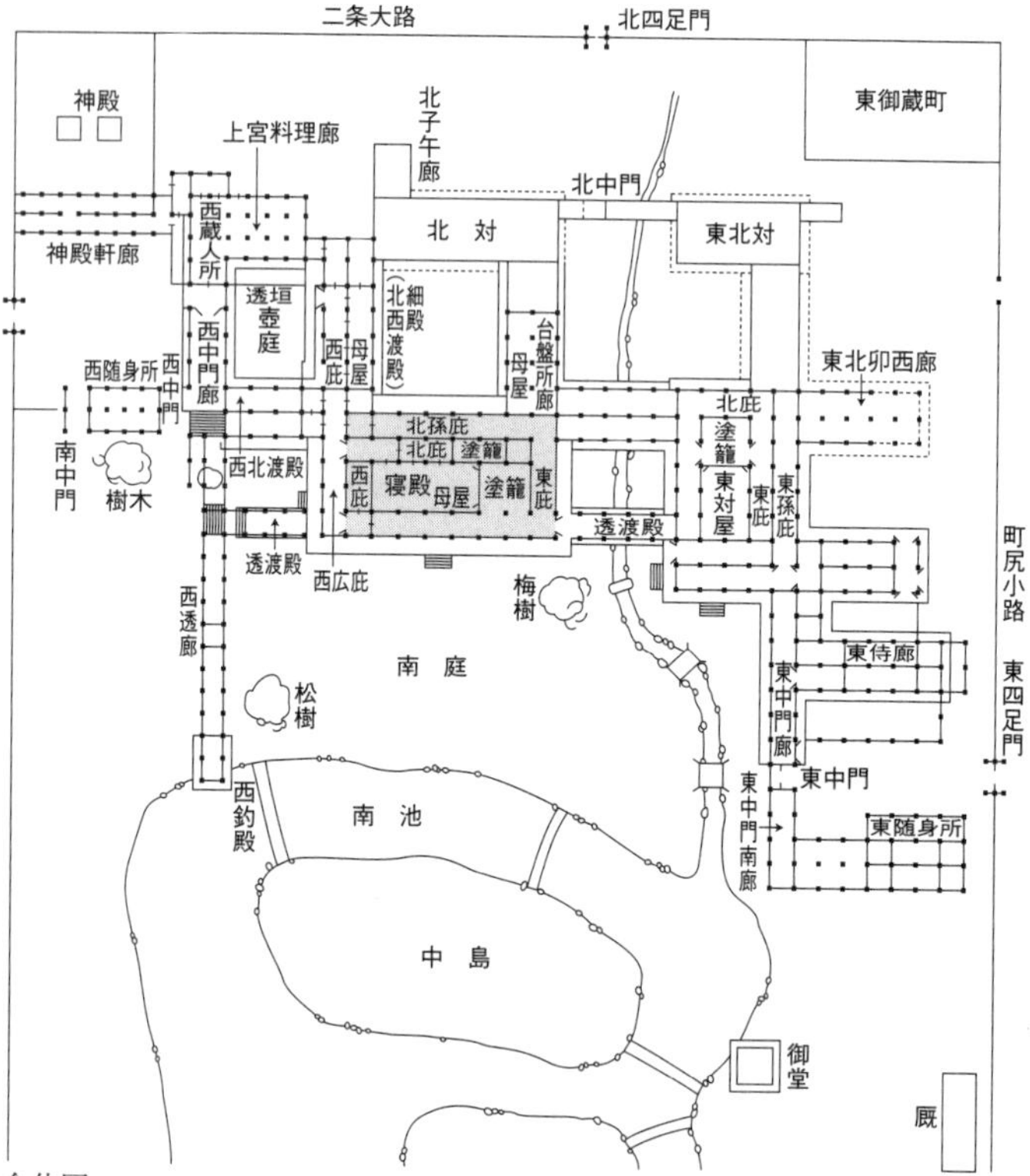

全体図

上図の の拡大図

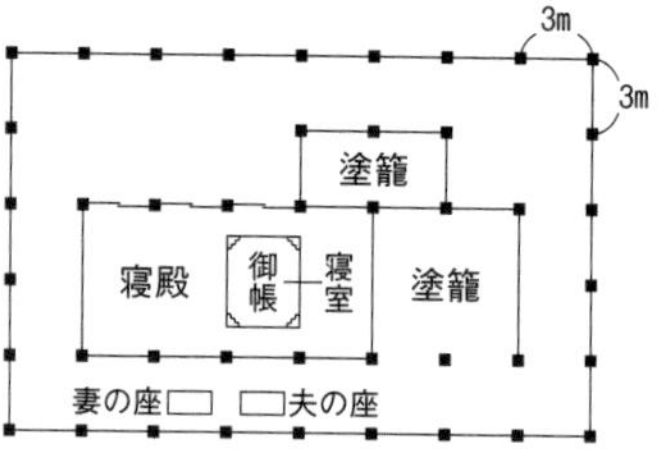

図6-1　平安貴族屋敷における妻の位置（東三条殿平面図，12世紀）

（出典）古代学協会・古代学研究所編『平安時代史事典』角川書店，1994：1970より作成

の管理が北政所の役割であったことを象徴していよう（服藤 1997, 2000）。

貴族や上層領主も同様であった。貴族の家妻が、家の財産管理権、家構成員の統括権、衣料や食料の製作分配権をもっていた。この家妻の権限を背景に、寝殿内に二人並んで座る対称的な場が、夫婦の役割分担を示している。

性愛

日本では十世紀になり、買売春が始まる。しかし、遊女とよばれる性を売る女性たちは歌舞を本職とする芸能人であり、売春はほんの付け足しであった。遊女たちは貴族たちの正式な妻になり、その子は父の政治的地位を継ぐ場合もあった（関口 1993, 1995; 服藤 1995）。

朝廷や貴族に仕える女房たちは、正式な夫をもたない場合、男女の性愛関係は自由であった。巧妙な恋の歌を詠う女房たちは貴族男子の憧れの的であり、性愛関係の多さが女性の評判を落とすことなく、逆に富裕貴族の正式な妻に所望された。和泉式部などその典型である。庶民層でも、家妻以外の女性たちの性愛は自由であった。

平安時代においては、十世紀頃に上層貴族層から男性優位社会が始まり、十一世紀末には庶民層まで浸透するが、政治の場においては母としての権限が大きく、家内においては家長が権限をもつものの家妻もいまだ大きな権限をもっていた。そのことが、家長と家妻に並んでもうけられる場に象徴されていたといえよう。

2　中世　十三世紀〜十六世紀

政治

武力を基盤として成立した武家政権は、男性将軍が政権を掌握するが、夫だった将軍が没すると、妻は父権の代行と母権の二つの権限を行使し息子の将軍を後見する。たとえば鎌倉幕府の創始者将軍源頼朝の妻北条政子は、夫没後、尼になり、将軍になった二人の息子を補佐し、息子たちの没後は、尼将軍として実権を掌握し、実質的な政治権力や軍事指揮権をとった（五味 1990; 野村 2000）。

室町幕府でも八代将軍足利義政の妻日野富子は、夫義政が実質的に政治の場から引退すると、息子の九代将軍義尚を後見した。とりわけ、経済能力を発揮し逼迫した幕府の財政を立て直した（脇田 1992; 田端 1996 などを参照）。ここでも父権の代行と、将軍の母としての権限を政治的に行使している。

十六世紀の中頃、中国地方を統括し強大な大名となった毛利氏は、「男は外、女は内という金言は名言である」と記している。戦国時代の大名たちは戦場に出ていることが多く、妻は留守を守ったから、留守期間中、家臣に命令を出し、支配領域を統括し、息子たちを教育するなどの公的役割をもっていたことを示す（田端 1998）。図6-2の広い座敷で夫が留守の間、妻が家臣との対面を果たしたのである。

庶民の場合、村落で共同体秩序を維持する祭礼の場において、家父長たちの座とともに、女房座とよばれる妻たちの座があった。村の祭りは、村の掟などを披露する場でもあり、村人たちの公的な政治の場でもあった。

山城国のある村の祭礼では、神社の拝殿の北側に男性家長たち、拝殿の正面に妻たちの座が設定されている。男の座と、女の座が別に設定されており、古代から平安時代までのあり方とは相当相違している。また、掟などの決定権をもつ寄り合いは、間違いなく富裕な家の家長である男性たちであった。しかし、女性の場もいまだ正式な座として存在しており、男女がともに公的な村落維持に役割を果たしていることがうかがえる（黒田 1989; 1993）。

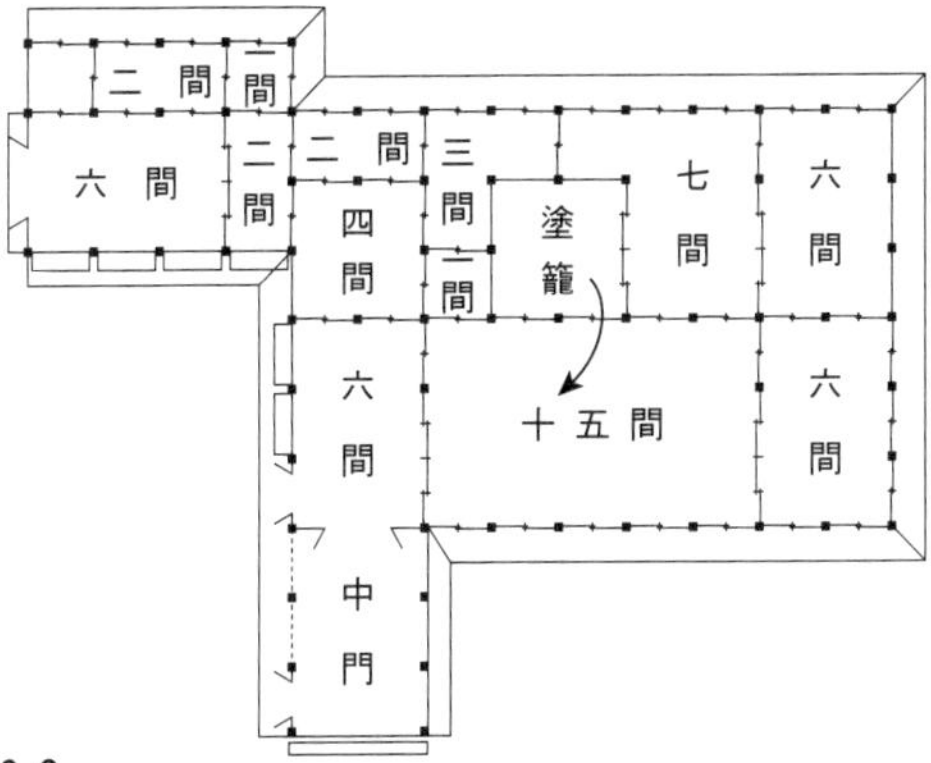

図6-2
戦国大名屋敷における妻の位置（仏地院主殿平面図, 15世紀）
（出典）小泉和子ほか編『絵巻物の建築を読む』東京大学出版会, 1996：158より作成

十六世紀に日本にやってきて、主に西日本をくまなく歩き、三五年近く日本に滞在し、日本で没したポルトガル人の宣教師ルイス・フロイスは、

「ヨーロッパでは、女性が葡萄酒を飲むなどは非礼なこととされる。日本では（女性の飲酒が）非常に頻繁であり、祭礼においてはたびたび酩酊するまで飲む」

と驚いている。ルイス・フロイスの文は、西欧と日本の文化的対比を強調するあまり誇張もあるが、日本についての記述は実証できる確度の高いものとされている。村落の祭礼には神に捧げた酒を参加者が飲むことによって神の加護を得られると考えられており、女性も男性と同等に飲むことが必要だったのである。

家

中世には、公家や武士、有力農民層まで経営単位として自立した家が確立する。婚姻形態は、武士から庶民まで、次第に結婚当初から嫁取婚になってくる。もっとも、中世前期は、結婚当初は夫の両親の住む屋敷と別に居所をかまえる独立居住婚的居住形態が主流であり、中世後期になると、結婚当初から妻が夫方に入る夫方居住だった（高橋 1996）。しかし、中世後期でも、家長夫婦と息子夫婦は同一屋敷内ではあるものの、各炉をかまえた別棟に生活しており、いわば現代風の二世代住居だったことが明らかにされている。さらに、家産の所有や家を代表するのは家長であるものの、家妻は夫である家長の家業を補佐し、家司や下人等を統括し、食料や費用の分配等に積極的に関わることや、老齢になると息子の嫁にその権限を譲渡する、いわゆる「しゃもじわたし」を行うことが、史料を分析し実証的に明らかにされている（海老澤 1997; 後藤 2002）。

居住空間をみると、貴族や上層武士の邸宅の部屋は次第に固定化し、表側が公的な使者などと対面する接客の場としての座敷、裏側が私的な寝室や居間になっていく。座敷はふだんは家長の場であったが、家長が留守の時は家妻の座ともなった。図6-3は中世後期の武士の家の座敷である。ふだん、家長は座敷、家妻は居間にいるが、家長が留守の時は座敷に出ることも可能であった（小泉 1996）。

大多数の庶民住宅は、いまだ客間や座敷の空間がなく、塗籠と囲炉裏の居間である。図6-4のよう

図6-3
中世後期　下級武士・上層農民屋敷における妻の位置(16世紀)
右：箱木家住宅平面図
(前座敷三間取平面)
下：古井家住宅平面図
(前座敷三間取平面)
(出典)『絵巻物の建築を読む』
前掲書：167より作成

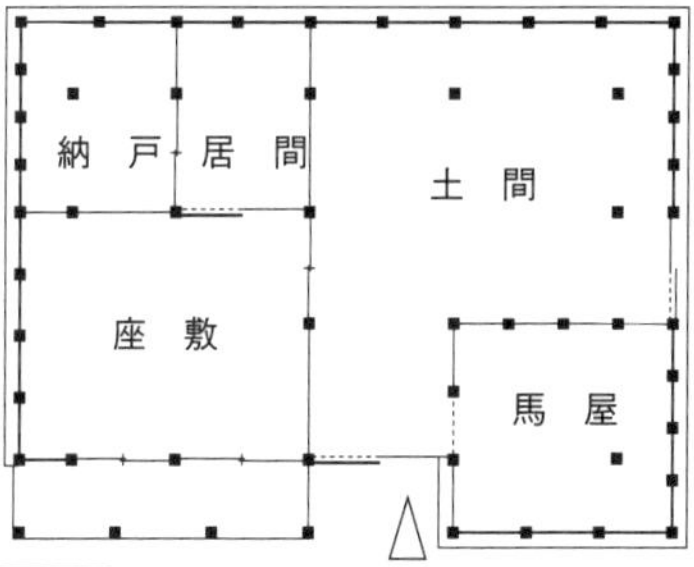

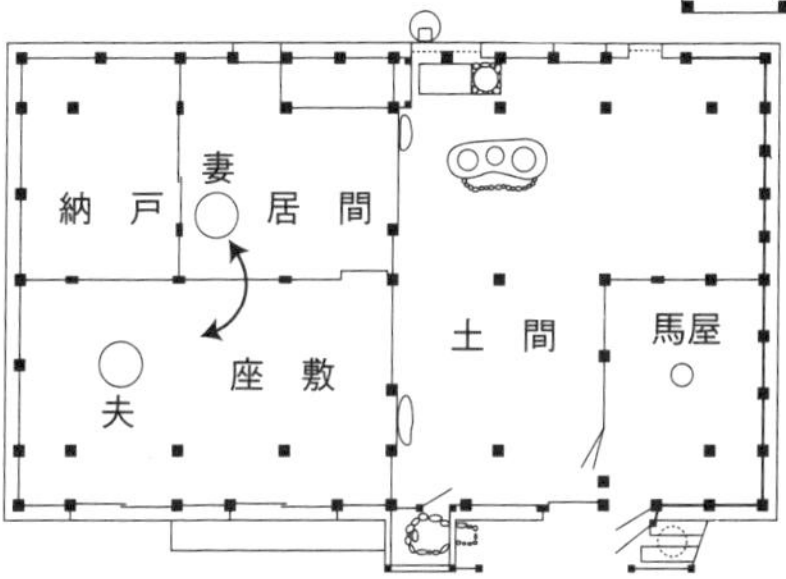

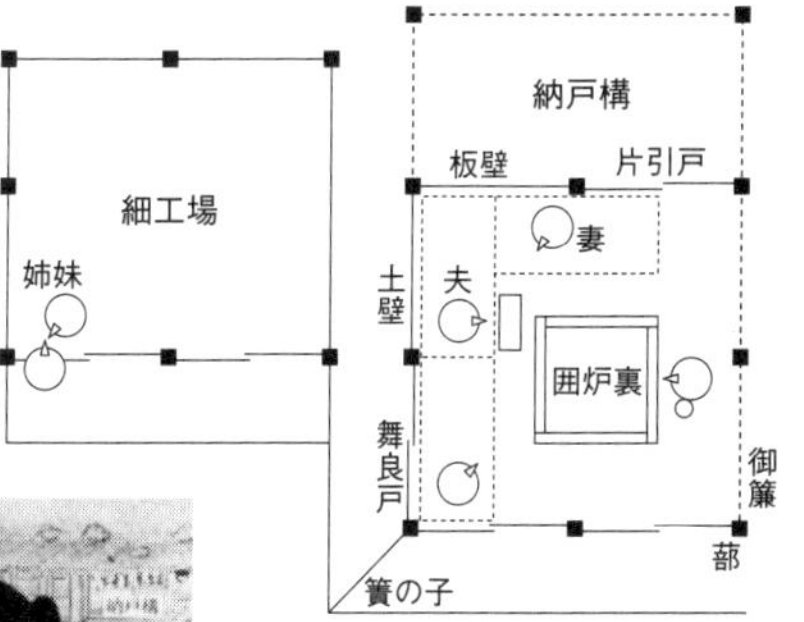

図6-4　中世庶民の住居における妻の位置(14世紀)
左：『松崎天神縁起』巻五
「銅細工師の家」
上：同平面図
(出典)同上：170より作成

に納戸の前には妻が座し、家長としての夫は、横に座る。一九六〇年以前まで各地に囲炉裏がのこっていたが、妻の座をエヌシ座といい、夫の座をヨコ座という地域が多い。エヌシは家主のことで、中世の絵巻物に描かれるこの座が、名称の源流であろうとされている（保立 1985; 飯沼 1990）。この座こそ家妻の権限の象徴である。納戸におかれる財産管理は庶民層でも家妻の役割だった。フロイスは、「ヨーロッパでは、夫婦間において財産は共有である。日本では各々が自分の分け前を所有しており、時には妻が夫に高利で貸しつける」と記しているが、庶民層の妻は、家内では「エヌシ」として財産管理等の権限をもっており、自分の財産はしっかりと区別して所有していたのである。

中世には、家長が社会に対して家を代表する権限をもつが、家妻も家内を統括し、そのために夫が留守のとき家を代表して公的使者とも対面したり、公的な村落祭祀にも参加しており、場が存在していた。かつての横並びではないものの、夫を代行する権限があったといえよう（服藤 1997）。

性愛

中世になると京都や鎌倉の都市には、芸能と売春を職業とする遊女が多くなる。中世前期の遊女屋を経営するのは女性家長であった（楢原 1998; 豊永 1989; 服藤 1990）。ところが中世後期になると産業の発展にともなう交通や都市の発達により購買層が増加すると遊女屋は男の家長に搾取されるようになる。性の売買が増加し、男性に管理搾取されるようになっていくのである。

もっとも、中世でも貴族や武士から庶民層にかけて、結婚前の女性の性交に対する禁止事項はなく、結婚しても離婚が多く、また、結婚していない女性の性愛は自由であった（総合女性史研究会編 1992）。

フロイスは、次のような驚きを記している。

「ヨーロッパでは、未婚の女性の最高の栄誉と財産は貞操であり、純潔が犯されないことである。日本の女性は処女の純潔をなんら重んじない。それを欠いても栄誉も結婚する資格もうしなわない」

「ヨーロッパでは、娘や処女を（世俗から）隔離することは、はなはだ大問題であり、厳重である。日本では、娘達は両親と相談することもなく、一日でも、また幾日でも、ひとりで行きたいところに行く」

「ヨーロッパでは、妻は夫の許可なしに家から外出しない。日本の女性は、夫に知らさず、自由に行きたいところに行く」

中世には、家長が統括する家が公的に自律した存在だった。家長が不在のとき家妻は家を代表するのであり、公的役割も果たしたことになる。まったくは従属しきっていない女性の姿が、未婚女性たちの性の自由を保証したのであろう。

3　近世

政治

武家が政権を全面的に掌握した江戸時代は、武力で将軍や大名に奉仕したのは男性であり、女性は権力の場からほぼ排除された。主君に奉公するのは、家の代表である家父長であった。将軍家では、将軍の妻や妾たち女性は政治の場である表御殿には出ることができなかった。図6-5のように男の政治的空間と女の空間は厳しく隔絶された。将軍の妻御台所や母は、女性のみの場である大奥のトップとしてのみ君臨していた。各地の大名家でも同様であり、女性は政治の場に出ることは原則的にはできなかった。中世には夫が留守のとき妻は政治の場に出ることができたが、近世にはそれが原則的に否定されたのである。村落の祭りの場でも基本的には女性は排除された。

家

近世は、家が村落共同体から幕藩領主にいたるまで、社会的基礎単位となった時代である。家は、どの階層でも基本的に家長は男性であり、家長が没しても息子や家臣が家長を継承したり代行した。家を代々継承するための理念としてどの階層にも確立した祖先祭祀の継承からも女性は基本的に排除された。妻は夫が没しても、政治の場に出て父権の代行権を発揮することはほとんどなかった。とりわけ武士層

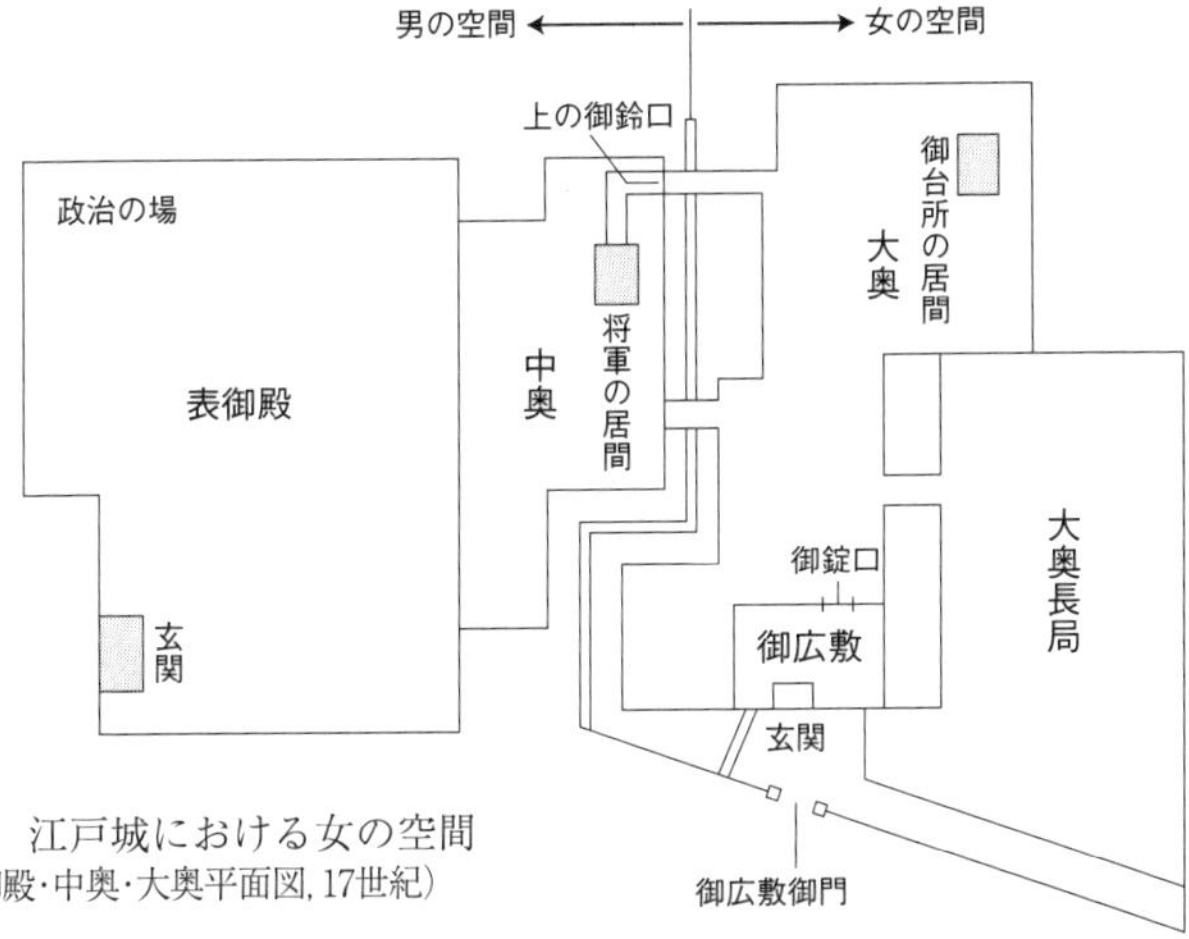

図6-5　江戸城における女の空間
（表御殿・中奥・大奥平面図, 17世紀）

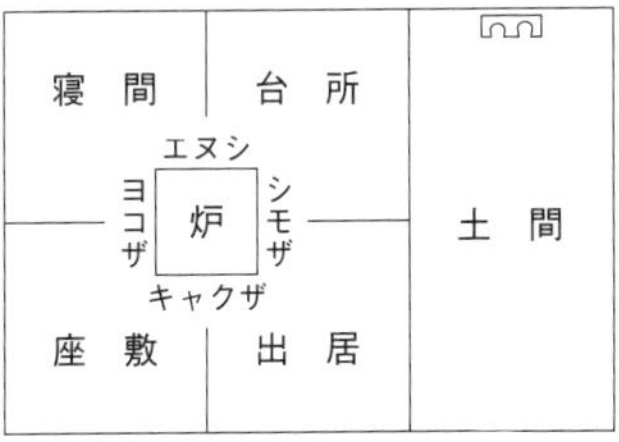

図6-6 近世庶民（本百姓）の住居における妻の位置
（田の字型住居の理念型）
（出典）坪井洋文ほか著『日本民俗文化大系』10, 小学館, 1985：24より作成

では、武力をもたない女性はまったく代行することができなかった（長野 2002）。

本百姓とよばれる一般的百姓の家では、家屋の表側に客を迎える出居と家長の部屋である座敷がつくられるようになり、公的性格をもった家長の権威を象徴する空間となった。裏には、私的性格の寝間と台所が、妻の象徴空間となる（図6-6）。名称はエヌシでも、公的な空間に関与することは原則的にはできない構造になった。家長は、公的に家を代表し、村の祭祀に参加し、家産を掌握し管理し、家業経営の指揮を分担した。家長は家を絶やすことなく存続することが最大の任務になった。村落祭祀の場に女性の座がない地域が多くなった。しかし、家長の妻は、食料を管理分配、衣料の製作分配、家内祭祀や祖先祭祀の補佐を分担した（坪井ほか 1985; 女性史総合研究会編 1990）。

食料分配や祖先祭祀などは、家経営のためには重要な任務だったから、結婚して妻になるために、どの階層でも女子教育が必要とされた。江戸時代に女子が学ぶべき規範書である『女訓書』には、「女子は結婚して家を出るのであるから、夫の親類に物笑いにならぬよう、美しい文字を書くことが、容貌の美しいことよりも必要である」と記されている。また、庶民でも「二桁くらいのわり算の算盤能力」が必要と書かれている。江戸の町には、庶民教育機関である寺子屋は八百軒ほどあったが、そのうち三分の一は女性師匠であり、女性の識字率も高かった。幕末に欧米から江戸に来た旅行者たちは、庶民層の女性でも懐から本を取り出して読んでいることにおどろいている。女子教育の普及が確かなことがうかがえる（江森 1990）。

性愛

各地の大名は、将軍のいる江戸へ一年交替で出仕することが決められていた。大名に付き従う大勢の武士も一年間江戸詰めになったから、江戸は男の方が多い都市であった。そのため、遊女が多くなると、幕府は治安を取り締まる目的で、売春宿を一ヵ所に集め遊郭をつくった。各地の大名も、城下町に同様な遊郭をつくった。遊女のなかでも、上層遊女は、上層武士や富裕な町民の相手をしたから、いまだ芸能を披露することが必要で、歌舞や管弦のみならず文学的教養や立ち居振る舞いの優美さが必要とされた。教養人でもあったのである（小林 1982; 宇佐美 2000）。

また、十八世紀になると、流通経済の発展によって、交通が発達すると、各街道の宿場には、飯盛女とよばれる売春婦がおかれるようになった。遊女には、年貢にさし詰まった貧しい農民の女性たちが十年年季の契約で売られてきた。男性による女性の性支配が強化されたのである。

いっぽう、武士の妻や娘たちの貞操はある程度強制されたが、町人や農民は、結婚前には性愛は自由であった。ただし、どの階層も、結婚しても離婚する率は高く、離婚に対する非難はなく、再婚も多く、処女性は近世でも根づくことはなかった。

おわりに

以上、約千年間の歴史を簡単に見たが、十世紀以降、政治の場や生産や生活の場において、しだいに男性優位社会が浸透していった。前近代日本の女性がおかれた特色は、

1. 政治的権限が中世末までゆるやかにでも存在したこと、
2. 家内では、家財を管理する権限や、家内祭祀を営む権限などが、権限の内容が変容しつつも最後まであったことなど、
3. 結婚した妻の性は夫に支配され貞操が要求されたが、未婚の女性たちの性は自由であり、一般的

には処女を重んじる思想は定着しなかったことなど、をあげることができよう。

夫である家長に最終的な家統括権などの強い権限があるものの、その範囲内ではあっても、財産管理や家構成員の統括などを妻が行うことは、近代以降にも影響を与えていると思われる。大学卒の高学歴女性が専業主婦となっている世界にもまれな女性の現状（瀬地山 1996; 中嶋、本書二二一頁）は、このような歴史的な土壌を基盤にしていることも一つの要因ではないかと推察される。

注

（1）若桑みどり『皇后の肖像』（2001）では、明治二二年の憲法発布の日に初めて皇后が天皇と並んで民衆の前に出ており、これ以降西欧的な一夫一妻制を表象する天皇夫妻像がつくられていくことを指摘している。

（2）近世の二人の女帝は中継的であったことは、前掲の荒木（1999）が詳しい。

（3）古代から近世への政治的社会的変遷に関しては、『日本の時代史』5〜16巻（2001-03）参照。

（4）末松剛（1999）では、大極殿で行われる即位儀礼において、母后が天皇の座す御高座の後方幔幕《まんまく》内で即位を後見することを詳細に指摘している。

（5）この時期の女性たちの教養や教育については、梅村恵子（1993）、服藤早苗（1998b）など参照。

（6）平安時代の婚姻形態については、高群逸枝（1997）、ウィリアム・マッカロー（1978）、服藤早苗

（1988）、栗原弘（1994）、西野悠紀子（1996）など参照。

参考文献

荒木敏夫 1999『可能性としての女帝』青木書店

飯沼賢司 1990「中世前期の女性の生涯」女性史総合研究会編『日本女性生活史第2巻　中世』東京大学出版会

石上英一ほか企画編集 2001-03『日本の時代史』5〜16巻　吉川弘文館

宇佐美ミサ子 2000『宿場と飯盛女』同成社

梅村恵子 1993「平安貴族の家庭教育」『歴史評論』517.

海老澤美基 1997「中世後期の一条家の妻たち」前近代女性史研究会編『家・社会・女性』吉川弘文館

江森一郎 1990『「勉強」時代の幕開け』平凡社

岡村幸子 1993「女叙位に関する基礎的考察」『日本歴史』541.

筧敏生 1994「太上天皇尊号宣下制の成立」『史学雑誌』103-12.

勝浦令子 1995「古代朝廷女性組織と性別分業」『歴史と地理』478.

鬼頭清明 2000「皇后宮職論」『古代木簡と都城の研究』塙書房（初出 1972）

栗原弘 1994『高群逸枝の婚姻女性史像の研究』弘文堂

栗山圭子 2001「准母立后制にみる中世前期の王家」『日本史研究』465.

栗山圭子 2002「二人の国母―建春門院滋子と建礼門院徳子」『文学』3-4.

黒田弘子 1989「中世前期村落の女性」前近代女性史研究会編『家族と女性の歴史　古代・中世』吉川弘文館
黒田弘子 1993「民衆女性のはたらき・くらし」総合女性史研究会編『日本女性の歴史　女のはたらき』角川選書
小泉和子 1996「絵巻物にみる中世住宅の寝場所」『絵巻物の建築を見る』東京大学出版会
後藤みち子 2002『中世公家の家と女性』吉川弘文館
小林雅子 1982「公娼制の成立と展開」女性史総合研究会編『日本女性史第3巻　近世』東京大学出版会
五味文彦 1990「聖・媒・縁」女性史総合研究会編『日本女性生活史第2巻　中世』東京大学出版会
東海林亜矢子 2001「后の宮の研究」『お茶の水史学』45.
女性史総合研究会編 1990『日本女性生活史第3巻　近世』東京大学出版会
末松剛 1999「即位式における摂関と母后の登壇」『日本史研究』447.
関口裕子 1993『日本古代婚姻史の研究』上・下　塙書房
関口裕子 1995「対偶婚の終焉と買売春の発生」『歴史評論』540.
関口裕子 1997「歴史学における女性史研究の意義」総合女性史研究会編『日本女性史論集1　女性史の視座』吉川弘文館
瀬地山角 1996『東アジアの家父長制』勁草書房
総合女性史研究会編 1992『日本女性の歴史　性・愛・家族』角川選書
高橋秀樹 1996『日本中世の家と親族』吉川弘文館

高群逸枝 1953『招婿婚の研究』講談社
田端泰子 1996『女人政治の中世』講談社学術新書
田端泰子 1998『日本中世の社会と女性』吉川弘文館
坪井洋文ほか 1985『日本民俗文化大系第10巻　家と女性――暮らしの文化史』小学館
豊永聡美 1989「中世における遊女の長者について」『中世日本の諸相』下　吉川弘文館
長野ひろ子 2002「幕藩制国家の政治構造と女性」『日本近世のジェンダー論』吉川弘文館（初出 1990）
楢原潤子 1998「中世前期における遊女・傀儡子の『家』と長者」総合女性史研究会編『日本女性史論集9　性と身体』吉川弘文館
西野悠紀子 1996「書評　栗原弘著『高群逸枝の婚姻女性史像の研究』」『日本史研究』402.
西野悠紀子 1997「中宮論―古代天皇制における母の役割」『日本古代の史的特質―古代・中世』思文閣出版
西野悠紀子 1999「九世紀の天皇と母后」『古代史研究』16.
仁藤敦史 1996「太上天皇制の展開」『歴史学研究』681.
野村育世 2000『北条政子』吉川弘文館
橋本義則 1995a『平安宮成立史の研究』塙書房
橋本義則 1995b「後宮の成立」村井康彦編『公家と武家』思文閣出版
春名宏昭 1990「太上天皇制の成立」『史学雑誌』99-2.
春名宏昭 1991「平安期太上天皇の公と私」『史学雑誌』100-3.
服藤早苗 1988「純婿取婚をめぐって」『歴史評論』455.

服藤早苗 1990「遊行女婦から遊女へ」女性史総合研究会編『日本女性生活史第1巻　原始・古代』東京大学出版会
服藤早苗 1991『家成立史の研究』校倉書房
服藤早苗 1995『平安朝の女と男』中央公論社
服藤早苗 1997『平安朝の家と女性』平凡社
服藤早苗 1998a「王権と国母―王朝国家の政治と性」『民衆史研究』56.
服藤早苗 1998b『平安朝　女性のライフサイクル』吉川弘文館
服藤早苗 1999「王権の父母子秩序の成立」十世紀研究会編『中世成立期の政治文化』東京堂
服藤早苗 2000「イエの成立と妻の役割」宮良高弘・森謙二編『歴史と民族における結婚と家族』第一書房
服藤早苗 2003「九世紀の天皇と国母」『物語研究』3.
服藤早苗 2005『平安王朝社会のジェンダー』校倉書房
保立道久 1985『中世の愛と従属』平凡社
ウィリアム・マッカロー 1978「平安時代の婚姻制度」『同志社大学人文科学研究所　社会科学』24.
義江明子 2002「古代女帝論の過去と現在」『岩波講座天皇と王権を考える7　ジェンダー』岩波書店
若桑みどり 2001『皇后の肖像』筑摩書房
脇田晴子 1992『日本中世女性史の研究』東京大学出版会

7 近代天皇制国家と性別二分化

女性の役割表象と対抗形態

舘　かおる

はじめに

一八六八年、江戸幕府は政権を天皇に返上し、日本は、封建社会から近代社会への政治体制の転換を行った。そして、近代天皇制国家体制の構築を始める。そこには、欧米諸国によって植民地化されることを避けるための外交上の危機意識が強く作用していた。やがて、このアジアの小国は、日清、日露戦争を経て、欧米列強の侵略に抗するアジアの連帯を唱え、大東亜共栄圏を標榜するようになる。

日本が近代化のための政治体制として選びとった近代天皇制は、これまでもさまざまに論じられてきた。本書は、日仏比較の主題を女性の「表象」と「権力」のありように設定した。その「比較」の試みを有効なものにするために、本章では、日本近代の性別二分化とその表象の構築、その対抗ないし改変の試みを主軸に論じることにする。また、本章で論じる時期は、近代天皇制国家の構築に関わる、一九一〇年代までを主なる対象とする。

本書の日仏比較における主題は、一つには「女性天皇」の存在と表象にあった。しかし、周知のように、近代日本の天皇制は、一八八九（明治二二）年の大日本帝国憲法発布と同時に制定された「皇室典範」において、天皇は男性しか認めないと規定した（早川 1998: 95-137）。したがって、近代天皇制における「皇后」の存在と表象は、ここで論じるに不可欠の対象といえる。

まず近代天皇制国家の成立時の性格を明らかにするために、明治天皇の妻である「美子《はるこ》皇后」について検討したい。

次に、美子皇后がその成立を担った、近代天皇制国家の厳しい批判者であった、大本教の女性教祖「出口《でぐち》なお」を取り上げる。資本主義化、西欧化など日本の近代化の総体を激しく拒否する彼女の批判には、深く、ジェンダーの問題が突き刺さっているからである。

その出口なおの言葉に惹かれつつ、女性解放思想・運動を展開した「平塚らいてう」を次につなげたい。近代天皇制国家の構築は、同時に近代家父長制の構築であった。らいてうの行った、「女性」というものへの探究と家父長制変革の試みは、女性の主体化、女性解放の理論化と同時に、実践への道も導いた。これらの三名の女性をつなぐ本章の意図は、これらの女性たちがいずれも近代天皇制国家における「性別二分化」の役割表象に対し、果敢に挑んだシンボルといえるからである。

1　「美子皇后」に見る女性表象の構築

天皇・皇后の性別役割・領域の二分化と近代性

一八六八年八月、皇太子睦仁が即位式を挙げ、明治と改元した。公家の左大臣の家に生まれた一条美子は、同年一二月京都御所で天皇睦仁（以後明治天皇と表記）と結婚の儀を執り行い、翌年七月東京の皇居に移る。成婚のとき、明治天皇は十七歳、美子皇后は十九歳の若き夫婦であった。激動期の天皇、皇后に課せられた職務は多く、なかでも天皇は行幸、皇后は行啓と称せられる、各地への訪問、さまざまな分野での行事を精力的に行った。近世までの天皇と皇后は、民衆の目前に姿を現すことなどはなかったが、明治天皇と美子皇后は、近代天皇制という体制の新規さや近代性を明示する役割を担い、別々に、または二人揃って、日本近代化の表象として人びとの前にその存在を現した(1)。

美子皇后の行啓先を見てみよう。**絵図7−1**は、一八七三（明治六）年六月に美子皇后が英照皇太后とともに群馬県の富岡製糸工場を訪れた光景を描いたものである。この製糸工場は、明治政府がフランスの技師を招いて建設した官営の工場であり、当時は氏族の娘が多かった女工たちに、皇后は日本の製糸業の発展に尽くすように述べた。

絵図7−2は、一八七五（明治八）年一一月に東京女子師範学校の開校式に出席する皇后の姿を描いたものである。同校は、女子教育の振興をはかるために、皇后からの御下賜金をもとに創立された国立の女子教員養成機関であった。皇后は「みがかずば」と題する和歌を贈り、生徒たちを励ました。開講時の学生のなかには青山千世（女性解放運動家で、戦後、労働者初代婦人少年局長を務めた山川菊栄の母）がいた。千世は、開校式で皇后に対して御前講義を行い、コンパス等を賜ったことや、皇后の美しさ、緋袴にハイヒールの装いであったことを生き生きと菊栄に語っている（山川 1972: 38）。

さらに**絵図7-3**は、一八八七（明治二〇）年五月に皇后が貴族階級の女性や政府高官の妻などの協力により設立した東京慈恵医院の開院式に出席し、患者を慰問している光景である。

美子皇后は、産業の発展を女性が担うことを奨励し、女性の地位向上のために女子教育を振興し、医療救済、慈善活動、戦場慰問を援護し、外国公使謁見の際の応接も行った。日本が欧米に対し、劣勢に立たされないために、皇后には、近代化を推進する女性の役割とその領域、そうした意味での女性性を表象するものが求められたのである。それは、皇后の服装についても求められた。明治天皇は、一八七三年頃から軍服や大礼服を着ていたが、皇后はずっと和装であった。だが、外国公使との謁見が増加するにつれ、皇后の洋装は、西欧化、近代化の表象として不可欠のものになった。

明治天皇が日本女性の洋装を嫌悪したにもかかわらず、鹿鳴館時代の一八八六（明治一九）年六月皇后に西洋服を着ることが定められ、以後皇后は洋装で行啓することが多くなる。一八八七年には、洋装大礼服で新年の祝賀を受け、同年一月には、洋装化を勧める女子の服制に関する思召書を自らの名において出した。先に示した絵図7-3は、同年五月に洋装で病院を訪れたときの皇后を描いたものである。後掲の絵図7-6は、一八八九（明治二二）年六月に撮影された、洋装の美子皇后の御真影写真であり、

絵図 7-1　富岡製糸場行啓
荒井寛方画，1873 年（左：美子皇后）
聖徳記念絵画館壁画

絵図 7-2　女子師範学校行啓
矢沢弦月画，1875年（中央：美子皇后）
同上

絵図 7-3　東京慈恵医院行啓
満谷国四郎画，1887 年（中央：美子皇后）同上

各学校に掲げられた。この皇后洋装化の背景には、伊藤博文の唱えた立憲君主制を実質化するために、国際的観点からの宮中改革の意図があったことは、つとに指摘されている（坂本 1991）。

天皇と皇后が訪れる場所は、明確にその領域が区分されていた。同じ工場でも、天皇が八幡製鉄所、造船所などの重工業の工場、それに対して皇后は製糸工場、教育機関では、天皇は男子教育機関、皇后は女子教育機関であった。また天皇は軍隊や帝国議会、皇后は病院・慈善施設などと、訪問先が二分されていた。天皇・皇后のこの二つの領域区分化の傾向は現在の皇室に継承されているが、とくに明治前期には、天皇と皇后の領域区分化が、「男性領域」と「女性領域」という性別区分として表象され、人びとの認識に根づいていったといえる。天皇・皇后の行幸・行啓は、「近代社会」の近代性を、男女二つの性別による「役割区分」と「領域区分」という「区分化」の原理として示したのである。

ところで、天皇・皇后は、二人揃って人びとの前に姿を現すこともあった。なによりも衝撃的なまでに明確に、天皇・皇后の二人が並んで姿を見せたのは、一八八九（明治二二）年の大日本帝国憲法の発布式とその後の馬車でのパレードである。憲法の発布式には皇后も列席し、天皇の玉座より下って描かれているが（絵図7-4）、式終了後の祝賀パレードでは、皇后は天皇と同じ馬車に並んで乗り、国民の前にその姿を見せた（絵図7-5）。欽定憲法発布という政治的な権力を表象する場では、天皇・皇后が同席することはないが、祝賀パレードでは、同席をアピールしている。これは、明治政府がまず諸外国に対して、そして日本国民に対しても、憲法を制定し、選挙法を公布し、これまで男尊女卑の封建的序列関係におかれていた女性の位置が、男性と対等になったことを示す意味があった。明治時代の天皇・皇后は、西欧列強との緊張感のなかで、欧米のような近代的な男女の関係が成立している近代国家であることを示す、「性《ジェンダー》別表象」としての使命を果たすべく期待されたのである。

一八九〇年頃までの近代天皇制国家においては、まずは封建制からの脱皮を果たしたことを強調し、「男尊女卑」ではないが、「男」「女」という性別の違いにより「役割」が異なり、関わる「領域」が異なることを天皇・皇后を通じて、日本の「近代化」のシンボルとして表象する必要があったのである。

絵図 7-4　憲法発布式之図
楊洲周延画，1889 年

絵図 7-5　憲法発布青山観兵式真図
井上探景画，1889 年

「万世一系」の家族表象の成立

実は、天皇・皇后という「対」の夫婦像は、一八八九（明治二二）年の御真影になって定着したものである（絵図7‐6）。若桑みどりによれば、一八七〇―八〇年代の石版画に描かれた天皇・皇后は、夫婦像ではなく、皇太后、天皇、皇后の三者の図像であり、しかも天皇の母である皇太后は、皇后より高い位置におかれ、ともに和装で描かれているものが多かったという（若桑 2001: 35）。

だが、一八八七年頃からの皇后への役割期待の変化に伴い、石版画も変化する。

まず、一八八七年一月に皇后は洋装化する。そして八月には、権典侍柳原愛子が生母である満八歳の嘉仁親王が、「儲君」（天皇が側室に儲けた皇子）として、皇后の実子と認められ、一八八九年に立太子式を迎える。一八八九年の憲法発布祝賀式のパレードで同席した天皇・皇后が描かれ、一八九〇年十月の教育勅語の発布で、天皇と皇后ともに洋装の御真影が一対となって全国に下賜される。そして一八九一年の教育勅語の写しには、天皇、皇后と皇太子の姿が描かれている（若桑 2001: 135）。この天皇・皇后・皇太子の図像は、近代的夫婦像より、国家的父母と子の関係像を示し、親子間の孝道と継承を示すものであった。

皇太子が「儲君」となった時期には、生母である権典侍柳原愛子が同一画面に印刷される図像もあったと若桑は指摘しているが、一九〇〇年頃には、生母の姿は消え、絵図7‐7にあるように、明治天皇と美子皇后、皇太子と皇太子妃（のちの大正天皇と貞明皇后）、その皇孫（のちの昭和天皇）の三世代が同一画面上に描かれた肖像が登場する（若桑 2001: 294-309）。しかも、天皇家「三世代家族」の表象

絵図 7-6　明治天皇・美子皇后御真影，1889 年

絵図 7-7　高貴御尊影
太田節次画，石版，1901 年

は、長子の「皇孫」(のちの昭和天皇)を中心におき(次男の皇孫も画面に描かれている)、親子像というよりも、「万世一系の表象」としての、「継承性」に力点がおかれているように思われる。男性長子継承を原則とする天皇の継承が危ぶまれた明治にあって、ようやく天皇の継承が安泰になり、「万世一系」の家族表象が成立したといえよう。

日本の植民地的近代と美子皇后の表象

美子皇后は、国王・王妃を模した、性別役割を担う西欧の近代夫婦像を表象し、ついで、親子関係を基盤とし、先祖と子孫の伝承のシンボルとしての家族表象も担った。天皇家に課せられた、この近代性と伝統性の二つの要素は、洋装、和装の二重服制に対応するものであると若桑は指摘する(若桑 2001: 292)。さらにつけ加えるべきことは、皇后の身体表象には、伝統性の表象のみではなく、西欧列強の東アジア進出への恐怖に屈せず、日本のみが東アジアの中で近代化をなし遂げたという自負から来る、朝鮮、中国へのコロニアルな欲望が付与されていく。

実は明治初期に、神功皇后は子を孕みながら「国外の夷敵」と闘った力強い皇后として表象されるが、美子皇后はその国権拡張のシンボルである力強い神功皇后に擬せられているという(若桑 2001: 399)。

若桑は、一八九〇(明治二三)年の第三回内国博覧会で出品された、本田錦吉郎の作『羽衣天女』と原田直次郎の『騎龍観音』と美子皇后との関係について、「女性神格」の創造という観点から論じている。『羽衣天女』は、眼下に富士山、日本の国土を見下ろし、上昇する天女という構図の作品であり、若桑は、この作品に国家の守護神を見るという。このように象徴の次元まで女性を神格化、観念化した作品が現れたのは、画家たちが、西欧に留学し、キリスト教絵画の構図を知り、高尚な観念を表象するときに女性身体を擬人像として用いる西欧の技法を学んだことにより、可能となったと指摘している。西欧におけるそうした女性像は、通常の女性が担っている妻、娘などの現実的な女性身分や役割を超越した「超自然的」「超能力的」な力をもつ、偉大な、神的存在としての女性身体像であり、神人同形的世界観に基づくものであるという。西欧では聖母や天使、日本では天女、観音、皇后など高いヒエラルキーに属する神性を帯びた女性の身体に、そうした観念を投入したと述べている（若桑 2001: 402-422）。

そして「騎龍観音」と美子皇后との関係性については、次のような読み解きを行っている。荒れる海の浜辺に立つ英雄的な女性像「騎龍観音」製作の意図は、西欧の聖母像に匹敵する日本国家の守護女神を創出することであったと述べる。そして龍の上に乗る観音の図像が、結城正明の新羅討伐直前の「神功皇后像」と同じであると指摘し、海上から来臨する観音ではなく、荒海に向かって国家の守護を念ずる女性像は、まさに「国家への守護と、海外への雄飛を象徴したもの」と論じている。また、騎龍観音の顔は、一重瞼の目、意思的な唇、東洋的で簡潔な容貌であり、明らかに美子皇后の顔と酷似していることに注意を促している（若桑 2001: 412-418）。

先に天皇と皇后の領域区分を強調したが、軍艦に乗ると体調が悪くなる明治天皇に代わり、美子は軍艦への行啓を幾度となく行っている。一八八一（明治一四）年には、横浜から迅鯨船に乗り横須賀まで行啓し、一八八六年三月には、軍艦扶桑に乗って、軍艦武蔵の進水式に臨席している。十一月に巡洋艦浪速と高千穂に試乗した際に、水雷発射実験を見学した。このとき美子皇后は、水雷は高い波を立ててやってくる敵船を、国のためにこのように打ち砕くであろうという和歌を詠んでいる（片野 2003: 45）。一八八八年一月には、陸海軍の攻防演習ののち、軍艦に乗り帰港したが、美子皇后のその姿は、「実に驚嘆の外なき次第で、神功皇后の三韓征伐に向かはせられた時も、このようであったかと、思ひ出されて」と、人びとに感銘を与えた様子が記録されている（若桑 2001: 400; 千家 1914: 143-144）。

このように、実際に美子皇后は、果敢に外敵に対峙する姿を見せて、西欧による東アジアの植民地化を牽制して戦いに臨み、朝鮮、中国の植民地化につながる欲望を潜ませつつ、国家の守護の名の下に、海外進出を鼓舞する表象も担ったといってよいであろう。だが同時に美子皇后は、外国使節との謁見などは天皇に代わり、進んで行っている。明治の皇后に期待された、もう一つの新たな役割が「外交」であり、むしろ明治天皇を補うべく、「皇室外交」の担い手としての役割を果したといえる（片野 2003: 60-64）。

美子皇后の表象、権力、主体化

美子皇后は、このような多面的な近代の皇后の役割を、操り人形のように演じていたわけではない。自らの場を構成する主体としての力を獲得しようとしていた。西欧王室からの貴賓やお雇い外国人に対して、西欧の宮廷における王妃の仕事について質問し、国民教育制度へ関与し、病人の看護を行い、日本赤十字の会長になり、宮中改革に賛同し、時代の動きに関心を寄せ、学習意欲も高く、天皇が憲法学の進講を受ける際には、皇后も毎回同席していた。

アリス・ベーコンやフォン・モールなど、美子皇后に接した外国人たちは、皇后への賞賛をおしまない。栃木県県会議長であり、足尾銅山鉱毒事件を闘った田中正造も、憲法発布の皇后の姿に感動し、「この皇后陛下があってこそ、日本の国ははじめて治まるのだ」と思ったと語っている（片野 1996: 80）。女性の自由民権運動家であった、岸田俊子も「私たちは女性であるために、もう一つの性、すなわち男性に比して、更に深く更に切に皇后陛下を慕い奉る」と述べ、女性の地位向上に資する皇后への期待感を率直に表明した（片野 1996: 82）。

政府の高官たちも、華奢ではあったが、明治天皇より優れたといわれる理解力と知的判断力、気丈さ、学究心を有する皇后に、尊敬の念を抱く者も多かった。一九〇〇年以降は、病気がちな天皇に代わり、外国公使たちに謁見し、天皇の職務を代行した。日露戦争の負傷兵には、義眼や義足を贈り、戦死者遺族や傷病兵救済のために、皇族や貴婦人層を組織して、愛国婦人会を創立させた。

だが、近代天皇制は、皇后に法的、政治的な権力を付与しなかった。憲法の発布式やパレードに参加しても、帝国議会の開会式や憲法会議には出席できず、政治的領域には参与できなかった。皇位継承権もなかった。

表象のレベルでも、美子皇后は、「騎馬観音」等の「国家の守護神」として表象されても、「皇后」である限り、「アマテラス」と表象されることはなかった。

このような美子皇后の表象と権力は、まさに「近代天皇制国家における皇后」の位置を示すものであった。美子皇后自身も近代天皇制国家の構築過程における性別二分化の「役割主体」であることを自覚し、遂行していった。

皇后の法的、政治的無権力状態と同様に、一般の女性も、一八九八(明治三一)年の明治民法制定により、居住や職業の選択権が戸主である男性に委ねられ、女性の決定権は大幅に制限された。一九〇〇年には、女性が政治集会に参加することも政治団体を結成することも法的に禁止され、政治領域から完全に排除される。

2 女性教祖「出口なお」の性別表象と近代天皇制国家批判

大本教と「御筆先」

日本は大日本帝国憲法を発布したその五年後の一八九四(明治二七)年に日清戦争を始め、その十年後の一九〇四年には日露戦争を始める。急速な近代化の波に加え、中国とロシアという二つの国に対して日本が行った戦争は、日本社会の矛盾や混乱をさらに激化させた。

こうした社会状況を一九〇〇年頃から激しく批判して人びとの共感を呼び、幾度かの弾圧に耐え、現在も存続している民衆宗教に、大本教がある。大本教を開いた女性教祖である出口なお、天理教を創始した中山みきなども同様だが、日本では、中年の終わりか老年のはじめの女性が神懸かり、女性教祖となった例はいくつかある。なかでも出口なおは、もっとも激しい近代天皇制批判を展開した(写真7-1)。

写真 7-1　出口なお（65歳，写真中央）
出口すみ（なおの五女，左）と上田喜三郎（出口王仁三郎，右）の結婚式，1900年
（出典）出口ナオ『大本神諭　火の巻』平凡社，1979

出口なおは、一八三六（天保七）年京都に近い山深い地に生まれ、貧乏のため八歳から家を出て働き、結婚して一一人の子を産んだが、三人の子が死に、長男は自殺未遂後行方不明になり、次男は徴兵され、結婚した娘二人は発狂する。なおは、このような貧苦に耐えたあげく、一八九二年に五十七歳で神懸かり、大本教を開教した。字がほとんど読めなかった出口なおが、神懸かり状態で口にする言葉は、「御筆先《おふでさき》」として書き留められている（出口 1979; 池田 1982）。たしかに、出口なおの「御筆先」には、深い地の底から出てくるエネルギーを噴出させ、全世界を転覆させるような強く激しい霊的な力がある。

なおの主張を要約すると「現在の世の中は、外国（欧米）の真似をし、為政者が高慢で、強いものが勝つ悪魔の国となっている。このような理不尽な状態になった国を、金神（大本教の神）が現れて、悪いものを払い、世界の立替え、立て直しをする」というものである。なおは現体制を、強いものが勝つ利己主義の、拝金主義の世の中と断じ、競争原理に立つ資本主義社会を厳しく批判し、欧米列強による侵略を防ぐために、強権的に工業化、西欧化を進めていく近代天皇制国家を、「だまして開いた唫《うそ》の体系」であると糾弾した。

出口なおは、日本が近代化を進めるなかでつくりあげた新たな抑圧構造を撃ち、そうした抑圧からの解放を求めた。なかでも最下層におかれた女性たちは、現実の社会関係において支配されているだけではなく、社会を秩序づけている価値や規範においても抑圧されており、自己と世界の全体性を意味づける力を奪われていた。それゆえ、なおは、「神懸かり」となることによってこそ、はじめて現存の秩序を超える力を得て、解放のイメージを語ることができた。

出口なおの主体化と性別表象

さて、ここで注目したいことは、出口なおの主体化と性別表象の問題である。まず、女性教祖の主体化について、樫村愛子の興味深い指摘を見てみよう。

樫村によれば、曲がりなりにも家長としての主体化を求められる機会のある男性とは異なり、「非主体」(2)の場にあることを強いられ続けた女性は、追いつめられ、自らがこの場を構成せざるを得なくなったときに、はじめて主体のポジションに立つ。そして、なおら新宗教の女性教祖の教義言説が、一見、稚拙で極端とみえるのは、決して読み書き能力や思考の訓練の欠如ゆえではなく、「非主体として構成された主体のポジション」による「幻想の特異性」から来るものと分析する。その「幻想の特異性」とは、言説による世界の構築よりも「関係性」をより強く欲望すること、世界の構築が「遂行的な倫理」として語られ、妥協のない、言説化を拒否した「理想的な希求」を行うことなどを特徴とするという指摘である（樫村 2000: 309-312）。

出口なおの場合は、家長たる夫の放蕩と怪我の上、子どもの発狂という危機に向き合ったがゆえに、世界を絶対悪として攻撃し、世界全体の立て直しを要求する。「神懸かり」となり、樫村の言う「純粋な理想的他者」（金神）が、なおの口から語らせるというポジションをとることで、現実の忌避と国家権力への対抗において、革命的急進性を可能にしたと解釈することもできる。

さらに重要なのは、このようなトータルでラディカルな現体制への批判は、なおが、現世で意味付与された女性としての性別表象に対し、独自の解釈を提示してなしえたことである。なおは、布教に際して、とくに性別表象を問題化した。自分が発狂ではなく神懸かって、大本教布教へと向かうことができたのは、女性である、出口なおの身体に加えられたあらゆる苦難に耐えた力に、男性のもつ強い精神力と実行力が加わり、絶対的な存在になり得たからであると、「御筆先」で述べている。天理教の女性教祖中山みきも自己を男性と表象したことを考えると、女性教祖の神格化、布教への理由づけのためには、自らを男性と表象することは、当時の農民世界の男女観においては、必要不可欠な主体化の「方法」であったと見ることができる。

出口なおの「御筆先」では、「変性男子《へんじようなんし》」の御霊が、出口なおを通じて神となって現れて、世界中の御霊の立替え、立て直しを図ると宣言している（図7-1）。大本教の教義で「変性男子《へんじようなんし》」とは、体は

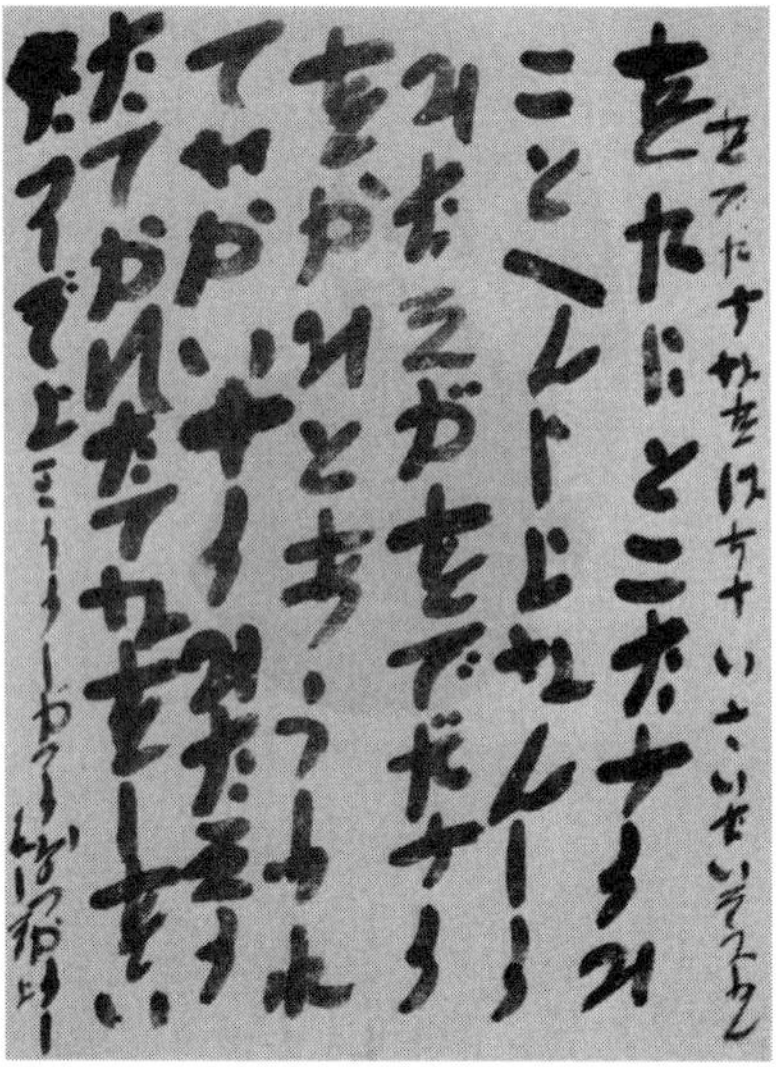

大本開祖御神筆

をで九ちなをはち十いさいたいそ五ねん
を九にとこたちのみ
ことへんじよなんしの
みたまがをで九ちの
をかみとあらわれ
てせかい十のみたまの
たてか江たてなをしをい
たすぞよ　きうのしがつのふつかのし
るしぞよ

（大出口直　八十一歳　大正五年
大国常立尊、変性男子のみた
まが、大出口の大神と顕われ
て、世界中の身魂の立替立直
しを致すぞよ。旧の四月の二日の
しるしぞよ）

図 7-1　「御筆先」直筆
（出典）出口ナオ『大本神諭　天の巻』平凡社，1979

女性だが、霊的には男性という意味である。反対に「変性女子《へんじようによし》」とは、肉体は男だが、霊的には女という意味である。

明確にしておきたいことは、大本教において出口なおを指す「変性男子」とは、「男霊女体」であることを意味するが、仏教の教義にある「変成男子《へんじようなんし》」は、女は業が深く穢れているから、仏の力により男にならないと救われないという意味であり、発音は同じでも、「変性」と「変成」で、その意味するところはまったく異なることである。非主体として生きてきた女性にとって、主体の場所は、まさに他者＝男性の側にあった。しかし、「非主体」として生きてきた女性が主体の位置に立ち、宗教的権威者となるためには、自分を「体は女性」だが、「霊は男性」とする必要があったのである。

このように大本教の宗教的権力の表出に性別表象は非常に重要なものであった。美子皇后に明らかなように、性別二分法とその固定化を当然視した近代は、女性は気高く表象されても、権力は与えられない。「女の体」はこの世で男性が味わう以上の苦難を背負うことにおいて重要な意味をもち、霊能者として人びとを救う強い力となって現れるのに必要な前提といえるものである。しかしながら神の厳しい告知者として、現体制を批判し布教する使命を果たすには、「霊は男」と自他を納得させる力を示すことが必要であった。

「神格的存在」は、一人の人間の中に両方の性別を包括する「両性具有」として、聖なる存在とされると指摘されることがある。しかしなおの場合は、「男性性、女性性」の両方を具有する、男でもあり女でもあるという「両性具有」という存在形態ではなく、霊は男、体は女の「男霊女体」という存在形態を、「必要不可欠な性別表象の形態」として提示した。女の身体をもつ出口なおは、宗教的権力、権威を生み出すために男の霊の表象を得て、霊と体のそれぞれの性別を備えてこそ、神の使命を果たせる実質的な権力をもつと唱えたのである。

近代天皇制国家への対抗形態

このような大本教の希求は、現体制にとって二重の意味において脅威だった。

一つは、「権力」の問題である。苦難に耐える女性のみならず、生きがたさを抱える男性をも救済する宗教となっていった大本教の信者には、次第に軍人や知識人男性も増えてくる。そして、弾圧下においても、現在の天皇制に対抗する宗教的権力となって、国家権力の批判のみではなく、解体の要求を宣言するものとなったからである。

もう一つは、両方の性別を備えるという性別表象は、明治政府がつくりあげた性別二分化の表象、すなわち天皇・皇后の性別表象を超える、より高次の神格化を示すものであったからである。この意味において大本教は、性別二分化によって秩序づけられている西欧近代国家の原理を超えていく可能性を提示した思想であった。出口なおは、「啌《うそ》の体系」として形成された近代天皇制国家という「大本《おおもと》」の間違いを正すためには、自分自身が「神の告知者」になるという対抗形態をとったのである。

3　女性解放運動家「平塚らいてう」の「主体」の探究

「平塚明《はる》」から「らいてう」への転回

日本の女権宣言と称される「元始、女性は太陽であった」を起草した平塚らいてう（平塚明《はる》）は、出口なおの「御筆先」を読み、「女性の魂の底に潜むもののある偉大さ」を感じると評している（『平塚らいてう著作集』4巻、以下『著作集』と略記、1983: 224; 舘 1986 参照）。周知のように、平塚らいてうは一八八六（明治一九）年生まれ、日本女子大学校で学んだのち、一九一一（明治四四）年に女性だけの文芸誌『青鞜』を創刊し、女性解放運動の旗手となる。一九二一（大正一〇）年には『女性同盟』を創刊し、女性たちによる社会改造運動、参政権運動に従事した。一九三〇年代には居住地域で消費組合運動を展開し、一九四五年以降は平和運動、女性運動等に力を尽くした。

そのらいてうの大本教への関心は、まずは、大本教の信者だった姉を通じて触れたが、一九三二年頃には、大本教の機関紙に談を寄せているし（『人類愛善新聞』一九三二年八月上旬号）、敗戦直後から一九五〇年頃までは「平和理念」への関心から、出口なおの孫の婿である出口宇知麿が進めていた世界連邦主義運動に参加する。のちにこの運動を離れるが、らいてうは「精神性」「霊性」「魂」への関心を、生涯もち続け、大本教への関心もそのひとつであった。

らいてうのそのような志向性は、日本女子大学校時代から始めた座禅と哲学書の耽読により培われた。一方、らいてうは幼い頃から、明治政府の高級官僚であった父が外国出張の際にもたらした欧米文化の享受者であった。彼女自身も、子ども時代は洋装をして、長じては欧米の書物に触れ、翻訳もしている（写真7-2）。

写真 7-2　平塚明（3歳頃，右）
母(中央)姉(左)と　1888-89年頃
（出典）『平塚らいてう著作集』
補巻，大月書店，1984

出口なおとは著しく異なる生育史の平塚らいてうが、なぜ、大本教に惹かれ、「元始、女性は太陽であった」を書き、「新しい女」と自称する位置に立ったのか。どのように、近代の性別二分化とそれへの対抗形態を模索したか。ここでは、「新しい女」を提唱するまでのらいてうに、焦点をあてて論じることにする。

一九〇八（明治四一）年三月中旬、らいてうは、群馬県塩原の氷獄にいた。禅学令嬢と漱石門下の作家森田草平との心中未遂事件と騒がれた「煤煙事件」の舞台となった場所である。らいてうの父は事件後記者たちに、多分に「藤村操的な傾向がある娘」と述べている。しかし、一九〇三年五月、「人生不可解なり」と断じて華厳の滝へ投身自殺した、一高生藤村操の哲学的煩悶による死とらいてうの行為は、かなり異なるものであったというべきであろう。もちろん、らいてうが述べているように、日露戦争前後の時代は、「古い封建道徳が解体期をむかえる一方、国家的、軍事主義的なものが強まってくる時代相の下に、新しい人生観を研究しようとする若い人たちの煩悶と懐疑は、多分に倫理的、宗教的傾向をおび、安心立命の境地を手探りで求めている観」があったことは確かである（『元始、女性は太陽であった』上、以下『元始』と略記、1971: 158）。

一九〇八年頃のらいてうは、禅修行により到達した「生命の充実感にあふれ、自他一つの自由の境地にこわいものなしで生きていた」（『元始』上 : 213）。そして、「生きるといふことと死ぬということとの間は、さう違ったことでないような気」がして、「あなたを愛するが故に殺して私は、その心理を書く」という森田の文学的執念に応えて「殺されて死ぬ」ことを決行しようと思う。家族には「わが生涯の体系を貫徹す。われは我がCauseによって斃れしなり、他人の犯すところにあらず」と書き置く。らいてうと森田は、雪山に登り、夜の雪山で微睡む森田を庇いながら一夜を過ごす。そのときの荘厳な感動を、らいてうは、「私はいつか幽界に来ている思いで、燐光にかがやく、この雪氷の大宮殿のなかで、ひとり感動にあふれて、身もなく心もなくすわりつづけていました」と述べている（『元始』上 1971:

231, 237)。

らいてうのこのときの状態の分析を試みた佐々木英昭は、らいてうの、「命をかけてきた自分がわかったような満足感を味わった」という記述に注目し、「偉大なる主客合一において知覚された、そしてそれによって初めてこの絶景と別物でないところの『自分がわかった』との思いによるのだろう」と神秘的な視覚経験による、「主客合一」を強調している。そしてこの場面は、「元始、女性は太陽であった」の結論部分で讃えられる「水晶の山の上に目映ゆる黄金の大円宮殿」といったイメージにも影響していると指摘している（佐々木 1994: 98）。

さらに、佐々木は「自分がわかった」という知覚経験は、煤煙事件後にしばらく過ごした信州の高原でより確かなものになったと推測している。

『青鞜』に掲載した「高原の秋」で、らいてうは、

「十倍大の太陽は眼の前、手にとるほどの近さである。私は射かかる光の目眩さに眼を擦り、擦り自分の身体《からだ》を見る、（身体を見ると云っても顫を捩るような無理はしない。私の魂は身体から離れて、傍らに立って居るのだから。）と、不思議なるかな。一面、純白な羽毛で蔽われて居る。つくづく見れば雷鳥だ。…（略）…どうかとまず一鼓翼して、さて大空へと飛んでみると、身体の軽さ、空虚《うつろ》で出来て居ると云ってもまだ重い。私は太陽の周囲《まわり》を三度廻った。――」（『著作集』1: 53-78）。

と書いている。佐々木は、この現象を、らいてうは、自分（魂）が、自分（身体）から出て行き、自身が雷鳥となって、太陽の周りを回ったことを知覚したと解し、この現象は、「幽体離脱 Out of Body

Experience」、「変性意識状態 Altered State Consciousness」というべきものと述べている（佐々木 1994: 133）。

たしかにこの体験は、らいてうに大きな転回をもたらした。彼女の「主体」探究の文脈から見れば、「幽体離脱」や「変性意識状態」の知覚により、後日「私は神たらむとしてまず、神を殺した。そして神を見、神となった」（『著作集』1: 88）と、自分が神になったと称して憚らない語りに至ることに注目する必要があろう。らいてうの関わった臨在禅は、「自己即ち神」「自己即ち仏」の境地に立つことを希求する。それは、キリスト教の「神」概念とは大きく隔たるものである。らいてうは、

「クリスト教で説く神の観念が、わたくしにはどうしても納得できかねることでした。神を超越的な存在として天上の彼方の遠いところに置き、それに対して、人間は下界にあった罪深い存在、罪の子、罪のかたまりと見る、この神と人との対立の観念が、わたくしにはどうも不満でした。神は超越的なものではなく、この宇宙の内部に、人間を含めた自然のあらゆるものの根底に存在するもの」（『元始』上 : 159）

と述べている。

平塚明が、「雷鳥」となって太陽を回ったことの知覚は、「女性」を「太陽」と称する「宣言」を生むことになる。らいてうの「主体」の探究は、出口なおと同様に「神」になることと表現されているが、その回路は異なり、「女」という性別の問題化の過程は、また別の対抗形態を提起することになる。

「太陽」という女性表象の対抗形態

「私は女じゃ無い」「私は女でも、男でもない、それ以前のものです」（『元始』上：219）と一九〇八年塩原行きの直前にらいてうは、森田に訴えている。

そして、「元始」では、「男性といい、女性という性的差別は精神集注の階段において中層ないし下層の我、死すべく、滅ぶべき仮現の我に属するもの」であり、「最上層の我、不死不滅の真我においてはありようもない」ものと書く。だからこそ、「私はかつてこの世に女性あることを知らなかった。男性あることを知らなかった」が、自らの行為により、救いがたきまでの疲労に陥られたときに、「人格の衰弱」を知り、これが「私に女性というもの」をはじめて知らしめたと認識する。しかし、本当の「自由人」になりたいがために禅修行に励むらいてうは、自分も含め、そのような状態、「月」のような状態になってしまっている女性たちに「自らの溢れる光輝と、温熱によって全世界を照覧し、万物を育成する『太陽』として発現する」べく呼びかけるのである。

らいてうは、一九一一（明治四四）年九月に『青鞜』を創刊し、一九一二年一月の『青鞜』の扉裏の詩文に、「神なる我は人なり、女なり」と記す（図7-2、写真7-3）。

「女権宣言」といわれる「元始」の文中では、「権利」より、「魂」を事挙げる。この世で「女性」であることにより課せられる「苦悶、損失、困憊、乱心、破滅」を経験したらいてうは、「しかしこれを支配する主人も私であった」と振り返る。そして、「男性」というものを批判するよりも、「女」が自分自身で、「真の自由、真の解放」へ向かうための「精神集注」を説く。

図 7-2 『青鞜』創刊号表紙
長沼智恵子図案，1911 年 9 月

写真 7-3 平塚らいてう（26 歳頃）
『青鞜』創刊の頃，1911-12 年頃
（出典）『平塚らいてう著作集』補巻，前掲書

「元始」の最後の文章には、「私は総ての女性とともに潜める天才を確信したい。ただただその可能性に信頼し、女性としてこの世に生まれ来った幸を心から喜びたい」。そして、「烈しく欲求することは事実を産む最も確実な真原因である」と記して筆を置く。つまり、「月になってしまった女」は、「男により為らせられてしまった」と、「男」を「恨み」「批判」するのではなく、「女の可能性」「内在的価値」を信じ、「魂」を救済することを主張するのである。そして、『青鞜』刊行後の二年を経た一九一三年に書いた「新しい女」において、「男の利己心の上に築かれた旧道徳や法律を破壊するばかりでなく」、「新王国を創造しようとしている」と唱えるに至る。

らいてうは、「女性」の表象を「月」から「太陽」へと転回させたとき、近代国家における女性の権利と女性表象との乖離がはっきりと把握できるようになった。その結果、現世の権力に対抗する方法も見え、明治民法に定められた婚姻法制を無視し、年下の画家と事実婚を貫くことになる。女性が実質的に無権利状態なのは、大日本帝国憲法と明治民法が定める「婚姻」形態が、その根幹にあるからだと気づく。また、堕胎（中絶）、同性愛、貞操について『青鞜』の仲間たちと論争しながら、自己の身体を直視し、女性に課せられた社会の常識を批判していく。その後のらいてうの思想と運動は、筆者の解釈によれば、以下のような独創的な展開を見せることを付記しておこう。

「自我」については、イプセンの『人形の家』の主人公ノラの家出を「子どもっぽい」と批判し、欧米の「自我」は「個我」、日本の自我は、個に収束しない「主我」であると述べ、欧米と日本の自我認識の違いを指摘する。妊娠については、「個が個を孕みつつ同じ体内にある」「自我」の形態として考察する。さらに、性病感染や生殖に関わる事象をセクシュアリティの観点から問題化し、女性参政権運動を起こし、無償労働とされた家事・育児の社会的価値の承認を求め、産み育てる「権利」を保障する女性解放運動を提起していく。また、クロポトキンに影響を受けた協同自治概念をアルトイズム（他愛性）として探究し、第二次大戦後の平和運動においても、平和国家の理念と実践を希求した（舘 1987; 1991 参照）。

おわりに　性別表象と権力

明治天皇の妻、「美子皇后」の表象は、明治政府が「西欧化、近代化」を示すために構築したものであった。近代国家において、性別役割は、「男女対等」として意味付与され、表象されたが、実際は対等な権利は与えられていなかった。美子皇后は、自分自身では、次代の天皇を産まずに、近代天皇制国家の「皇后」という、明治政府が期待した性別役割を果敢に演じ続けた。それゆえに明治天皇の没後、美子は「昭憲皇太后」と称され、「知性」や「賢明さ」を表象する存在になったといえる。

大本教の女性教祖出口なおは、惨めで苦難にみちた生涯の晩年に、神のお告げを伝える者として現れた。彼女にとって近代国家の権力は、宗教的権力によって立て直すべきものと捉えられたのである。彼女はまた、明治政府による性別二分化の女性表象を、「体」と「霊」の性別表象のパラドクシカルな逆転により壊した。出口なおは、自らを「男霊女体」の神とするが、後に大本教を教義化する上田喜三郎（後になおの娘と結婚して出口王仁三郎となる）を「女霊男体」の「変性女子」の神と位置づける。大本教教義化の過程でなされた、「霊」と「体」にそれぞれ異なる性別表象を付与したあり方は、両性具有の形態とは別の「神格」形態を提示したといえる(3)。

平塚らいてうの「女性は太陽」の表象は、男性中心主義的価値観への批判の視点を導いた。らいてうは、「女性」の存在を「太陽」と表象することにより、「女性」を全き肯定へと導く。女性が水路づけられていた自己否定の力学に抗して、自己肯定の思考方式に基づくことにより、女性も男性もこれまで見えなかった新たな価値を知っていくことになったのである。

それにしても、出口なおも平塚らいてうも、なぜ自身を「神」とする必要があったのか。封建体制の残滓のなか、男尊女卑観は、一般には拭えないほど強固だった。また、日本の近代天皇制国家は、新たに性別による役割と領域の二分化を課して女性を表象したが、権利は与えなかった。その性別二分化のシステムに対抗するためには、なお、らいてうの二者ともに、「神」として「全世界」を把握する位置に立ち、女性がつねに「非主体」とされる位置から脱出し、解放を希求する必要があったのだ。そして、社会システムの基盤を「自然として唯一在るもの」と把握してきた日本の天皇制国家に対峙し、対抗するために、出口なおは、「男霊女体」の神になり「唯一在るもの」を全面否定し、世の中の立替えを主張した。

一方、らいてうは「女性は太陽」となり、「唯一在るもの」が、「男の利己心の上に築かれた旧道徳や法律」であることに気づき、「新王国の創造」を唱えたのである。出口なおが宗教的権力により、近代日本の権力体制を変革しようとしたのに対し、平塚らいてうは、女性の内在的価値の発見から出発し、女性解放思想と運動により変革しようとしたのである。

本書の文脈でいえば、「国家母神」として表象された美子皇后こそ、日本の植民地的近代の共犯的主体の輝かしい象徴であったということもできる。その意味では「自然として唯一在るもの」とされた日本近代の性別二分化に対抗し、共犯的主体となることを回避する方法は、神として表象されるのではなく女性自らが「神」となる行程をとらざるを得なかったのである。

注

（1）行幸、行啓の日時と場所の詳細については、片野真佐子が整理している（片野 1996: 128-132）。

（2）本論では、三人の女性の「主体化」を論じたが、西欧の「主体 - 客体」という関係認識とは異なる位相であることを示すために、樫村愛子の「非主体」という表現を用いることにする（樫村 2000: 311）。

（3）出口王仁三郎（1871-1948）は、なおの御筆先を出版して、大本教の教義化を行った。聖師と尊称され、救世神「端の霊」を体現する神的人格とされる。なおの末娘のすみと結婚、上田喜三郎を出口王仁三郎と改名。膨大な著作は、『出口王仁三郎著作集』全5巻（読売新聞社 1972-73）として刊行された。

出口なおと出口王仁三郎の関係性は、『大本神諭』に「出口直は、婦人《おんな》に化《ばか》して有れど男子《おとこ》じゃ。上田は、男子《おとこ》で女子《おんな》であるぞよ。」（明治三三年閏八月二日）、「真正の事は、大本に詣りて、変性男子の筆先と変性女子の実《まこと》の行動《こと》を見て、我が心に照らして見んと、何も判らず」（大正二年旧九月一一日）、「男子の霊魂《みたま》は天の役、夫《おっと》の役、女子の霊魂は地の役、妻の御用」（大正七年旧一〇月二九日）などと記されている。出口なおが「教祖」と位置づくには、「（体は）婦人《おんな》に化《ばか》して有れど男子《おとこ》じゃ」と表明する必要があったし、王仁三郎は、教祖とともに大本教を普及させるためには、「地の役、妻の御用」を務めると位置づける必要があった。出口なおの男女関係の倫理観は、夫婦の倫理観が強固であった。

日本の民衆宗教では、必ずしも神を絶対的一神教的な捉え方をしていない。影響力の強い神、弱い神という位置づけもある。一方、アマテラスとスサノオ、イザナギとイザナミ等の対関係は、民衆宗教にはなじみのあるものであった。また、姫彦制は、霊的権威と実際の行動・政治の役割分担のモデルであったので、大本教においてもそれらと類似するという解釈も成り立つ。ただし、「霊的能力」と「身体」

の「性」を相互転換的に位置づけ、役割分担しながら、両者ともに神格的存在にしていることや、大本教の教祖が、女系継承であることなどは、男系継承を規定した近代天皇制に対して、明らかに異なる宗教的形態をとるものである。

引用・参考文献

池田昭編 1982『大本史料集成1　思想編』『同2　運動編』『同3　事件編』三一書房
井手文子 1987『平塚らいてう——近代と神秘』新潮社
長志珠江 1999「天子のジェンダー」西川祐子・荻野美穂編『共同研究　男性論』人文書院：275-296.
櫻村愛子 2000「新宗教の女性教祖と日本近代国家」井桁碧編著『「日本」国家と女』青弓社：289-321.
片野真佐子 1996「近代皇后像の形成」富坂キリスト教センター編『近代天皇制の形成とキリスト教』新教出版社：79-132.
片野真佐子 2003『皇后の近代』講談社選書メチエ
加納実紀代 2002『天皇制とジェンダー』インパクト出版会
坂本一登 1991『伊藤博文と明治国家形成——宮中の制度化と立憲制の導入』吉川弘文館
佐々木英昭 1994『「新しい女」の到来——平塚らいてうと漱石』名古屋大学出版会
新フェミニズム批評の会編 1998『「青鞜」を読む』学芸書林
千家尊福 1914『昭憲皇太后』頌徳会
舘かおる 1986「平塚らいてうと御筆先」『お茶の水女子大学女性文化資料館報』7: 103-112.

舘かおる 1987「日本のフェミニズム理論―平塚らいてうにおける『母性』とフェミニズムを中心に」女性学研究会編『講座女性学4　女の目で見る』勁草書房：259-288.
舘かおる 1991「日本のフェミニズムと母性」原ひろ子・舘かおる編『母性から次世代育成力へ――産み育てる社会のために』新曜社：3-39.
棚沢直子 2003「文化比較の意義はどこにあるのか、そしてその方法は？―『皇后の肖像』を読む」『女性空間』日仏女性資料センター　20：227-235.
出口すみこ 1955『おさながたり』天声社
出口ナオ著・村上重良校注 1979『大本神諭　天の巻』、『大本神諭　火の巻』東洋文庫 347・348　平凡社
早川紀代 1998『近代天皇制国家とジェンダー――成立期のひとつのロジック』青木書店
平塚らいてう 1971-1972『元始、女性は太陽であった』上・下・完・続、大月書店
平塚らいてう著作集刊行委員会 1983-84『平塚らいてう著作集』全7巻　大月書店
ハーディガ・ヘレン 1994「新宗教の女性教祖とジェンダー」中村恭子・榊原小葉小訳　脇田晴子、スーザン・ハンレー編『ジェンダーの日本史』上　東京大学出版会：119-151.
安丸良夫 1987『出口なお』朝日選書
山川菊栄 1972『おんな二代の記』東洋文庫　平凡社
米田佐代子 2002『平塚らいてう――近代日本のデモクラシーとジェンダー』吉川弘文館
若桑みどり 2001『皇后の肖像――昭憲皇太后の表象と女性の国民化』筑摩書房

8 〈銃後〉の女性と植民地主義

加納実紀代

はじめに

ここに二枚の写真がある。一枚は一九三〇年代初め（昭和五、六年）、東京を闊歩するモガたちである。モガとは英語のモダンガールの略、時代の先端を行く女性たちだった。これだけ見ると、当時シャンゼリゼを闊歩していたパリジェンヌとたいしたちがいはない（**写真8-1**）。

しかし、こうした女性はほんの一部にすぎない。当時日本は厳しい経済不況のなかにあった。とりわけ農村は、冷害ともあいまって飢餓線上にあえいでいた。長野県や東北の当時の新聞には、欠食児童や母子心中、娘の身売りが毎日のように伝えられている。パリの流行に身を包むモガたちの一方で、数多くの農村の娘たちが性産業に売られていったのだ。**写真8-2**は、危うく助けだされたそうした娘たちである。

写真 8-2　身売り寸前に救出された少女たち
（出典）『写真集　女たちの昭和史』大月書店，1986: 20

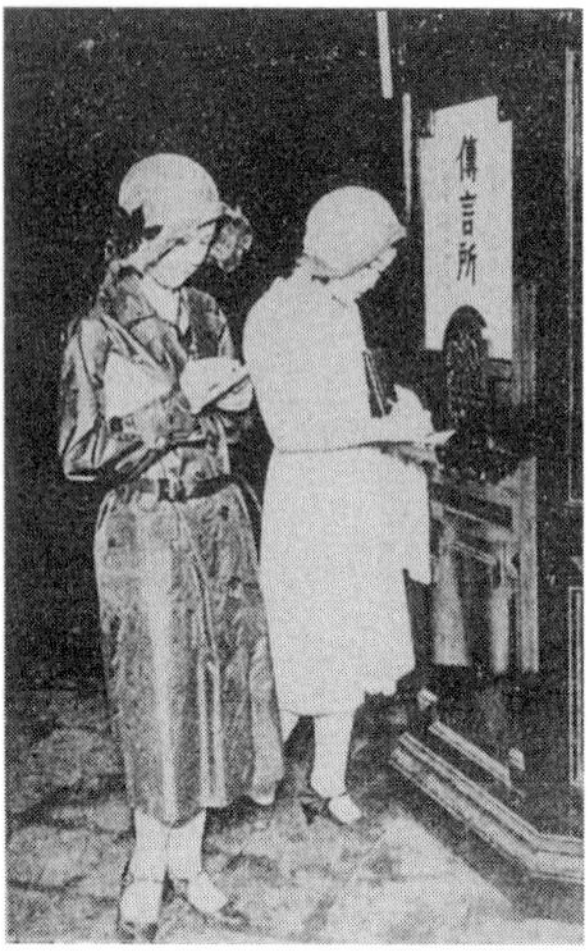

写真 8-1　東京を闊歩するモガ（東京駅乗車口の手紙預り所）1931 年
（出典）『図説国民の歴史』15, 国文社 1965: 14

軍の主導のもと、政府は不況からの脱出の道を中国大陸に求めた。すでに日本は、日清戦争（一八九四―一五年）、日露戦争（一九〇四―一五年）の勝利により台湾、朝鮮半島、サハリン南部を植民地化し、さらに第一次世界大戦（一九一四―一八年）でサイパンなどアジアにおけるドイツの植民地を支配下におさめていた。こうした海外膨張政策は「昭和」の不況の中でさらに強められ、中国大陸への本格的侵略が始まる。

一九三一（昭和六）年九月、日本軍は中国東北部で軍事行動を起こし（満州事変）、翌三二年三月、カイライ国家「満州国」を建国。三七（昭和一二）年七月には中国との全面戦争を開始して大陸深く軍を進め、その過半を占領した。さらに四〇（昭和一五）年九月、フランスのドイツへの降伏を好機として仏領インドシナ北部に進駐、翌年には南部にまで軍を進めた。これにより欧米植民地国との直接対決は避けられないものとなった。

四一年一二月、ついに日本はアメリカ・イギリスに宣戦布告して世界戦争に突入、フランス・アメリカ・イギリス・オランダのアジアにおける植民地(1)を支配下におさめた。当時日本は、それを「アジア解放のための聖戦」と称したが、じっさいは豊富な資源を求めての植民地獲得戦争であり、欧米帝国主義国家と同じ穴のムジナというべきだろう。

本章では、はじめに一九三一年から四五年（昭和六―二〇年）まで続くいわゆる一五年戦争期において、女性は戦争にどう関わったのかを概観する。戦後、女性と戦争の関わりについては、男たちが勝手に始めた戦争の被害者だったと見られてきた。たしかにそれはいえる。にもかかわらずそうしたなかで、懸命に「お国のために」働いた女性たちは多い。戦前のフェミニストたちのおおかたも戦争に協力した。なぜだろうか。それを考えるとき、戦時下における権力による女性表象の問題が浮上する。ここでは一九三八（昭和一三）年二月、政府が創刊した国策宣伝グラフ雑誌『写真週報』から、戦時下の女性表象を検証する。さらに、一九七〇年代以来、日本のフェミニズムがこの問題にどう取り組んできたかを明らかにし、フランスのフェミニストへの問題提起としたい。

1　女性の戦争協力

「銃後の女」の誕生

「明治」以来日本の女性政策は、家制度のもとにおける「良妻賢母」づくりが基本だった。しかし一五年戦争が始まると、それに加えて一人の国民として「お国のため」に働くことを要求した。それは一五年戦争が近代的な総力戦であり、武力だけでなく、経済力や精神力までも総動員しなければならなかったからである。一九三四（昭和九）年に陸軍が出したパンフレット『国防の本義と其強化の提唱』によると、総力戦とは武力戦・経済戦・思想戦を総合したもので、資源や労働力、教育や情報機関も重要な戦力だという。三八年公布の国家総動員法はその具体化である。

そのなかでは女性も、ただ男によって守られる存在ではない。日本の場合、戦場で戦うことはあくまで男の役割だったが、彼らへの支援活動や男性がいなくなったあとの国内生産、つまり経済戦や、戦意高揚をはかる思想戦は女性の役割となる。そうした活動は「銃後の護り」「銃後の務め」といわれた。

もうひとつ、戦時女性の重要な役割としては、戦争で消耗する「人的資源」の増強、つまり多産があった。戦争の長期化が明らかになった一九三九（昭和一四）年あたりから、女性たちは「産めよ殖やせよ」と叱咤され、早婚が奨励された。四〇年には、一〇人以上多子家庭の表彰が始まり、翌四一年、結婚年齢女子二十一歳未満、男子二十五歳未満、子どもは一夫婦五人以上という人口問題確立要綱が閣議決定された。

国防婦人会の銃後活動

こうした〈女性の戦力化〉は、女性たちに大きな負担を強いるものだった。しかし女性たちは国家の要求によくこたえた。とくに一九三二（昭和七）年三月、出征兵士の見送りを契機に大阪で誕生した国防婦人会は、率先して「兵隊さんのために」働いた。発起人は大阪港区に住む一主婦安田せいであり、発足当初は数百人程度の主婦のボランティア活動だった。しかしその年一〇月には陸軍の後援のもとに東京に進出し、大日本国防婦人会を名乗る。戦争の拡大とともに急成長し、日中全面戦争が始まった三七年には会員数六八四万、四二年の解散時には九二五万という未曾有の大集団にふくれあがっている。

「国防は台所から」のスローガンのもと、会員の女性たちは出征兵士の見送り、帰還兵士や遺骨の出迎え、兵営や傷痍軍人の慰問などの活動に積極的に参加した。彼女たちはそうした奉仕活動で男たちの戦意を高揚させる思想戦の戦士であり、「銃後の女性」の象徴だった。写真8-3はその活動ぶりを示している。

写真8-3　大日本国防婦人会の女性たち
（出典）『写真・絵画集成　日本の女たち』4，日本図書センター，1996: 61

白いカッポウ着と〈母性〉

写真に見られるように、会員は白いカッポウ着を制服とした。これは大きな意味をもった。女性の軍事援護団体としては、すでに二十世紀初めに成立した愛国婦人会(2)があった。しかしその会員はいわゆる名流婦人で、お金は出すが体は動かさない。それに対して国防婦人会は、お金よりも心と体をつかって精いっぱい奉仕する。働き着であるカッポウ着を制服にしたことはその象徴だった。それによって愛国婦人会との差異化をはかり、主婦層だけでなく工場労働者や娼妓たちにまで組織をひろげた。白一色の国防婦人会の街頭進出は、〈女性の軍事化〉を強烈にアピールし、草の根の軍国主義化を促すことになる。

会員たちは母や姉のようにまめまめしく兵士たちの世話をした(3)。その結果白いカッポウ着は〈母性〉の象徴となり、戦後の日本において、「おかあさん」といえばカッポウ着姿というステレオタイプが定着する。すっかり和服と縁が切れた現在でも、女性の集団的奉仕活動といえば、白いカッポウ着が登場することがある。

2　戦時体制と女性表象　『写真週報』を中心に

「写真週報」の創刊

一九三七（昭和一二）年七月、中国との全面戦争が始まり、いよいよ本格的な総力戦が開始される。

九月、近衛首相の音頭で国民精神総動員運動が開始され、翌年四月には国家総動員法が公布される。それを国民に徹底させるため、三八年二月、内閣情報部は週刊のグラフ雑誌『写真週報』を創刊した(4)。テレビのない当時、それは視覚に訴える大衆的国策宣伝週刊誌として最大の部数を誇り、四五年七月の三七五号まで、合併号をふくめて計三七〇冊が刊行されている。そこには国家が期待する「銃後の女」が端的に表象されている。

『写真週報』表紙に見るジェンダー

表紙は雑誌の顔といわれる。そこにはふつう雑誌の性格や読者にアピールしたいことが象徴的に現れている。『写真週報』の表紙を眺めてすぐ気がつくのは、人物写真の多さである。全370点のうち291点、率にすれば78％が人物写真である。

その写真には、歴然たるジェンダーがある。表8−1に見られるように、男女がともに写っているのは291点中19点にすぎない。あとは男性、女性にはっきりわかれている。

その男女比は、戦争プロパガンダ・メディアである以上とうぜん男が多くて182点、女性は90点と半分である。そのなかには中国や東南アジアなど被支配地の男女もいるが、日本人（子とともに写っているものを含む）についてみれば、男性を100とした場合、女性は、38年47、39年69、40年68、41年56、42年10、43年30、44年50、45年60という割合になる。戦線が膠着していた39−40年は女性の登場が多いのに対して、アジア太平洋戦争開戦によって戦線が一気に拡大した42年は男性が圧倒的、そして敗色の深ま

表 8-1 『写真週報』表紙人物の男女別点数

	発行年	1938	1939	1940	1941	1942	1943	1944	1945	計
	全点数	45	51	52	53	51	50	49	19	370
女性	日本女性	8	9	10	7	3	6	13	6	62
	日本母と子		2	1	2		1			6
	アジア女性	2	4	3	1	1	1	1		13
	ヨーロッパ女性	1	1	2	1					5
	日本とアジア女性		1	1		1				3
	日独伊			1						1
	計	11	17	18	11	5	8	14	6	90
男性	日本男性	15	16	16	16	29	23	26	10	151
	日本父と子	2								2
	アジア男性	1	3	3	3	4	8	1		23
	ヨーロッパ男性		2	1		1	1			5
	日独伊				1					1
	計	18	21	20	20	34	32	27	10	182
	日本女性指数%(日本男性＝100)	47	69	68	56	10	30	50	60	44
男女・子ども	日本人子ども	1			2	2		1	1	7
	日本人男女	1	1		1	1	2			6
	アジア男女		1	2	1		2			6
	合計	31	40	40	35	42	44	42	17	291

表 8-2 1939年『写真週報』表紙の日本人男女別コンセプト（数字は号数）

女性		男性		男女	
かっぽう着の母と子	51	戦車隊	48	傷痍軍人と看護婦	24
白衣の天使とひな祭	54	海軍	52		
健康優良児審査会(母と子)	63	雪の練兵	55		
聖火伝達の使者（女優）	66	雪上演習	57		
女学生の勤労奉仕	74	幼年学校生徒	58		
女性工員のハイキング	76	故斉藤大使の葬列	62		
草取りする若妻	79	東京帝大生	67		
北京郊外の日本娘	89	十銭貯金部隊	69		
りんごを食べる女性	91	北洋の漁夫	78		
りんご摘み取り	94	陸軍航空士官学校	81		
みかん摘みの乙女	96	起床ラッパ	83		
		新南群島の正覚坊	85		
		江南野を行く勇士	86		
		内火艇の学帽部隊	88		
		明治神宮国民体育大会	90		
		満蒙開拓少年義勇軍	93		

りとともに女性が増えるというわけだ。

写真の男女のコンセプトには、明らかにジェンダーがある。もっとも日本女性比率の高い39年の男女別写真のコンセプトを、巻末の表紙解説によって挙げれば**表8-2**となる。ここには〈男は前線・女は銃後〉という役割分担が見える。またこの段階の銃後の女の役割が「産めよ殖やせよ」と「食糧増産」であることもわかる。

〈働く女〉——農業労働から工場労働へ

戦争は国内の生産現場から、大量の男性を兵士として動員した。その結果女性たちは、兵士たちへの奉仕活動だけでなく、食糧生産や軍需工場での労働力として期待されるようになる。38（昭和13）年段階では日本女性が表紙に登場する8回のうち、3回が〈働く女性〉である。それが39年では、表8-2に見られるように11回のうち7回が〈働く女性〉となっている。女性労働への国家の期待が強まっていることがわかる。しかしその労働は、**写真8-4、8-5**に見られるように田んぼの草取りやりんごの摘み取りなどの農業労働である。まず頑健な農村の男性から戦場に送られたため、農村の労働力不足が深刻化したからだ。

四一（昭和一六）年一二月以後は広大なアジア太平洋地域に戦線が拡大したため、さらに大量の男性が兵士として動員された。戦死者の数も急激に増えた。そのために食糧だけでなく、軍需生産も女性の肩にかかってきた。『写真週報』の表紙にも軍需工場で働く女性の姿が多くなる。44年を見ると、表紙

写真 8-4　草取りをする農家の主婦
（出典）『写真週報』79 号, 1939.8.23

写真 8-5　りんごの摘み取りをする女性
（出典）同上 94 号, 1939.11.3

写真 8-6　機械工場で訓練中の日本女性
（出典）同上 293号, 1943.10.13

写真 8-7　兵器工場で働く日本女性
（出典）同上 314号, 1944.3.22

に日本女性が使われるのは13回、うち12回が働く女性であり、しかも圧倒的に工場労働が多い。**写真8-6**は機械工場での訓練風景、**写真8-7**は兵器工場で働く女性である。

消える笑顔

女性の表情も変わった。笑顔は「女性らしさ」の象徴であり、農業労働に従事する女性たちは笑顔で写っている。しかし工場で働く女性に笑顔はない。男性に代わって、一刻も早く、一機でも多く飛行機を生産しなければならない日本女性には、「女性らしさ」は不要、というわけだろうか。

3 「大東亜共栄圏」の女性表象

「大東亜共栄圏」のジェンダー――有名の男・無名の女

『写真週報』の表紙には、当時「大東亜共栄圏」といわれた植民地・占領地の男女の写真も使われている。表8-1に見られるように、男性は23回、女性は日本女性といっしょに写っているのもふくめて15回である。

表8-3に見られるように、そこにもジェンダーがはっきり見える。男性の場合は国民政府主席王精衛、タイのピブン首相、フィリピンのラウレル大統領など、日本のカイライ的存在とはいえ固有名詞をもつリーダーが多い。それに対して女性は、名前があるのは216号の中国女優利麗華だけ。あとは

表8-3　『写真週報』表紙にみる「大東亜共栄圏」のジェンダー（数字は号数）

年	女　性	男　性	男女・群衆
1938	盛装の内蒙古女性 20 満州国大使のお嬢さん 31	盛装した台湾蛮社の頭目 41	
1939	鳩笛を持つ北京の少女 46 北京での日本と中国の娘47 南京中山陵の姑娘 56 廈門の姑娘 73 半島にひらめく日の丸 80	カナカの青年 59 日満技術工養成所の少年 64 日本で修行中の支那僧 70	農作業中の中国家族 72
1940	日本人形を持つ小姐 109 北京郊外の姑娘 115 鶏林号と内鮮二少女 131 ハノイの花売娘 134	南京の卵売り少年 98 王精衛 107 麦を運ぶ半島少年 124	愛路列車に群がる中国人 118 在京支那小学生 123
1941	中国の元旦風景 149	新国民政府初代大使 156 満州協和会少年団員 157 満州国務大臣・張景恵 185	日満華三国学生 196
1942	中華映画女優 216 ジョホールの日本人看護婦とマライ少女 230	タイ・ピブン首相 226 インド砲兵隊 234 スマトラ武道 247 中国軍の猛訓練 248 昭南原住民の訓練 250	
1943	振り袖姿のマライ娘とインド娘 248	凧揚げする中国少年 254 ビルマ防衛軍兵士 259 ビルマ・バーモ長官 265 フィリピン　ホルヘ・バルガス長官 272 ビルマ・オンサン国防相 286 フィリピン・ラウレル大統領 295 チャンドラ・ボース 298	昭南の人々 258 マニラの感激 263 昭南の子ども 281
1944	北ボルネオの女性 350	チャンドラ・ボース 309	

「姑娘《クーニャン》」（5）とか「娘」としか呼ばれない。これは日本女性の場合も同様で、66号の女優月本英子以外は「若妻」「乙女」などとされている。

ほほ笑む女性たち―中国・朝鮮半島

もう一つ、男女のちがいは笑顔のあるなしである。女性は134号以外はすべて笑顔であるのに対し、男性は98号、124号の「少年」以外に笑顔はない。日本女性の表情からは笑顔は消えたが、「大東亜共栄圏」の女性たちは美しい笑顔を見せているのだ。日本女性が工場労働で〈男性化〉するぶん、〈女性性〉は被支配地女性に転嫁されているといえる。ここにはサイードが『オリエンタリズム』で喝破したジェンダーとエスニシティの関係がある。

とくに中国女性はつねに美しい笑顔を見せている。写真8-8は56号（1939. 3. 15）の表紙だが、首都・南京の中山陵を背景に笑顔の中国女性が写っている。その横には「日本の懐に抱かれて」というキャプションがついている。ここから伝わるのは、南京の女性が日本の占領を喜んでいるというメッセージである。しかしよく知られるように、三七（昭和一二）年一二月の南京占領にあたっては、日本軍による虐殺やレイプが多発し、日本への怒りが渦巻いていた。この表紙はそれを隠蔽するものだ。

誌面にはこんなことも書かれている。

「思へば支那の民衆は、永い間国民政府の圧制と支那軍閥の搾取に堪へ忍んできたものである。…（略）…過去幾度かの戦争の経験から軍隊の略奪、暴行を覚悟したであらふ支那民衆は今事変にはあまりにも異った姿を見た。入城する皇軍から与へられたものは、暴虐に代るに、温い憐みと慈みと救ひの手であった。…（略）…『日本軍は無辜の民衆を敵我々を解放するために戦っているのだ。救世主だ』との叫びがどこからともなく人々の心からこみ上げるよう上ってきた」（21号、1938. 7. 6）。

日本の植民地支配がもっとも長い朝鮮半島の女性も笑顔である。写真8-9の日の丸を手にした笑顔の朝鮮女性は「内鮮一体」を象徴するものだ。誌面に載せられた写真には、金属回収で食器を供出したり、四三年八月の徴兵令施行で息子のために千人針を求める母の姿など、積極的な戦争協力の様相が表象されている。しかしもちろん、八万人ともいわれる女性たちが「慰安婦」として、「大東亜共栄圏」

写真 8-8　ほほ笑む中国女性（南京）
（出典）『写真週報』56 号, 1939.3.15

写真 8-9　日の丸をもつ朝鮮女性
（出典）同上 80 号, 1939.8.30

の隅々にまで連行されていたことはまったく見えない。

学ぶ女たち―東南アジア

表8-3に見られるように、42年以後の表紙には「大東亜共栄圏」の女性は、男性13回に対して4回しか登場していない。しかし誌面には、ベトナム、フィリピン、マレイ、インドネシアなどの女性たちが数多く登場する。彼女たちはほとんどが笑顔である。**写真8-10**はサイゴン、現在のホーチミン市の病院で日本兵の看護にあたるベトナム女性である。彼女の笑顔は、日本軍によってフランスの植民地支配から解放された喜びを表している。

たしかに日本軍は、東南アジアの占領地ではおおむね欧米植民地主義からの「解放軍」として歓迎された。少なくとも初期の段階では、住民は日

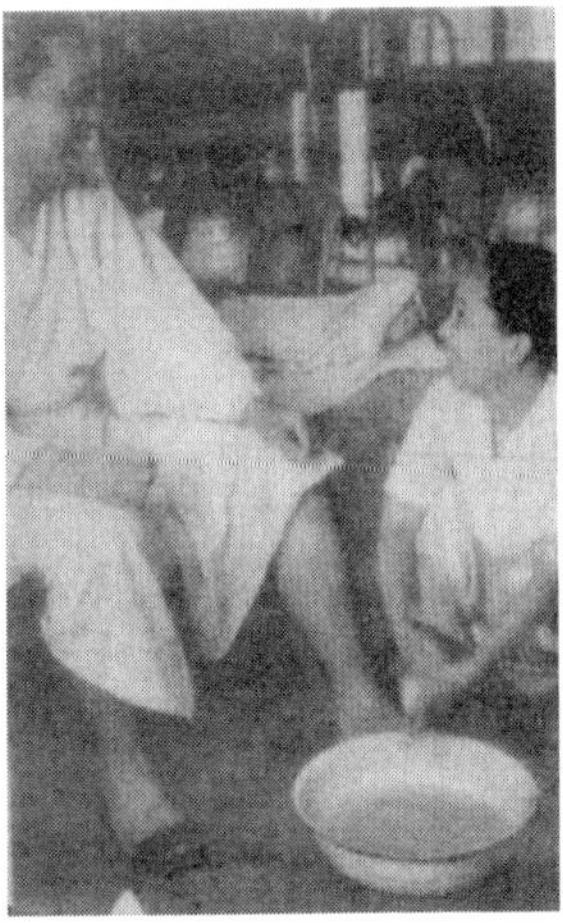

写真 8-10　日本兵を看護するベトナム女性
（出典）同上 224 号, 1942.6.10

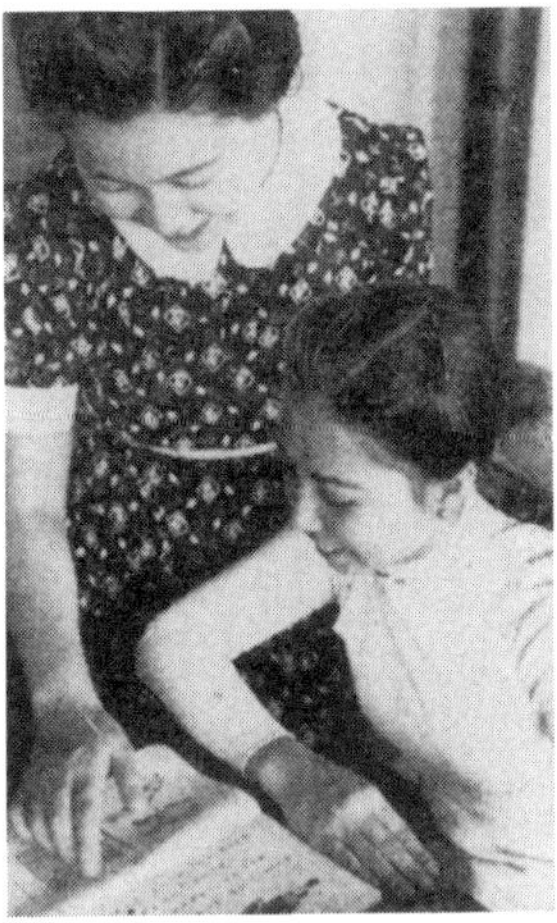

写真 8-11　ベトナム女性に日本語を教える日本女性
（出典）同上 247 号, 1942.11.18

本軍に対して友好的だった[6]。したがって占領地の女性たちは、中国でのようにただ「ほほ笑む女」ではない。より積極的に日本語を「学ぶ女」として表象されている。日本は欧米植民地国の愚民政策と搾取からアジアを解放し、女性にまで教育を施しているというわけだ。**写真8-11**は、日本女性に日本語を教えてもらうベトナム女性である。

当時日本は、東南アジア各地に作家など文化人を派遣して日本語の普及に努めた。シンガポールに「昭南日本語学園」を開設し、四二年九月には国内に「南方派遣日本語教育要員養成所」を設立、三ヵ月の訓練ののちフィリピンへ一五〇人、ビルマに二百人ほどが派遣されたという（川村 1994）。そのなかには女性もいた。写真8-11の日本女性は、そうした女性の一人だったのかもしれない。ことさら日本語教育がアピールされるのは、欧米への劣等感の裏返しと見ることができる。明治以来日本は、欧米言語の習得に四苦八苦しつつその文化の輸入につとめてきた。そうした日本国民にとって、欧米植民地支配から解放されて喜々として「アイウエオ」を学ぶアジア女性の姿は、劣等感の解消と大国民の誇りをもたらすものだったろう。

指導する女性――南進日本女性

そのなかで東南アジアに進出した日本女性たちは、写真8-11のように現地女性の指導者として表象されている。職業は教師と看護師である。教師が指導者であるのはもちろんだが、看護師の場合も現地人看護師を指導する存在である。

224号（1942. 6. 10）によれば、サイゴン（現ベトナム・ホーチミン市）の陸軍病院では約十人の「安南娘」が日本人看護師のもとで働いており、233号（1942. 8. 12）では、マニラで約二百人のフィリピン女性が日本人看護師の指導のもとに「簡単な注射から兵隊さんの身の回りの世話など一日立ち働いている」。しかしその能力は、日本人看護師にくらべてかなり劣る。「安南娘」の場合、「仕事の能率は五人かかっても日本人の看護婦さん一人に及びません」と、日本女性の優越性が強調されている。

4 戦争とフェミニズム

〈働く女〉と〈指導する女〉——日本女性の戦時表象

国内では男性に代わって〈働く女〉、国外の占領地では現地女性を〈指導する女〉、これが政府刊行物『写真週報』に見られる戦時下の日本女性の表象である。それが国家が期待する戦時下の女性のあり方だったのだろう。

もうひとつ、重要な役割だった「人的資源」の増強、つまり「産めよ殖やせよ」は母子写真で表象されるが、『写真週報』の表紙では90回中6回とあんがい少ない。「良妻賢母」的で、戦時表象としてはインパクトが弱いためだろうか。

女性の戦時表象とフェミニズム

〈働く女〉、それも男性に代わってきりりとして工場で〈働く女〉と〈指導する女〉。これらはいずれも、それまで女性のあるべき姿とされていた「良妻賢母」を大きく逸脱する。それどころかフェミニズムが求めてきた女性像と重なる。フェミニストたちの戦争協力の要因はどうやらそこにあるようだ。

たとえば一九二〇年代半ば、婦選獲得同盟を結成して婦人参政権獲得運動を続けてきた市川房枝は、一五年戦争開戦後の三〇年代後半には機関誌『婦選』を『女性展望』と改題、日中戦争開戦直後の三七

（昭和一二）年九月には日本婦人団体連盟を結成して戦時体制に協力する。それにはもちろん軍事化による弾圧の強化がある。しかしそれだけでなく、戦時体制のもつ「フェミニズム」的側面への同化もあった。女性を家に押し込める「良妻賢母」構造を打破し女性の社会進出をはかるうえで、男性不在の戦時体制は好機だったのだ。

国家権力のなかには、従来の「良妻賢母」にこだわる男たちも多かった。四四年八月の女子挺身勤労令まで、女性を労働現場に強制動員しなかったのはそのためである。それに対して市川や山高しげりらフェミニズム運動のリーダーたちは女子徴用を断固として要求した。

国防婦人会と女性解放

国防婦人会の女性たちのほとんどは、フェミニズムとは無縁の庶民女性だった。しかし彼女たちも、国防婦人会の活動の中で無意識の解放欲求を満たしたといえる。

「国防は台所から」のスローガンに見られるように、国防婦人会はけっして女性を家から解放するものではない。それどころか国防のために「台所」の重要性を強調して、女性を台所に縛りつけるのが陸軍のねらいだった。国防婦人会の必要性を説くにあたって軍は、第一次大戦でのドイツの敗北を例にとった。武力では勝っていたドイツが敗北したのは、台所を預かる女性たちが消費物資の不足に悲鳴をあげ、男たちの足を引っ張ったからだ。いやしくも日本ではそんなことがないよう、日頃から女たちに国防の重要性を認識させ、しっかりと台所を守らせなければならない。これが軍のねらいだった。

しかし軍の思惑とちがって、国防婦人会の女性たちは台所に留まってはいなかった。出征する兵士がいると聞けば、街頭に立って千人針をあつめ、港や駅に見送りに駆けつけた。遺骨を出迎え傷痍軍人を病院に見舞った。廃品回収に精を出して国防献金をし、朝鮮人廃品業者から営業妨害だと抗議されたこともある。一九四〇年、「ゼイタクは敵ダ!」が打ち出されると、パーマネントや派手な服装の女性を憲兵のようにチェックしたりもした。三九年あたりから「家庭へ帰れ」という声が高まるのは、こうした女性たちの勢いに男たちが恐れをなしたためである。

出征兵士に湯茶の接待をしたり傷痍軍人のために洗濯したりすることは、女性の性役割そのままだ。しかし同じことでも家のなかでやるのと外でやるのとはちがう。国防婦人会の活動は、家に閉ざされていた女性にとって解放といえる面をもっていた。

一九三七(昭和一二)年八月、愛知県の郷里を訪ねた市川房枝は、たまたま目撃した村の小学校での国防婦人会発会式の様子を、次のように書いている。

「十五、六歳の女子青年から六十、七十の婆さんまで、みんな外で数人ずつたむろしている。『こんなこと、へその緒切って初めてだなも』『まるでみせものみたいだなも』『エプロンにたすき、すこしはきれいにみえるかなも』といったささやきがきこえる。みんな恥ずかしそうだが、うれしそうでもある。戸数わずか千戸の農村だが、おおよそ七、八百名集まり、講堂に入りきれない。まことに村始まって以来の光景である」(市川 1974: 435)。

「エプロンにたすき、すこしはきれいにみえるかなも」——。働く主婦の象徴として導入されたカッポウ着は、農村の女性にとってはあこがれのファッションだったのだ。農村の女性の働き着はつぎのあたった古着物であり、地域によっては雪袴やカルサンと呼ばれたモンペである。真っ白なカッポウ着は、家事だけしていればいい「都会の奥さん」への農村女性のあこがれを象徴するものだったのだろう。

市川房枝はさきの記述のあと、次のように書いている。

「国防婦人会については、いうべきことが多々あるが、かつて自分の時間というものを持ったことのない農村の大衆婦人が、半日家から解放されて講演をきくことだけでも、これは婦人解放である。時局の勢いで、国防婦人会が村から村へ燎原の火のように拡がって行くのは、その意味でよろこんでよいかもしれないと思った」（同上：435）。

日本のフェミニズムの草分けである平塚らいてうも、国防婦人会活動によって女性たちが「家庭と社会、国家との緊密な関係が分ったりして、新しい目で自分の家庭を見直すようになり、いままでの家庭利己主義から脱け出るようになるでしょう」と、社会的視野獲得の契機として評価している（平塚 1938: 647）。

5　女性の主体化と戦争責任

戦争チアガール

こうした戦時下における「女性解放」をどう考えたらいいだろうか。

母性の象徴のような国防婦人会の活動は、じつは男たちを死に追いやるものだった。女性たちが「兵隊さんのために」と熱心に働けば働くほど、死地に向かう男たちの足取りは速められた。国防婦人会は戦争チアガールとして機能したといえる。

男に代わって〈働く女〉たち、被占領地のアジア女性に〈指導する女〉として臨んだ女性たち、それを促した女性リーダーたちも戦争遂行を支えた点では同様である。

戦争とは殺し合いである。そうである限り、男たちは自ら死ぬだけでなく、殺人を強制される。あの戦争における日本の死者は三一〇万、しかし日本軍によって殺されたアジアの民衆は二千万以上といわれている。

また日本軍は、兵士たちの性欲処理のため、「慰安婦」と呼ばれた女性たちを「大東亜共栄圏」の隅々にまでともなっていた。その数は十数万といわれているが、大半は当時日本の植民地だった朝鮮半島の女性たちである。日本の敗北によって彼女たちの多くはそのまま戦場に放置されたり、ある場合には全滅した日本軍と運命をともにした。

「銃後の女」の戦争責任

日本の植民地主義が生み出したこうした犠牲に、「銃後の女」は何の責任もないだろうか。日本では、一九七〇年代初めの第二波フェミニズムの盛り上がりのなかで、女性の戦争責任が問われるようになった。それまでは女性は戦争の被害者と考えられていた。戦前、女性には選挙権もなく、男たちが勝手に始めた戦争によって愛する者を奪われ家を焼かれ、大変な犠牲を強いられたというわけだ。

それは事実である。しかし女性をたんに歴史の客体としてではなくその主体に分けいって検証するとき、戦争という非日常の中で生き生きと働いた「銃後の女」の姿が見えてくる。そうした「銃後の女」がいなければ、戦争継続は不可能だった。女性の主体化は、女性の戦争責任という問題を浮上させた。

戦後における「銃後の女」

そうした植民地主義は戦後もかたちをかえて続いた。一九四五（昭和二〇）年の敗戦によって、日本はいっさいの植民地を失い、国内的にも大きなダメージを受けた。しかし戦後、朝鮮戦争の特需で経済復興の契機をつかみ、さらにベトナム戦争で利益を得た。その結果日本は、六〇年代後半にはＧＮＰ世界第二位の経済大国になった。

東南アジアのかつての占領地には日本製品があふれ、日本の男たちが女性を買うために押しかけるようになった。女たちはそうした男を許し、なかには夫の旅行カバンにコンドームをしのばせる妻もいるという。そこにはかつて「慰安婦」を黙認した「銃後の女」と同じ構造がある。

第二波フェミニズムと「慰安婦」問題

日本の第二波フェミニズム運動は、それに対する苦い自己批判から始まったといえる。当時はウーマン・リブと呼ばれたが、一九七〇年六月、運動の旗手・田中美津は「便所からの解放」を宣言した。そのなかで田中は、貞淑な「銃後の女」と「慰安婦」は相反するようにみえながらじつはコインの裏表、一対のものとして植民地主義を支えたと批判している。七三年、リブたちは韓国の女性たちと連帯して、日本の男たちによるセックスツァー反対運動に取り組んだ。

九〇年代に入って、韓国の元「慰安婦」が名乗りを挙げ、日本軍による性暴力を告発した。それを契機にかつての「大東亜共栄圏」の各地で、元慰安婦たちが日本政府に謝罪と補償を求めて立ち上がった。日本の女性運動はこうした動きに連帯して、日本政府に補償を求める運動に取り組んでいる。

その流れのなかで、二〇〇〇年十二月、東京で女性国際戦犯法廷が開かれた。これには法的強制力はない。しかし加害国日本と被害国の女性たちが連帯し、戦時における女性の人権侵害を裁くのは人類史上画期的なことである。それは植民地主義を阻止できなかったかつての女性運動の乗り超えでもあった。

6 フランスのフェミニズムと植民地主義　まとめにかえて

最後に、まとめにかえてフランスのフェミニストに問いかけたい。

まず第一に、二十世紀は戦争の世紀といわれた。そのなかで数多くの人が死んだ。女性への性暴力もくりかえされた。しかし以上に見たように、戦争はフェミニズムにとってメリットもあったようにみえる。日本だけでなく、第一次・第二次世界大戦後、女性参政権獲得国が一気にふえたのを見てもわかるとおり、戦争が〈女性の国民化〉と男女平等を促したことはたしかだろう。これについてフランスのフエミニストはどう考えているか。

第二に、日本の植民地主義は戦争と不可分のものとして現れた。それは日本が遅れて植民地獲得に乗り出したため、先進植民地国による既得権の防衛と、民族自決を求める被植民地の人びとの激しい抵抗を受けたためだ。フランスは日本以上に長い植民地支配の歴史をもち、しかもいまなお植民地を抱えている。一九九五年、北京で世界女性会議が開かれたちょうどそのとき、フランスは植民地ムルロワ環礁で核実験を行った。それに対してその地域からきた女性たちは激しく抗議した。現在も続く自国の植民地主義を、フランスのフェミニストたちはどう考えているのか。

注

(1) アジア太平洋戦争で日本が支配したのは、フランス領だった現在のインドシナ三国、アメリカの実質的な植民地だったフィリピン、イギリス領のマレーシア・シンガポール・ミャンマー、オランダが支配していたインドネシアである。
(2) 愛国婦人会は、一九〇一(明治三四)年、奥村五百子の発起により「半襟一掛を節約して軍人援護に」をスローガンに成立。皇族女性を総裁にいただき名士夫人を会員とした。
(3) 国防婦人会の「宣言」第五条には、「母や姉妹と同様の心を以て軍人および傷痍軍人並に遺家族の御世話を致しませう」とある。
(4) 内閣情報部は、一九四〇年情報局に格上げ、『写真週報』は同局第四部の管轄となった。

（5）当時日本の男たちは、中国女性に対して姑娘（クーニャン）を多用しているが、エキゾチシズムとエロティシズムを喚起するものだったという。
（6）一九四二年二月のシンガポール占領にあたっては、抗日運動を理由に五千人といわれる華僑を虐殺、中国系住民のあいだで日本軍は怨嗟の的だった。しかし日本軍はマレー系住民を優遇し、両者の分断の上に占領政策を遂行した。

参考文献

市川房枝 1974『市川房枝自伝・戦前編』新宿書房
内閣情報部（局）編 1938.2-1945.7『写真週報』第1号～第375号
加納実紀代 1987『女たちの〈銃後〉』筑摩書房（1995 増補新版　インパクト出版会）
加納実紀代 2000「「大東亜共栄圏」の女たち―『写真週報』にみるジェンダー」木村一信編『戦時下の文学』文学史を読みかえる4　インパクト出版会
川村湊 1994『海を渡った日本語』青土社
大日本婦人会 1942.12-45.1『日本婦人』
大日本国防婦人会 1943『大日本国防婦人会十年史』
平塚らいてう 1938「戦時下の婦人問題を語る座談会」『文藝春秋』11月号（1978『日本婦人問題資料集成』第8巻　丸岡秀子編　ドメス出版）
陸軍省新聞班 1934『国防の本義と其強化の提唱』

9　現代日本の家族とその解体　女性作家と女性漫画家の作品から

佐藤　浩子

はじめに　女性作家と女性漫画家

戦後、日本の家族は大きく変化した。家族の縮図といわれる「食卓の風景」から、家族に関心をもち家族を描いた二人の女性作家と二人の女性漫画家の作品を通して、家族の変貌について考えてみたい。漫画家を取り上げるのは、漫画があらゆる世代、あらゆる職種の男女に読まれ、日本の現代社会を映し出し、庶民の心情を反映しているからである。つまり、漫画は「社会の鏡」（Pons 1988: 410）となっているのである。

戦後の家族の変貌を考察するにあたり、日本の伝統的な家族については、向田邦子と長谷川町子を中心に展開していきたい。

直木賞作家の向田邦子は、多くの作品がテレビ・ドラマ化され、一九八一年に事故死したいまも高い人気を保っている。向田は一九二九年、東京山の手のサラリーマンの家庭に生まれた。向田は、口数少なく、厳格な昔気質の父、しっかり者の母、祖母、そして四人弟妹の長女という当時の典型的な家族の中で育った。三百篇をこえるエッセイの中でもっとも多い主題が「家族」であり、向田は執拗なまでに戦前の家庭を描いた。向田邦子を取り上げるのは、戦前の大家族が戦後とともに消え去り、核家族が誕生したのではなく、それはかたちを変え存在していたからである。

長谷川町子は、日本最初の女性漫画家である。長谷川は一九二〇年、佐賀県に生まれ、少女時代を福岡で過ごした。十二歳のときに父が亡くなると母に連れられて上京、東京の世田谷に居を定めた。父を早くに亡くした長谷川は、社交的で行動的な家長の母親を中心に、姉の鞠子と妹の洋子の三人姉妹の真ん中、女ばかりの家族の中で育った。長谷川町子は、一家の反映ともいえる戦後の大家族の日常生活を庶民の立場から描いた。向田邦子と比較することで、家族の変化を物語り、戦前と戦後の大家族の違いを浮き彫りにしてくれる。

家族が解体していく過程と家族の再生については、岡崎京子と柳美里を中心に展開していきたい。岡崎京子は、『ヘルタースケルター』（二〇〇三年）で第八回「手塚治虫文化賞」のマンガ大賞（二〇〇四年）を受賞した女性漫画家である。岡崎は一九六三年、東京の下北沢に生まれた。父は床屋を営んでいたが、長男のため祖父母、叔父叔母、従兄弟が同居し、それに住み込みの従業員を入れると十数人の大家族の中で育った。当時、すでに珍しくなり始めていた大家族の中で何事もなく過ごしながらも、岡崎は漠然とした「居心地の悪さ」を感じていた。大家族の中でのアンビバレントな感情は違和感と窮屈さの表れであり、岡崎京子は家族の変容を描いた。

一九九七年に『家族シネマ』（一九九六年）で芥川賞を受賞した柳美里は、「家族」をとりまく問題に関心をもつ女性作家である。柳は一九六八年、横浜の在日韓国人家庭に四人弟妹の長女として生まれた。父はパチンコ屋の釘師で高給取りであったが、すべてを競馬につぎこむような競馬狂いであった。母は夫の競馬狂いと暴力がもとで不倫に走り、家を出て行く。柳は険悪な家庭環境の中で、精神障害に陥り、自殺未遂に至る。一方、学校では在日韓国人への差別と苛烈ないじめにあい、家庭でも学校でも自分の居場所を見失っていた。事実、柳は「家族」の物語から逃れることはできなかった。柳美里は家族の虚像と実像の現実を明らかにし、家族の解体をテーマにした。

本稿の目的は個々の作品を批評することではない。四人の女性が描いた大都市における家族の変遷をたどりながら新しい家族の可能性を探ることである。

それでは、四人の女性のそれぞれの家族との関わりを見てみよう。

1　戦前と戦後の大家族

〈父〉中心の大家族

向田邦子の『父の詫び状』（一九七八年）は、一九七六年から七八年に『銀座百点』に連載された初のエッセイ集である（図9-1）。向田は乳癌で入院したときに、「誰に宛てるともつかない、のんきな遺言状を書いて置こうかな」（向田 2000b: 266）という気持ちから書き始めた。このエッセイ集には、向田の家族への思いが随所に見られ、一九三〇年代後半から四〇年代前半の戦時中の庶民的な家庭の姿が描かれている。

向田の描いた父親像は戦前を代表する、ごく当たり前の父、口数の少ない無骨もの、典型的な「日本の父」タイプである。明治生まれの父親は家族の中で特別な存在であった。父親は家族の誰よりも先に風呂に入り、食事のおかずも子どもたちより一品多い。当時の家庭では当然のことで、子どもたちが文句を言うことはない。それは、父親が働いていることが絶対条件になっているのであって、父親の存在の大きさを物語っている。

図9-1　向田邦子『父の詫び状』表紙（文春文庫，2006）

しかし向田は、横暴な家長、戦前の暴君に近い父の顔を語るだけではない。わが子に心を砕く心優しいもうひとつの父の顔も語っている。

戦争が激しさを増し、いつ死ぬかわからない頃の話である。父が最後にうまいものを食べて死のうと言いだす。すると、母はとっておきの白米で白いごはんを炊き、これもまたとっておきのごま油で精進揚げを作る。家族揃ってお腹一杯食べ、河岸のマグロのように並んで昼寝をする。

父の転勤先の仙台での出来事である。凍てつくような冬の朝、昨夜の客が粗相したものを片づける娘に、ねぎらいの言葉もかけずに父は無言で娘を見つめている。冬休みが終わり東京へ戻ると、「此の度は格別の御働き」（向田 2000b: 19）とそこだけに赤く傍線が引いてある父からの手紙が届く。

この手紙が娘への「父の詫び状」であった。雄々しく、一線を画すような父親の姿、家長としての家族に対する責任、子どもたちを空腹のまま死なすわけにはいかないという父親の愛情を向田は描いた。家庭での父親の存在感がいかに大きくても、姑を含め七人という大家族の中心であったのは母親である。家族をやさしく見守り、正月の支度をはじめ、四季折々の家庭の行事を一人で切り盛りしていく母親の姿、その母親を手伝う子どもたち、家庭での母親の大きさ、そして家族揃ってさまざまな行事ができる豊かさと幸せを描くことを向田は忘れてはいない。

向田は、父親と母親の役割が家庭の中で機能していた戦前の典型的な家族像を描いた。向田が戦前の家庭における父と母の像を執拗なまでに描き続けたのは、古き良き時代の家族像への郷愁があったからである。「理想的」な中流家庭の庶民の暮らしの中には、「父」と「母」のいる風景があり、家族が集う「語らい」のための時間と場所があったのである。

明るく陽気な大家族

長谷川町子の代表作『サザエさん』は、一九四六年に福岡の『夕刊フクニチ』で始まり、全国紙の

『朝日新聞』に一九七四年まで二八年間、通算六四七七回続いた長期連載漫画である。

『サザエさん』の時代感覚を正確に把握するのは難しいが、落合恵美子が述べているように、全体としては六〇年代の雰囲気に覆われているように思われる。つまり、『サザエさん』の時代というのは、「戦後のある時期に何かある安定した構造」ができた時期、すなわち一九五五年から七五年くらいまでの「家族の戦後体制」（落合 2001: 79）の時期に相当する。それは戦後の家族が確固たる安定を誇っていた時期でもある。

東京の世田谷に住む「サザエさん」の一家は、サザエの両親、弟と妹の磯野家と、サザエの夫と息子のフグ田家の二家族が同居する、総勢七人という三世代世帯である。サザエの夫は磯野家の養子ではなく、長女のサザエと結婚し、妻の両親の家に同居している。つまり、「アメリカ風の核家族でも、日本的〈家〉制度でもない妻方同居という見事な戦後微調整」（西川 1998: 164）のかたちをとっている。したがって、「サザエさん」の家庭では同居しているのが娘夫婦のため、嫁姑の熾烈な対立はない。サザエは当時の多くの女性を代表する家庭の主婦であるが、「いつまでも娘のように若々しい妻」（東京サザエさん学会 1993a: 75）でいられるのはそのためである。

「サザエさん」の一家が住む家は門と玄関、そして庭のある平屋である。サザエの父は会社から夕食時に戻ると、家では和服に着替える。母はいつも和服に割烹着を重ねている。子世代のサザエは洋服にエプロン姿、夫は会社でも家でも洋服、弟、妹、息子も洋服を着ている。世代間の違いは衣服の着方にも表れている。

図9-2　『サザエさん』の食卓の例

（出典）『サザエさん』長谷川町子全集13，朝日新聞社，1997：115
同全集12，同：13をもとに作成

一家団欒の場である食卓の場面は、『サザエさん』の中にたびたび登場する（図9-2）。「サザエさん」の家庭では、通常は六時に家族全員が揃って夕食を取る。食卓には豪華な料理は並ばないが、家族揃って食卓を囲むことが何よりのご馳走である。食事は茶の間で、丸い卓袱台《ちゃぶだい》を囲んでするのが常である。そのときの卓袱台を囲む位置は重要な意味をもっている。台所に近い下座には母親とサザエが、そして台所から遠い上座には父親と夫が座っている。子どもたちは夫と母親のあいだに座るが、やはりサザエの妹は弟の下座に位置している。父親と夫が隣り合って座っているのは、一緒に晩酌をしやすいという理由だけではなく、むしろ家族の中で「一番偉い人」という位置づけがされているからである（東京サザエさん学会 1993a）。母親とサザエが座っているのは下座ではあるが、その位置は家族にご飯や料理を取り分ける「しゃもじ権」、すなわち「采配権」に結びつく場であり、家庭での指揮権は母親とサザエに委ねられている。

長谷川は戦後の「明るく陽気な大家族」の日常を、そして「理想的」な中流家庭の姿を描いた。サザエの父は父親としての威厳を保ちながらも、子どもたちから愛され尊敬されている。向田が描いた戦前の家庭のように、父親の重々しい存在感や暴君的な家長の姿はない。しかし、『サザエさん』にはやはり「お父さんが一番偉い」（東京サザエさん学会 1993a: 176）という伝統と、戦前の家族像の残像が息づいているといえる。

『サザエさん』の出発点は戦後という時代にあり、戦後の日々を二八年間生き続けてきた。『サザエさん』は、戦後の時代を生きた多くの日本人の生活と感情の深層を語っている。その意味で、『サザエさん』は戦後の家族の「神話」といっても過言ではない。一九七四年に『サザエさん』の連載は終わった。長谷川は七八年に『サザエさんうちあけ話』を、八七年に『サザエさん旅あるき』を『朝日新聞』に再び連載した。しかし、その後、長谷川がペンを握ることは決してなかった。それは、長谷川町子が「戦前のモラルで家庭と社会をかきつづけることがもはやできないと感じたとき」（関川 1994: 25）であった。

日本は、一九七四年のオイル・ショックによって戦後という時代からポスト戦後へ脱皮し、バブルの時代へ向かう。それはまた、日本が戦前には見られなかった「家族の風景」を見せ始めた時期でもある。

つまり、戦後約二〇年間続いた「家族の戦後体制」が壊れ始め、家族のかたちも大きく変化していくことになるのである。

2　家族の解体

十三歳の少女の「ハッピィ・ハウス」

「サザエさん」の一家のように卓袱台を囲む家庭に育った岡崎にとって、団地やマンションの生活はモダンで、新鮮に映った。すでに『サザエさん』にも核家族は描かれている。サザエの従兄弟は妻と息子の三人で団地に住んでいる。そこでは、「何か起こりそう。しかも、ひどいことが。ワクワクする」（岡崎 2001: 22）ように岡崎には思えたのである。

一九九〇年から九一年に雑誌『コミック・ギガ』に連載された岡崎京子の『ハッピィ・ハウス』（一九九二年）は、「家族とは何なのか」を問う漫画である。

『ハッピィ・ハウス』の主人公は、十三歳の中学生の少女である(1)。彼女は、テレビ局のディレクターの父、女優の母、それに十七歳の兄と一緒にマンションに住んでいる。母親は忙しいため台所に立つことは日頃からほとんどない。家族が一緒に食事をするときも高級デリカの料理を電子レンジで温め、お皿に移すだけである。両親が留守のときは、夕食の代わりにケーキを食べ、誰もいない家で寝るのに馴れっこの少女は何の疑問も抱かない。

漫画はある晩の夕食の場面から始まる。大きな長方形のダイニングテーブルには、いつものように高級デリカの料理、パンやワインが並んでいる。母親は父親の向かいに、子どもたちはそれぞれ両親の横に向かい合って座っている。くつろいだ雰囲気の食卓に堅苦しさはなく、父親の威厳を示すような上座も存在しない。

久しぶりの家族団欒のその晩に、父親は突然立ち上り、「しばらくの間父さんは家族をやめたいんだ」、「私はつかれてしまったんだ。外では会社員、家の中では鈴木家の父であり夫であること」、「私は半年間、君達の家族である事をやめるが、また必ずもどってくる」（岡崎 1997: 4-5）と宣言する（図9-3）。彼は家族に同意を求めることもなく、夫と父親の役割を放棄し、即座に家を出て行く。だが、父親は仕事の関係で一年の半分はロケで不在、留守がちの母親は、「ブラウン管と雑誌のグラビア・ページの中」（岡崎 1997: 32）が本当の家といっても過言ではない。母親の不倫の結果生まれた兄は父親が違い、この事実を知ったときから友達の家を泊まり歩き、ほとんど家には帰らない。事実上、この家の家族は以前から離散の状態にあった。

両親に離婚の問題が起きると、少女は「どっちにも行きたくない」、「別にどっちに行ってもきっとあたし幸せになれないもん」、「今までだって充分バラバラだったのに半分に分かれてもたいして変わんないよ」、「お金だけちょうだい、今までみたく」、「あたしが中学出て働けるよーになるまでだもん」、「そしたらあたし一人で生きていくもん」、「パパやママと関係なく」、「一人で」、「気ィ使ったり、うんざりしないで」（岡崎 1996: 132-134）と訴える。

図 9-3　岡崎京子『ハッピィ・ハウス』（上，主婦と生活社，1997: 4）

娘の考えを聞き愕然とした両親は、家庭での親の重要性を再認識し、離婚は当面解消される。親子関係が辛うじて保たれたのは、両親に親としての意識がわずかに残っていたからである。だが、母親は相変わらず地方ロケ、父親は海外ロケで不在、そして家政婦が作った夕食を一人で食べる現実に変わりはない。しかし部屋はきれいに掃除され、浴室は磨かれて光っている。ダイニングテーブルには花が飾られ、温かいスープも用意されている。夜はふかふかのベッドで休み、しかも両親がついているのだから、少女にとってこれ以上良い「家」はないはずである。家族に何も期待しなければ、少女に何の不満も起きるはずはない。これが十三歳の少女の「ハッピィ・ハウス」なのである。

岡崎は、家はあっても家がないような「奇妙な家無き子」、親はいても親がいないような「おかどちがいな孤児」として生きることが日常化されている現実を描いている。大家族の中での「居心地の悪さ」や家族を「愛していながら愛する事が出来ない。愛したいけど愛せない」（岡崎 1996: 174-175）というアンビバレントな感情は、多くの人たちが体験しうることである。それは、「家族」という言葉から連想される「暖かく幸せなイメージ」に対する違和感と窮屈さの表れであり、家族のかたちが変容していることを物語っている。

食卓の場面は、『サザエさん』に見られたような家族団欒の場、家族の結束の場から、家族の危機が表面化する場ともなる。少女の両親のように夫婦共働きの家庭では、父親は仕事、母親は家庭という性別による役割分担は成立しなくなる。食事も家族がいつも揃ってするとは限らない。つまり、「家族とは役割の集合体ではなく個人の集まり」（海老坂 2000: 181）である実態がこの漫画には描かれているのである。

帰属意識のない少年少女

『ハッピィ・ハウス』の発表から二年後、月刊『キューティー』に一九九三年から九四年まで連載された岡崎京子の『リバーズ・エッジ』（一九九四年）は、若者にとって「生きるとはいったい何なのか」

を問う漫画である。

舞台は九〇年代初めの横浜(2)。漫画は臭く、澱んだ、汚い川に面した高校に通う少年少女の物語である。人気モデルの吉川こずえは五歳のときから働き、母親を養っている。彼女の母親は娘の稼ぎを当てにしている猛烈ステージママである。子が親を養うという親子関係の逆転であり、伝統的な母親の姿は見る影もない。吉川は好きなものを好きなときに時間に関係なく勝手に食べているが、ときには友人をマンションに招き、デリバリーのイタリア料理を大量に頼み、豪華なダイニングルームで食事をすることもある(図9-4上・中)。またときには、自分の部屋で大量のジャンクフードをむさぼるように食べることもある(図9-4下)。そしてその直後にすべて吐き、美しく、細い身体を保っている。つまり吉川にとって、「食物は、いくら食べても胃袋どまりで栄養とならず、直後には吐き出され、胃液とともに下水に流される」(椹木 2000: 134)ものにすぎない。吉川が過食と嘔吐を繰り返すのは、すべての欲望を満たし、すべてを忘れ、不安から解放されるためである。

別の女生徒の小山ルミは、友達のボーイフレンドと関係をもち妊娠してしまう。しかし彼女は友達にも両親にも、誰にも打ち明けることができない。妊娠の不安から逃れるため友達とはいつもおしゃべりをしているが、肝心なことを話すことはしない。自閉症ぎみの彼女の姉は自信がもてず、自分を醜いと思い込んでいる。その不安から彼女は食べることがやめられず、自分の部屋にミルクとジャムとパンを持ち込んで食べ続けている。

同性愛者で死体愛好者の山田はクラスでは目立たない存在だが、可愛い顔立ちは女子には人気があり、

図 9-4　岡崎京子『リバーズ・エッジ』(宝島社，2000：上から 173，176，128)

男子には「攻撃誘発性」の的になっている。ある日、彼はすでに白骨化した「古い死体」を河原で見つける。以来、彼はつらいことがあったり、いじめられて泣きたくなると、河原にその死体を必ず見に来る。死体を見ると安心して、勇気がわいてくるのである。山田が生きている人間より死んでいる人間の方が好きなのは、自分の想像の世界に浸ることができるからである。こうして、その死体は彼の「宝物」となる。

三人の友達の若草ハルナは両親が離婚したため、母親と団地の二人暮らしである。朝晩の食事の支度はほとんど彼女の役割だが、夕食は仕事で遅い母親を待たずに一人で食べることが多い。彼女は「自分が生きてるのか死んでるのかいつも分からない」（岡崎 2000: 61）のだが、特別異常なところはない。「死体」を見ても実感がわかず、死体愛好者の山田や過食と嘔吐を繰り返しながらモデルをしている吉川にも偏見はない。

岡崎は『リバーズ・エッジ』の中で、救いのない「不安」を抱えた少年少女の姿を現代社会に生きる若者の現象として捉えている。生きていることの実感がなく、目標もなく、現実感がもてない少年少女は、街を流れる川のように社会の中で彷徨っている。よりどころのない彼らは「生の中心をもたず、もちろん持つこともできず持とうともせず、それどころかそのような〈中心〉がかつて存在したことにも気づくことがない」（樋木 2000: 136）。

〈中心〉のない少年少女の世界には、「サザエさん」の一家のように家族揃って食卓を囲む光景はなく、「父」「母」の姿も見えない。少年少女にとって「個食」あるいは「孤食」は日常化し、食べることは

「一時だけの満腹感や絶頂感を純粋抽出することによって得られるかりそめの実感によって、瞬時だけ、今日の生をつなぎとめようとする態度にほかならない」（椹木 2000: 135）。彼らは、『ハッピィ・ハウス』の少女が成長した姿でもあり、高校に面した澱んだ川が少年少女の現実を象徴的に物語っているのである。

〈食卓の風景〉が消えた家族

一九九七年に芥川賞を受賞した柳美里の『家族シネマ』は自伝的性格が大変強い作品である。柳美里は、その中で失われた家族を求めながらも、家族が価値あるものかを問うている（図9-5）。

『家族シネマ』は、主人公の林素美の二十九歳の誕生日に二十年ぶりに家族全員が顔を合わせる場面から始まる(3)。再会した家族は、「家族なんてどっちにしたってお芝居なんだからね」（柳 1999a: 13）と考える妹の発案で家族の映画を撮ることになる。二十年ぶりに集まった素美の家族は、一家が一緒に暮らしていた頃と同じ配置でテーブルを囲む。当時の気詰まりな雰囲気が再び蘇ってくる。

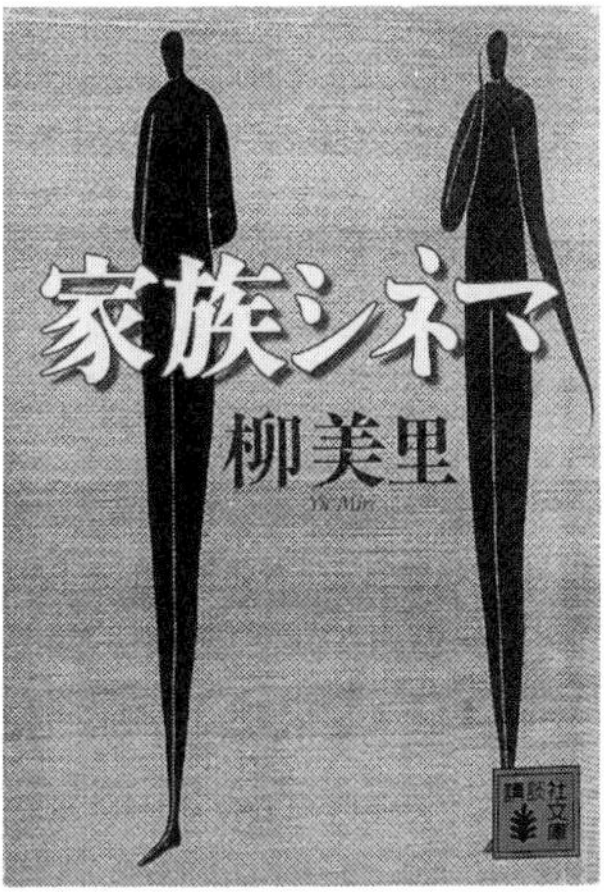

図9-5　柳美里『家族シネマ』表紙（講談社文庫，1999）

母親は、自分が思い描いた幸福な家庭の姿と現実との違いに気づくと、妻と母親の役割を放棄して、不倫に走る。母親が家を出た原因は、父親の競馬狂いと暴力、そして吝嗇のためであった。だが父親には、吝嗇と浪費のあいだを往復するような分裂症気味のところがあった。素美たち弟妹は父親の暴力や母親の性的な放埓さを受け入れ、堪えてきた。離散状態であった家族に今でも残っているものは、憎悪と苛立ちの感情だけである。

映画のクライマックスは家族旅行の場面である。温泉を望む母親に対し、父親は、「家族がひとつになるにはキャンプがいちばんだ」（柳 1999a: 91）とキャンプに固執する。夕食の場面で、素美はカレーを食べる父親を見ながら、以前に比べ食べ方がゆっくりになったことに気づく。昔は、食事中に話をすることも許さず、ただ早く食べるように子どもたちを急がせ、食べ終わるとすぐに洗い物を始める父親であった。素美の家庭には、家族がテーブルを囲む一家団欒の風景は存在しなかった。

この家族の映画をきっかけに、父親は「都筑区の家でもう一度出直そうじゃないか、わたしたちは家族なんだ」（柳 1999a: 91）、と言い出す。父親の提案に対し、妹は「もう一度みんなで暮らそうよ」と哀願するが、素美は「わたしは棲めない」と断言する。素美は「家族が一緒に暮らせば失ったものをとり戻せると信じている父」（柳 1999a: 94）を受け入れることができない。素美は、「自分の保険証を持ったら、家から抜けられたってことよ」（柳 1999a: 99）と言った母親の言葉通りに、保険証を持ち家から出ていく決意をする。

柳美里は父親と娘の家族に対する考え方の食い違いから、家族の虚像と実像の現実を明らかにし、両者の境界が崩れていく過程を描いている。柳は家族によって引き起こされた状況、家族によって被った現実、そして家族の解体を戯曲や小説のテーマにしてきた。事実、柳は「家族」の物語から逃れることはできなかった。

『家族シネマ』発表の翌年、柳美里は自伝的エッセイ『水辺のゆりかご』（一九九七年）を発表する。その執筆理由として、柳は「過去を埋葬したいという動機」と「過去の墓標を立てたかった」（柳1999b: 268）意図を述懐している。柳にとって、家族のことを作品化する行為は、家族から遠く離れていくことであり、作品化することによって、家族を「埋葬」し、家族の「墓標」を立てようとしたのである。

3　家族の再生

新しい家族のかたちを求めて

家族が崩壊していく中で、柳美里は自分固有の体験を「文章にする」ことで、自分の居場所を作品の中に見出していった。だが、少年の父殺しをテーマにした小説『ゴールドラッシュ』（一九九九年）を書き上げた直後に、柳はフィクションの中にも居場所がないような恐怖に陥る。芥川賞受賞時に「結婚はしない、子供もつくらない、私の子供は小説」（切通 2000: 258）と言い切った柳美里は、妻ある男性との恋をし、そして妊娠する。

現実の中で密接な関係を求めていたときに、柳に大きな変化が訪れる。柳美里にとって、師であり、かけがえのない友、そしてかつての恋人である劇団「東京キッドブラザーズ」の主宰者、東由多加との出会いは人生の転機となった。柳美里が出産の決意をしたのは、東由多加が末期の食道癌と判明し、あと七ヵ月の命とわかったときである。

『命』（二〇〇〇年）は、柳美里が非婚のまま新しい命をはぐくみながら、末期癌と闘うかつての恋人を支えた壮絶な一年を、同時進行に近いかたちで週刊誌に綴った「私記」である。

東の担当医から関係を問われた柳は、とっさに「家族のようなものです」（柳 2000: 23）と答えてしまう。柳は、「生と死がくっきりとした輪郭を持って迫ってきたとき、胎内の子と東のふたつの命を護らなければならないという使命感にも似た感情に激しく揺さぶられた」（柳 2000: 19）と述べている。そして「胎児と癌というふたつの存在が、命という絆で結ばれたような不思議な感覚を持った」（柳 2000: 19）のである。それは、お腹の中の胎児とかつての恋人の「生」と「死」の両方を引き受けていく決意であった。

かつての恋人との共同生活の再開と闘病生活、そして生まれてきた子どもとの三人の共同生活、互いを本当に必要とする三人は「家族」以上の関係である。柳にとって、かつての恋人と子どもとの三人の関係は、血のつながりだけで続くと信じられている家族よりも現実に確かめられる関係なのである。血のつながりもなく、婚姻制度にもよらない関係、婚姻制度によって保証されているわけでもないつながりだが、互いが互いを必要としているという唯一の根拠によって結ばれている関係である。柳は、「わたし自身にとっての家族再生の物語の〈核〉として、子どもを生もうと決心したのかもしれない」（柳

2000: 201）とも述べている。東が亡くなる一週間ほど前に、柳の子どもを膝に置いて、「血じゃないんだよね」、「血じゃないんだよ」（切通 2000: 252）と繰り返し言ったかつての恋人の言葉が多くを語っている。

『フルハウス』（一九九五年）の中で、「私のなかではもうとっくに家族は完了してしまっているのだ」（柳 1997: 43）と書いた柳美里の重大な変化である。柳は「家族によって疵つけられた魂で、疵ついた家族を愛し、求めていた」（柳 2000: 201）に違いない。そして、「家族の崩壊をテーマにしながら、常に家族の再生」（柳 2000: 201）を願っていたのである。柳の中では「家族は完了していた」のではなく、あくまでも未解決の状態だったのである。家族の再生に挑む柳美里の新たな姿勢である。

新しい家族の可能性

向田邦子や長谷川町子が描いた家族像が、日本の社会から完全に消え去ったわけではない。しかし、岡崎京子は家族が強いる画一的な「暖かく幸せなイメージ」に対する違和感と窮屈さを描き、「変容する家族」の実態を示している。家族の変貌は日本だけの現象ではない。経済的発展を遂げた国であれば、多少の違いはあってもどの国にも見られる現象である。

フランスもまた例外ではない。フランス人の家族に対する意識の変化は、六八年の「五月革命」に端を発している。何よりも重要なことは、「五月革命」が個人の自由と欲求を解放したことである。結婚と家族のあり方になぜ国家が介入する必要があるのか。「五月革命」の直後は結婚はまだ一般的であったが、多くの若者は結婚より同棲を望み、七〇年代後半から「自由な結びつき」であるユニオン・リーブル(4)は急速に増え始めた。生活様式が変化し、従来のモラルが拘束力を失い、女性が経済的に自立したこと、さらには婚姻手続きの煩雑さもその要因と考えられる。一九七二年の法改正で嫡出子と婚外子の差別はなくなり、同等の権利と義務をもつことが認められる。一九七五年に人工妊娠中絶が合法化されたこととも無関係とはいえない。

女性の経済的自立は、結婚に対する考え方にも大きな影響を与えた。結婚が社会的な行為であった時代は終わり、個人の幸福の追求のひとつになった。それにともない離婚は八〇年代初めから増え始めた。離婚した男女が子どもを連れて再婚、あるいは離婚した男女の双方がともに子どもを連れて再婚する。このようにして誕生した再構成家族が、全世帯に占める割合は決して少なくはない。

一九八一年に成立した社会党政権は、結婚や家族形態の変化への国家の対応として、非婚カップルを社会から排除するのではなく、社会の枠組みの中に取り入れるための法改正を行った。さらに、一九九九年に「連帯の民事契約」、いわゆるパクス法と呼ばれる法律が公布された(5)。この法律によって、「内縁」が民法で規定され、異性カップルだけではなく同性カップルにも法的権利が与えられたのである。非婚カップルは増大し、婚外子の総出生数に占める割合は二〇〇一年には四〇％を超え、現在に至っている。

末期癌の闘病生活と育児の記録は、柳美里の『命』から『魂』(二〇〇一年)、『生』(二〇〇一年)、『声』(二〇〇二年)と書き継がれていく。柳美里がこの「物語」を手放せなかったのは、かつての恋人と子どもと自分との疑似家族の物語を生き続けることになり、この「物語」の中に「家族の再生」の可能性を求め続けているからであろう。

東由多加があと一週間の命であると宣告されたとき、柳美里は母親に次のように述べている。

「わたしを支えてくれたのは実の家族ではありません。東由多加です。わたしにとっての家族は、東由多加と丈陽のふたりだけです」（柳 2001a: 258-259）。

妊娠中に出産や育児の不安だけではなく、子どもの父親への復讐心に襲われた柳を支え、勇気づけたのは東の存在である。「どんなことになっても子どもが二歳になるまではぜったいに死なない。いっしょに育てる」（柳 2001a: 258）と繰り返し述べた東の言葉に支えられ、柳は子どもを産むことができた。東は、丈陽に対し「強い未練があります。（……）いまだとなんにも残せない。せめて言葉をひと言教えたいですけどね……ひと言……」（柳 2001b: 297）と言い残した。それは東由多加の家族の絆を求める姿勢であった。そして今、東を憶えているはずのない丈陽が、毎朝、東の写真の前にジュースの入ったコップを差し出している。柳美里が示したこの三人の関係は、血縁や婚姻によって強制された関係ではなく、個人と個人の意志と判断によって構成される「関係」である。柳美里は、法律にも頼らない、血のつながりもない紐帯を求めながら「新しい家族」の可能性を示している。

フランスの社会には、非婚カップルや婚外子、そして同性カップルに対する偏見はなく、社会保障制度上の保護が受けられ、社会の中に定着している。フランスやヨーロッパ諸国に比べ、日本は、婚外子の総出生数に占める割合はきわめて低い。しかし、「人口動態調査によると、新たに生まれた婚外子の割合は02年で1・9%。〈事実婚〉も〈シングルマザー〉も言葉として定着しており、婚外子は決して例外的な存在ではない」(井田 2004)。個人と個人が再構成する家族、一緒に棲まない家族やシングルマザー、すなわち「新しい家族像」を受け入れる姿勢も存在するのである。

注

(1) 年代は、「戦争ニュースももうあきたぞ」(『ハッピィ・ハウス』上:169) から一九九一年頃と推定できる。場所は、「やはり目黒から杉並は遠い」(同上:48) から東京である。

(2) 年代と場所は、「二〇〇〇年に (……) あたし達が二四才になる頃だ」(『リバーズ・エッジ』:12) と氷川丸 (同上:120) から推定できる。

(3) 年代は作品の自伝的性格から九〇年代後半、場所は「都筑区の家土地売り払って一千万でも二千万でも賭ける度胸ある?」(『家族シネマ』:31) から、横浜と推定できる。

(4) ユニオン・リーブル (自由な結びつき) あるいはコアビタシオン (同居) と呼ばれる「非婚カップル」が、フランスの家族形態の中に占める割合は非常に高い。一九六八年の「五月革命」以降、事実婚と法律婚のあいだの格差が縮まり、事実婚が限りなく法律婚に近づいた結果である。内閣府経済社会総合研究所の「フランスとドイツの家庭生活調査」(二〇〇五年) のデータによれば、フランスの法律婚は66・3%、非婚カップルが31%、パクスが2・7%である。また非婚カップル31%のうち、法律婚を予定している人が36・6%、法律婚の予定がない人が47・3%と予定している人をはるかに上回っている。子どもが生まれても非婚カップルを続ける人が多く、総出生数における、婚外子の割合の高さにもつながっている。残りの16・1%は結婚するかどうかわからない人である。

(5) 通称「パクス法」は、八年間の試行錯誤の末に一九九九年に公布された。ユニオン・リーブルの異性カップルに比べ諸々の権利の対象から除外されていた同性カップルに、協約を結ぶことで法的権利を獲得させることを目的にした法律である。パクス法の意味は「内縁」を初めて民法で規定した点にある。パクス法の対象は同性愛者だけではなく、非婚カップル、すなわちユニオン・リーブルというかたちで同棲している異性カップルにまで拡大されている。ユニオン・リーブルの場合はパクスを締結してもそれほど大きな変化があるわけではないが、同性カップルにとってはかなり大きな進歩があったといえる。おもに相続、社会保障、職業的権利や養子の点において、同性カップルと異性カップルの垣根が取り払われている。

参考文献

浅野素女 1996『フランス家族事情』岩波新書
井田香奈子 2004「民法改正議論の契機に」『朝日新聞』3月29日
五木寛之・柳美里 2000「生きること、そして死ぬこと」『文藝春秋』9: 124-133.
井上謙・神谷忠孝 2000『向田邦子鑑賞事典』翰林書房
海老坂武 2000『新・シングルライフ』集英社新書
岡崎京子 1996『ハッピィ・ハウス』下　主婦と生活社
岡崎京子 1997『ハッピィ・ハウス』上　主婦と生活社

岡崎京子 2000『リバーズ・エッジ』宝島社
岡崎京子 2001「電話はコミュニケーションを分断する」『文藝』秋号 : 16-25.
岡崎京子 2004a『ぼくたちは何だかすべて忘れてしまうね』平凡社
岡崎京子 2004b『ヘルタースケルター』祥伝社
落合恵美子 2001『二一世紀家族へ』有斐閣選書
切通理作 2000「〈柳美里〉を演じられなくなったら、死ぬしかない」『文學界』9: 249-259.
小林竜雄 1996『向田邦子の全ドラマ』徳間書店
斎藤学 2004「少子化社会の母と子―日本で何が起こっているか」『女性空間』日仏女性研究学会　21: 99-110.
椹木野衣 2000『平坦な戦場でぼくらが生き延びること』筑摩書房
関川夏央 1994「戦後育ちの女性たち」『文藝春秋　ノーサイド』1: 23-25.
関川夏央 1999「本よみの虫干し」『朝日新聞』2月14日
高島俊男 2000『メルヘン誕生』いそっぷ社
高橋雅子 2004「フランスにおけるカップルの生活形態」『Bulletin du CEFEF』慶應義塾大学「現代フランス社会と女性」研究会　3: 1-16.
東京サザエさん学会 1993a『磯野家の謎』飛鳥新社
東京サザエさん学会 1993b『磯野家の謎・おかわり』飛鳥新社
西川祐子 1998『借家と持ち家の文学史』三省堂
西川祐子 2000『近代国家と家族モデル』吉川弘文館

長谷川町子 1997-98『サザエさん』長谷川町子全集1～23　朝日新聞社
長谷川町子 1998『サザエさんうちあけ話　サザエさん旅あるき』長谷川町子全集32　朝日新聞社
向田邦子 1999a『阿修羅のごとく』文春文庫
向田邦子 1999b『寺内貫太郎一家』新潮文庫
向田邦子 2000a『あ・うん』文春文庫
向田邦子 2000b『父の詫び状』文春文庫
柳美里 1997『フルハウス』文藝春秋
柳美里 1999a『家族シネマ』講談社文庫
柳美里 1999b『水辺のゆりかご』角川文庫
柳美里 2000『命』小学館
柳美里 2001a『魂』小学館
柳美里 2001b『生』小学館
柳美里 2002『声』小学館

Garrigue, Anne 2000 *Japonaises, la révolution douce*. Paris: Philippe Picquier.
Pons, Philippe 1988 *D'Edo à Tokyo*. Paris: Gallimard.
Yu Miri 1997 *Jeux de famille*. Paris: Philippe Picquier.
Yu Miri 2000 *Le Berceau au bord de l'eau*. Paris: Philippe Picquier.

10　「高学歴専業主婦」のゆくえ　女の共犯的主体性

中嶋　公子

はじめに

ここでは、おもに一九七〇年代から現在までの日本社会における女の状況を「主婦」に焦点を絞って述べる。なぜ女の状況を「主婦」で表すのか。それは、「主婦」という言葉が、日本の「女のあるべき姿、幸せの像」（伊藤 1973: 215-216）を示すメルクマールのような役割を果たしてきたからである。この言葉が現在のような意味で使われるのは、明治期後半からだが、いまなお日本の女の状況を根底から規定しているように思われる。

「主婦」という言葉はブラック・ボックスである。戦後の女のライフ・スタイルの変化をすべて飲み込んできた。「専業主婦」、「兼業主婦」、「活動専業・主婦」と、つねに「主婦」を中心にした言い方がつくられ、女の解放をめぐるさまざまな言説においてすら、「主婦フェミニズム」、「主婦リブ」という語彙矛盾のような言葉が生まれた(1)。「主婦」といえば、社会的に了解可能な存在となるのだ。「主婦」という言葉はどこまでも女について回り、それとの距離で社会は女をはかり、女自身も自分をはかる。このことは、女自身もその規定から逃れることがむずかしいことを示している。女の状況のもっとも変化しにくい部分を示すものだ。

本論では、国家政策により「主婦」というジェンダー表象がどのように形成されたか、それに対して女たちはどのように反応したか、「主婦」を媒介にした国家政策と女たちの関係をなんと呼べばよいのか、この関係は変わるのか、を戦前も視野に入れて見ていく。以上の作業を通して、現在の日本の女の状況を分析する。分析のアプローチとしては、日仏の差異に注目することから始める。その差異とは、フランスにはなくて、日本に層として存在する「高学歴専業主婦」である。

1 「高学歴専業主婦」の存在

日仏比較から

日仏の女の年齢別労働力率を見ると、大きなちがいがあることがわかる。フランスは台形型であり、日本はM字型である(図10-1)。フランスでは、一九八〇年代に女の年齢別労働力率がM字型を脱出して台形型になり始め、二〇〇三年で25~49歳の女の81%が働いている(*Femmes et Hommes Regards sur la parité* 2004: 76)。現在、3歳以上の子どもを2人もつ母親の就労率は、83%に上る(同上:111)。

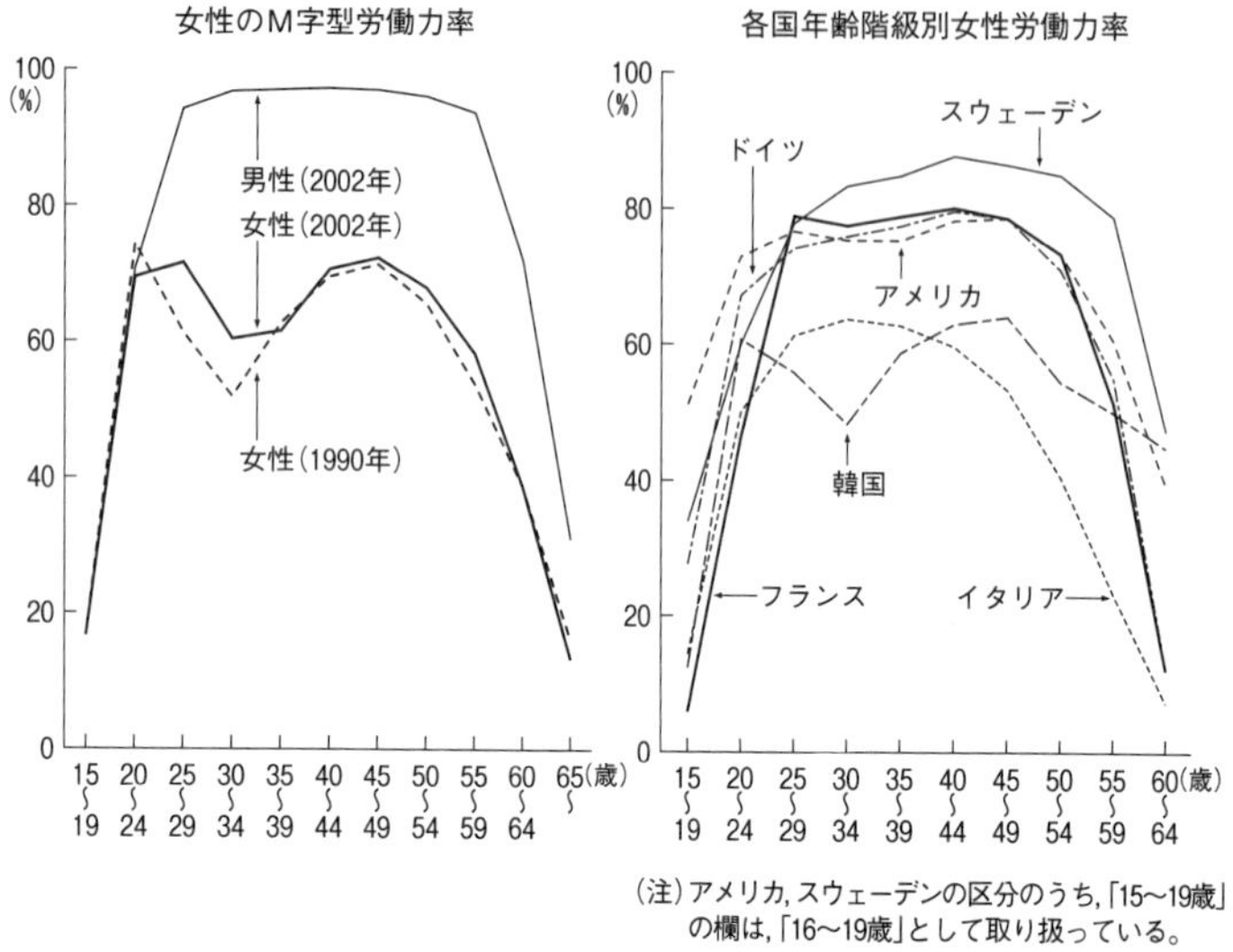

図10-1 女性のM字型労働力率,各国との比較
(出典)『女性のデータブック』(第4版)2005:81

すなわち、フランスの女のライフ・スタイルは、「働く母親」が主流になり、「脱主婦化」しているのだ(ファニャニ 2006)。一方日本では、一九七〇年代半ばには既婚の女の労働力率が50%を越え始める(配偶者関係別女性労働力の推移、総務省統計局「労働力調査」から)。しかし、その内容は異なる。日本の女の年齢別労働力率は、少しずつボトムアップしているとはいえ、いまだに、学卒後就職し、30歳前後で一度退職し、40歳前後で多くはパートで再就職する、中断再就職のM字型である。中断する最大の理由は、結婚・育児である(『女性のデータブック』2005: 81)。

ところが、興味深いデータがある。一九九九年の労働省の『女性労働白書』の学歴別労働力調査によれば、四年制大学・大学

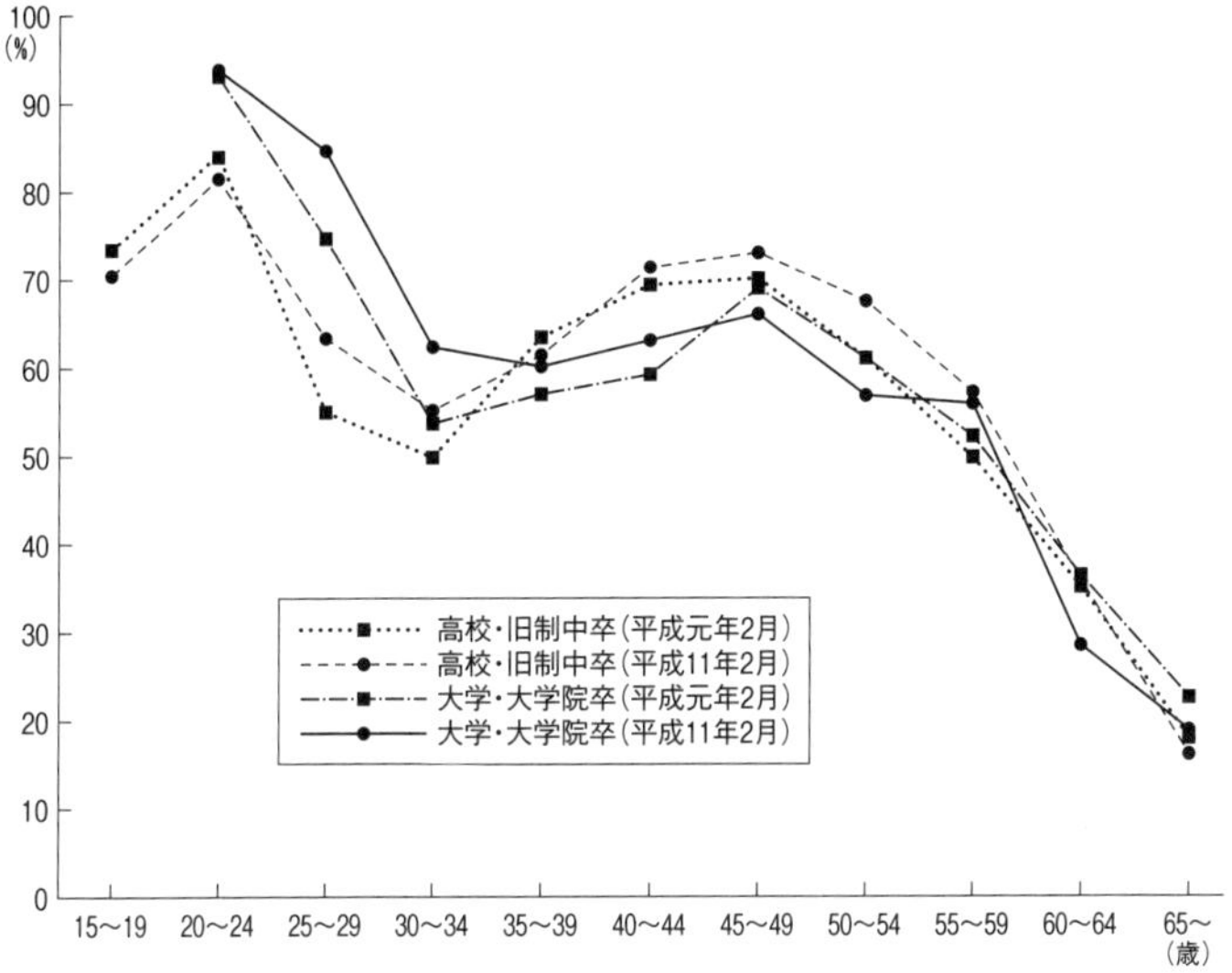

図10-2 女性の学歴・年齢階級別労働力率の推移(『女性労働白書』1999)
(出典)総務庁統計局「労働力調査特別調査」を労働省にて特別集計

院卒女性の年齢別労働力率は、M字型にもならない(図10-2)。大学卒業後、彼女たちは90%以上が就職するが、結婚・出産期の30歳前後で退職するため、その年代で労働力率は60%に急激に低下し、そのまま横ばいし、子育て後も彼女たちは再就職しないのである。同白書は、この高学歴の女たちの年齢別労働力率の推移を、30代でストンとグラフの線が落ちる形から「キリン型」と呼ぶ。少なくとも、再就職をしない、この30%近くを高学歴専業主婦と見なすことができるだろう。フランスでは考えられないことだ(2)。

このように、日本には「高学歴専業主婦」が層として存在するのである。

高学歴化と「専業主婦」

ではいつ、日本では、「専業主婦」に高学歴がつくようになったのだろうか。日本で、専業主婦が大量に増えたのは、一九五五―七三年の高度経済成長期である（落合 1995; 杉野・米村 2000）。これは、新中間層が急速に増大した時期でもある。すなわち、ホワイトカラーなどのサラリーマンを中心とする新中間層の増大が専業主婦を生み出したのである。この階層の子どもを中心にさらに高学歴化が進行する。

女の高学歴化は、二期に分けられる。第一期は、一九六〇―八〇年で、四年制大学進学率は2・5％から13・0％へと飛躍的に伸びた。第二期は、低成長に移ったがまだ好況が持続していた一九八五年以降で、なお上昇傾向にある（盛山 2000: 9）。一九九〇年には、女性の高等教育進学率が、男性のそれを抜く。日本の女性の高等教育進学率の高さを特徴づけていたのは短大の存在だが、一九九八年には初めて、女性の四年制大学進学率（27・5％）が短大進学率（21・9％）を上回り、同年齢の女性の半数が高等教育へ進学している（進学率の推移、文部科学省「学校基本調査」から）。

女の高学歴化の進行は日仏ほぼ同じだが、フランスの場合は、高学歴化とキャリア形成は同時進行だった(3)。しかし日本の場合、高学歴化とキャリア形成は同時進行しなかった。女のキャリア構造は、とりわけ第一期については、ほとんど変化がなかったと思われる。一九七〇―七四年に四年制大学に進学したと推定される卒業生のうち、4人に1人が結婚後も一定期間以上就業を継続したと見られるだけだからである。当時とくに民間企業は四年制大卒女性には門戸を閉ざし、就職したくても働き口がなかった。また、一九七五年ごろの進学者までは、四年制大学卒にはまだ「専業主婦は中産階級のシンボル」という価値観が強く生きていたということもある（盛山 2000: 10）。一九七五年以降、四年制大学卒の女性にも就職の門戸が開かれ、就労構造が多少変化し、M字型のボトムアップはゆるやかに進んだ。けれども第二期以降も、その基調は変わらず、図10-2が示すように、一九九九年に至っても、四年制大学・大学院卒の女性の年齢別労働力率は、M字型ですらなく「キリン型」になってしまっている。

このように、高度経済成長期における新中間層の広範な形成が「高学歴専業主婦」成立の条件をつくり出した。それに加えて、人口学的状態として、この時期が「人口ボーナス」期（落合 2000: 57-58）であり、労働力過剰と性別分業規範とが結びつき、既婚女性を家庭にとどめることになったことも条件として作用している。以上、「専業主婦」に高学歴がつくようになったのは、高度経済成長期以降、とくに一九八〇年代からである（杉村・米村 2000: 183-192）。

しかし一方、高度経済成長期（一九五五―七三年）に続くオイル・ショック以後の低成長期に、専業主婦の「パート化」が進んだ。その結果、一九八〇年まで増加傾向にあった専業主婦は減少し始め、一九八〇年代半ばには頭打ちとなった（『女性のデータブック』2005: 80）。働く女の2人に1人は既婚、3人に1人はパートである。そして、バブル崩壊後の経済不況、企業の倒産、リストラの進行のなかで、家計は大きく変化し、働く妻はますます増加し、二〇〇四年には一九七〇年の2・8倍の1244万人となっている（配偶者関係別女性労働力の推移、総務省統計局「労働力調査」から）。これは、「主婦転換率の減少（M字の谷の高まり）と再就職パターンの多様化（M字の二つ目の山の分化）」（杉村・米村

2000: 193）の進行を示している。だがそのなかで、もっとも高学歴の女たちが、いまなお「専業主婦」として家庭にとどまっている。なぜ日本では、女の高学歴化とキャリア形成が同時進行しないのか。高学歴化＝「脱主婦化」とならないのか。フランスと異なる、どのような背景があるのか。

2　国家政策と「高学歴専業主婦」

日仏比較から

フランスでは、なぜ女の高学歴化とキャリア形成が同時進行したのだろうか。それには、おもに二つの理由があげられる。一つは、フランスが資格社会であり、高学歴になることは、それだけよい資格をとり、よりよい職業に就くことを意味するからである（*Population & Sociétés* 2006: 3; 丸山 2005: 119-121）。特別な理由でもない限り、それを生かさないことは考えられないことである。

もう一つは、フランスがつねに人口減少の問題を抱え、労働力不足と出産奨励をどう政策化するかに直面してきたことである。戦後の「黄金の三十年」といわれた高度経済成長による市場拡大のなかで、一九六〇年代には、女を市場に引き出す労働政策がとられ、家族政策においては、一九七〇年代初めに、家庭にいる母親優遇策である母親手当が廃止され、新たに共働き世帯保育手当が創設され、子どもに対する家族手当の充実が図られる。女は生産組織と家庭の蝶番の位置にいるとされ、仕事と家庭の両立支援策がとられていく（Thibault 1986; 中嶋 1988）。国家が家庭にいる母親という単一の家族モデルのもとに家族政策を展開するのではなく、多様な家族形態を認め、中立的な立場から家族政策、社会政策を進めたことは、女が自立的に経済力をつけていくなかで、家族、男女関係の形態にさまざまな変化をもたらすことになった（佐藤、本書二一二頁、高橋 2003 参照）。

ではなぜ、日本では、女の高学歴化とキャリア形成が同時進行しなかったのか。それを見てみよう。

日本型モデルにおける家庭像

一九七三年オイル・ショックによって高度経済成長が終了したのち、一九七九年に自民党政府は、二十一世紀に向けての新たな国家像、社会像、家族像を示す一連の構想を打ち出した。それが『田園都市国家構想』であり、『日本型福祉社会』、『家庭基盤の充実に関する対策要綱』である。

まず、新たな国家像はもはや西欧型モデルはとらないとする。その理由は、

「日本は、明治維新以来、欧米先進国に一日も早く追いつくために、……近代化、産業化、欧米化を国家目標として掲げ、積極的にこれを推進し、……僅か一〇〇年間で〈近代化〉を達成し、高度産業社会の仲間入りを果たしたからである」（自由民主党『田園都市国家構想』：2-3）。

ではこれからはなにをモデルとすべきか。かくして、見いだされたのが「日本文化の特質」の再評価である。

「追いつくべき目標のなくなった日本は、これからの一〇〇年にどのような途を志向すべきか……〈近代を超える〉時代にどう対応していくべきかを各分野から検討した」（同上：4）。

「欧米の〈個人主義〉や〈個〉を否定する〈全体主義〉に対し、日本は〈個と全体の関係〉など大切にする〈間柄主義〉ともいうべき文化的特質をもつ。……〈田園都市国家〉は、西欧諸国の田園都市モデルに学びつつ……日本文化の特質を生かしつつ、脱工業社会文明への転換に対応する」(同上：4-5)。

こうして日本文化の特質を基礎とする日本型モデルの国家像が生まれる。この国家像における家庭像は自助努力の家庭である。

「日本の家庭も、明治以来……急激な変化にさらされ、……しかし、大部分の家庭は、自助努力の精神と人間関係を大切にする日本文化の特質を生かし、よくこの試練に耐え、活力に満ちた新しい家庭を形成しつつある。政府の施策は、このような自助努力を支援する方向で展開すべきであり……」(同上：7)。

こうした自助努力の家庭は、新しい社会像である「日本型福祉社会」の中核となる。

では、新しい国家像、社会像、家庭像において、女はどう位置づけられたのか。それは、『日本型福祉社会』の「第六章　日本型福祉社会をめざして」の〝ライフ・サイクルと生活の安全保障〟およびそれに続く〝家庭機能の見直しと強化〟の項に、個人のライフ・サイクルの例として、A氏とA氏夫人というモデル夫婦の一生として示される（自由民主党『日本型福祉社会』：169-210)。

A氏夫人の位置づけ

A氏は「大学を卒業して企業に就職し、結婚して家庭をもち、子どもをつくり、退職後は年金を受け取って老後の生活を送り、七十五歳で生涯を終える平均的な男性」とされる。結婚したA氏はおもな所得稼得者として経済的に家庭を支えるが、家庭の「経営」はA氏夫人にゆだねられ、A氏は「月給運搬人」になる。A氏にとって、A氏夫人は「母親に代わる主婦という存在であり、セックス・パートナーあるいは友人としての妻の存在」なのである（同上：179）。

A氏夫人像を見てみよう（同上：194-206）。A氏夫人は大学卒の高学歴の設定である。A氏夫人が大学に行くのは、職業に就くとか明確な目的があるわけではない。就職には大卒はむしろ不利だったりする。女が大学に行く目的、理由ははっきりしないが、教養や知性を身につけるためのようだ。A氏夫人は企業に勤めた後、二十五歳でA氏と結婚して退職する。二人の子を産み、三十五歳で子どもが学校に上る。

A氏夫人は、「夫から財布〈給料袋〉を預かり、〈家計あるいは所帯〉（household）を管理することを委託された〈家庭長〉あるいは〈家庭株式会社〉の〈経営者〉である」。「これは、夫が財布を握るアメリカ型の家庭の妻が〈雇われ経営者〉」であるのに対して、「〈オーナー経営者〉に近い」。子どもの教育は「家庭株式会社」の大事業で、年齢的にA氏は忙しくなるので、「教育ママ」に一任せざるを得ない。夫が「企業戦士」や「エリートサラリーマン」であれば、いっそう全面的にすべてを引き受けざるを得ない。かくしてA氏夫人は、「昔のサラリーマンの妻のように」、遡っては「江戸時代の武士」の妻のように、日本の伝統に連なり、「家庭を守る」のである。「多少ニューファミリー風の生活」をしても、「大多数は結局妻が〈家庭長〉の座を占める旧来の日本型家庭に落ち着くのである」。

しかし、昔のサラリーマンの妻と異なるのは、「〈家庭株式会社〉の日常業務である家事は、すでに家庭電化製品やインスタント食品の出現、学校給食……など極限まで〈省力化〉されている」ことだ。その結果、「A氏夫人は次第に暇になり、〈自由になる時間〉が増大することに気がつく」。彼女は、三十代半ばで母親の職から「定年退職」して老後の生活を迎える。

「定年退職」後のA氏夫人の選択肢は六つ。①完璧なプロの主婦になる。②「教育ママ」に徹する。③趣味に生きる。④学校や「お稽古事」に通う。⑤社交、PTA、ボランティア活動に熱中する。⑥かつて習得した技能、資格を生かして収入を得る。⑦パートに出る。

理想モデルは③か⑥であるが、今後は⑦が増えていくだろうと予測される。なぜなら「女性が結婚して家庭をもち、かつ外で働くには、大学を出て企業に入り、男子専用につくられた終身雇用制と年功序列制に挑戦して組織の中で一定の役割と地位を要求するより、いったん家庭の主婦となった上でパート・タイムで働く方が無理がない」からだ。

A氏夫人には、「家庭経営」と子育てに加えて、期待されるのが高齢化社会に向けて老親の介護と扶養である。なぜなら、もう一つの新しい家庭像を示す『家庭基盤の充実に関する対策要綱』の第一項で、「老親の扶養と子供の保育と躾は、第一義的には家庭の責務」とされたからである。高齢化社会を迎えるにあたって、日本型福祉社会の生活の安全保障システムを支える中心は、家族と家庭であり、その

「家庭長」であるA氏夫人である。A氏夫人は福祉の含み資産でもあるのだ。

ジェンダー表象としての高学歴専業主婦

以上、大学卒の高学歴専業主婦として家庭機能を一人で全面的に引き受ける役割を受けもつA氏夫人像こそ、新しい国家像における女の位置づけ、ジェンダー表象を示している。フランスと異なり、日本の国家政策では女のキャリア形成についてはまったく考慮せず、高学歴を家庭経営に直接生かすように求められている。女は、家庭内のジェンダー関係では、夫と妻のカップルというより夫の代行者も兼ねた独立した「オーナー経営者」であり、子どもと老親など世代関係では最終的な保証人となるのである。これが、男のあるべき姿「企業戦士」に対応する、女のあるべき姿なのだ。

こうして、一九八〇年代後半には、専業主婦が家庭責任を全面的に担う、その見返りと雇用調整策として、一連の専業主婦優遇策がとられた。すなわち、年金法を改正し、サラリーマン家庭の専業主婦のために新たに第三号被保険者枠（一九八五年）が設けられた。また、税制上の優遇措置として、配偶者控除の範囲内の年収一〇三万円以下であれば、専業主婦と見なされ、配偶者控除と特別控除（八七年）が適用され、非課税となった。さらに、年収一三〇万円未満であれば、社会保険の第三号被保険者として保険料が免除され、健康保険でも夫の家族として保険料支払いなしで、医療給付を受けられる。また、夫の企業から配偶者手当が支給される。これら一連の政策は、既婚女性の働き方を抑制し、いっそう「パート化」を促した（『女性のデータブック』1999: 94, 124）(4)。

これまで見たように、一九七〇年代後半から八〇年代の日本型モデルの国家構想は、夫は稼ぎ頭、妻は「高学歴」専業主婦という性別役割分担にもとづく単一の家族モデルのもとに、社会政策、家族政策を展開した。

一方同時期に、国は国連の『女子差別撤廃条約』批准（一九八五年）にあたって、国内法整備の必要から『男女雇用機会均等法』（一九八五年）を制定した。その結果、〝総合職・男女、一般職・女子のみ〟というコース別雇用制度が多くの企業で導入されることになった（『岩波女性学事典』2002: 328）。これは、高学歴女性にキャリア形成の道を一部開いたものの、仕事と家庭の両立支援策のないまま、「企業戦士」として男並みに働けというものだった。このように相矛盾する政策のまま、職場・家庭ともにジェンダー化が進んだ。

だから日本では、女の高学歴化とキャリア形成は同時進行しなかったのであり、フランスにはない「高学歴専業主婦」が層として存在する構造がつくられたのである。

3　主体としての「主婦」の論理と運動

では、国家政策のなかで、第一義的に「主婦」＝「家庭長」であれと位置づけられてきた当の女たちはどのような反応、行動をとってきたのだろうか。

戦時期、「主婦」たちは総動員体制の国策のもとに組織化されて、または自らを組織化して、国家、社会への回路、すなわち私領域から公領域へ直結した回路をもつ経験をした（加納、本書二七一頁参照）。戦後、女たちは、そうした経験から「主婦」としての自己認識、アイデンティティを基盤に、あるいはその問い直しや否定のなかで、運動を組織化し、または論争を行ってきた。主体としての「主婦」の論理は、新しい国家像における「高学歴専業主婦」像とどのような関係に至るのか。戦後に遡ってたどり直してみる。

「主婦」の論理の創出

一九四八年、奥むめおらを中心に「主婦連合会」（主婦連）が設立され、一九五五年には、平塚らいてうらを中心に「母親大会」が開催された。この二つの組織は現在に至るまで一定の動員力をもちながら活動を継続している。組織名にすでに見られるように、「主婦」あるいは「母親」という自己認識、アイデンティティのもとに、その立場からの女の主体化をはかる社会運動である。平塚らいてうは、かつて「元来母は生命の源泉であって、婦人は母たることによって個人的存在の域を脱して社会的な、国家的存在者となる」とし、「……これほど母の職能は社会的性質をもって居る……」と述べている。らいてうにとって、「母」こそは女の主体化の契機であった（『資料母性保護論争』1984: 89）。一方、「主婦連」の奥むめおは、主体としての自覚をもって「主婦」の論理(5)を創り出した。

奥むめおは、その著書『台所と政治――団結した主婦たち』（1952）において、次のように述べている。

「台所を動かす主婦の手は国家を動かしているのです」
「婦人は家庭内では大事な生産者です。そして、社会的には消費者です」
「女は弱い。しかし主婦（母）は強い。……母として、また妻として家族全員を双肩に背負っているから強いのだと信じたわたしは、この主婦たちが総結束して国家を、社会を背負ったらどんなに強いか……と思いました」
「台所の労働者よ、主婦よ、ひとり残らずみんなで団結しましょう」（同上：4-16）。

奥の「主婦」の論理とは、一つは、主婦＝母・妻は、家庭内では生産者で労働者であり、社会的には消費者であると位置づけ、その両面において女の主体化の契機を見いだそうとする論理である。もう一つは、私領域である家庭の台所は公領域の政治に直結しているのだから、主婦は、私領域から公領域への直結した回路をもっているという論理である。

成田龍一によれば、奥は「女性を消費の担い手として、働く＝生産の局面を捨象することにより、『消費』の論理にもとづく運動としての論理を明確にした」（成田 1995: 179）。しかし私から見ると、奥は、私領域内で、主婦が生産者であり、労働者であると言いたいのであり、奥のなかでは、働く＝生産者の局面は捨象されてはいない。だから、家から一歩出れば、主婦は消費者だと言い切れたのだ。

奥は、戦前は、『婦人と労働』、『婦人運動』を創刊し、働く婦人の問題、仕事と家庭の両立を訴えてきた人である。なぜ戦後、「主婦」をテーマにしたのだろうか。それは、広く女が結集する組織をつくるためには、「大多数の婦人にとって、主婦の生活の安定、生活の向上が一番力強く結びつけられる」

ものだったからである。だから、主婦連合会の象徴はかっぽう着とおしゃもじである。ここには、「家《え》主座《ぬし》」の名残りが見られる。

「（おしゃもじには）①主婦の座②煮物をかきまぜこげつかせない（集団生活のこつ）③ゆたかな食料をよそうこと（主婦の願い）④闘いとる＝めし取る心の意がこめられています」（主婦連合会1998）。

奥むめおの「主婦」の論理は、国家による「主婦」というジェンダー表象を全面的に引き受けることによって、母、妻である女の主体としての論理を立て、それによって国家・社会に働きかけるという構造になっていた。

主婦論争

戦後すぐの女性運動は、「主婦連」の奥むめおに見られるように、「主婦」の論理をつくり出した。その後高度経済成長期に、「主婦」の価値あるいは家事労働の価値をめぐって、主婦論争（一九五五―七二年）が起きた。論争は、前期（一九五五―五九年）と後期（一九六〇―六一年、一九七二年）に分けられる（上野 1982）。

「主婦」の論理の流れを汲むのは、前期では平塚らいてうらの主張する、近代産業社会批判としての主婦の社会運動論であった。消費と生産とは人間生活の両面で、それに上下、優劣はない、現代社会の奴隷となっている「主婦＝消費者」、「サラリーマン＝生産者」はともに解放のためにたたかうべきだとする。それは、後期主婦論争において、専業主婦が解放された人間か否かをめぐってなされた論争、すなわち夫と同じ「企業人間」になってこの企業社会を推進するのかという働く意味の問い直しにつながった。働く意味を「人間優先、生活優先」の論理にどうつなげるかの問題提起であった。

この論争のきっかけをつくった武田京子によれば、「人間が人間として存在するための価値を、生産人間より生活人間としての方に認める」のである。そして「生産労働こそ価値があるというのは、産業社会の論理である」とし、「〈生産〉より〈生活〉に価値をおくという主婦の論理を、男性も働く女性も巻き込んでいくことが……まず第一になされなければならない」のだ（武田 1972.4: 54-58）。

「主婦＝生活者」の論理

高度経済成長期（一九五五―七三年）は、日本を世界第二位の経済大国に押し上げた。しかし、効率優先の「大量生産、大量消費」の産業社会の論理によってもたらされた負の部分が、七〇年代頃から明確に現れてくる。公害、有害物質による複合汚染などの環境問題、「企業戦士」と呼ばれたサラリーマンたちの長時間労働。妻と子どもが家庭に取り残され家族の紐帯はゆるみ、地域には老人と母親と子どもしかいなくなったといわれた。都市郊外に分譲住宅が数多く建設され、性別役割分業にもとづく新中間層のニューファミリーが数多く形成されていった時期である。

こうした時代状況に、主婦たちは敏感に反応した。一九七〇年代、市民としての「主婦＝生活者」の論理を推し進めた社会運動が起こる。その代表例として、生活クラブ生協、ワーカーズ・コレクティブの運動、生活者ネットワーク運動をあげることができるだろう(6)。これらは前期主婦論争における主婦の社会運動論から後期主婦論争の「専業主婦こそ解放された人間像」(武田 1972)に連なる一つの系譜といえよう。これらの運動の中心的担い手になった主婦たちこそ、高収入の夫をもつ高経済階層の高学歴専業主婦だった。長時間労働で家庭不在の「企業戦士」の夫をもつ彼女たちは、時間という資源を自由に使えたことから、活動専業・主婦と呼ばれた(天野 1996: 220-221)。

その論理は、不在の夫に代わり、家庭全般を引き受けてきた主婦＝生活者の視点から、消費と生産の関係を見直し、消費者の視点から安全で環境にやさしい製品を生産する「もう一つの経済活動」を生み出そうというものだ。奥が「主婦」を家庭にいる生産者としてとらえ、社会的には「主婦」を消費者としてとらえたのに対し、「主婦＝生活者」として論理を立て、家庭内では消費者であり、社会的には生産者であろうとしたのである。それは、高度経済成長をもたらした効率優先の産業社会を批判し、代理人制度を「新しい社会運動」と位置づけているように、ある種のオルタナティヴ、対抗社会を志向している。

たしかに、この七〇—八〇年代の「主婦＝生活者」の論理と運動は、産業社会批判のオルタナティヴを志向し、一定の変革へのインパクトと成果を社会に与えている。しかし、主婦の生活基盤そのものが企業社会に働く夫の賃金に依存しているゆえに、すなわち企業社会を基盤とせざるを得ないゆえに、個人においても運動としても矛盾を孕んでいた。

同時期、女性運動の側からも、労働の意味をめぐって、女が働くことと産業社会批判を結びつけた加納実紀代「社縁社会からの総撤退を」(加納 1985)、『働くフェミニズム/働かないフェミニズム』(小倉・大橋 1991) などが出版された。加納は、「労働における疎外の昂進」に対して「私の解放戦略は、まず女たちが社縁社会から総撤退することである。……マイホームの枠をこえた住縁・知縁のネットワークで、使用価値のある仕事をつくりだすのだ」と提起する。そして、その一つの例として生活クラブ生協のワーカーズ・コレクティブを評価する(加納 1985: 28-29)。

このように、日本の女性運動では、女、とくに主婦が働くことと近代社会批判、産業社会批判が結びつけられる傾向がある。生活クラブ生協、ワーカーズ・コレクティブ、生活者ネットワーク運動もまた働く意味を問い、女の働き方を産業社会批判と結びつけている。こうした傾向は、フランスにはない。フランスでは、産業社会批判と女が働くことはそれぞれ別の論理によっているからだ(7)。

以上、日仏とも近代の「男は外、女は内」という性別役割分業体制という点では同じだとしても、「主婦」の論理から見えてくる、私領域と公領域の関係、男女の性別二分化のあり方は大きく違う。フランスではウーマン・リブでもフェミニズムでも、女の主体化の論理とは、私領域(家庭)から公領域に出る、つまり男のように働くことが前提となった。しかし日本では、主婦リブ、主婦フェミニズムが、「主婦=生活者」の論理と重なり、ある種の対抗社会をめざす運動となった。それを見るためには、「主婦」の論理の歴史を考える必要がある。

4　「主婦」の論理の歴史

政治的存在としての女―私領域から公領域への回路の形成

小山静子によれば、「主婦」という言葉は、明治初年にhousewifeの翻訳語として登場してきた言葉である。同時に入ってきたhouseholdには家庭管理を示す「家政」という翻訳語があてられた。

これらの言葉が今日のような意味で本格的に使われるようになったのは、明治二〇年代以降である（小山 1999: 33）。この「主婦」という言葉は、明治期からの近代国家形成において、国家・社会が位置づける女性像の中心的観念になった。とくに第一次大戦後に新中間層が形成されてくると、「主婦」は、輸入された新しい家族観である「家庭（home ホーム）」とともに、新中間層の女たちに浸透していく。「主婦に求められた任務は、家事レベルにとどまらず、それにもまして家族の精神面のケアが重視され、家族の情緒結合の中心になること。すなわち、〈和楽団欒〉の源泉になることが最重要職務であった」（犬塚 1989: 57）。

このように「家庭」は主婦の管轄とされ、女の領域となった。同時期に輸入された「良妻賢母」、「母性」の女性像を背負った主婦は「一家団欒」の中心であり、家事・育児は質の高さを求められる高度な仕事となっていった。

女の領域化した「家庭」という私領域を、公領域である政治に直結する回路が形成されたのは、国家の介入を通してであった。一九二〇年代でまだ全国民の5〜8%にすぎない新中間層が提示する「家庭」像は、国家にとっては家族を国家の基盤とするための装置であった（小山 1999: 38-39）。この「家庭」は、生産と再生産（家事・育児）(8) と消費の場ではなく、生産から切り離され、再生産と消費の場となり、「主婦」は再生産と消費の担い手となる。「家庭」の安定と質の向上のためには、「主婦」たる女の能力の向上は不可欠の条件だった。政府は「生活改善運動」を通して、「女性を啓蒙し、生活改善を決定・実行していくために、女性を委員や社会教育における講師として登用する」

「『家庭』が女性領域となり、女性が家庭内役割の責任主体となったことは、女性と社会と国家との直接的な関係の構築、国家による女性の可視化を生み出した。そして、このことは、女性にとっての『地位』の向上ととらえられていた」（同上 : 266）。

つまり、女は「家庭」の責任主体となることで、夫や子どもを介さずに、また外に出て働かなくても、参政権を得ていなくても、政治的存在として私領域から公領域へ直結する回路を手にしたのだ。こうして、国家は政治的存在としての女を主体ととらえ、動員というかたちで国民（臣民）として国家に組み込んでいったのである。後に奥むめおが発見する「台所と政治」をつなぐという視点は、すでに当時の婦選同盟の視点でもあったが、さらにそれ以前に国家の介入を通して形成されていたのだ（同上 : 247）。

このように、戦後に「主婦」の論理が創出されてくる歴史的背景には、日本の国家政策における女の位置づけがあったのだ。時系列で見ると、まず日本が近代化し、西欧と対等となるために、性別二分化された一夫一婦制というジェンダー表象が輸入された。その一婦の方にあてる言葉として housewife が輸入され、「主婦」という翻訳語があてられた。しかし、ここでずれが生じた。housewife は「家〈にいる〉妻」のことで、フランス語でも femme au foyer（家庭〈にいる〉妻）といい、あくまで夫に対する妻である。それが日本では夫に対する妻ではなく、「主婦」になってしまった。そして「主婦」は、近代国家形成の過程で、女の位置づけを示すもっとも重要な表象となっていった。この位置づけは、戦前・戦後と連続し、「主婦」の論理はそれと連動する関係にあることがわかる。

精神的存在としての女

前述したように、主婦＝母・妻としての女は「家庭」の責任主体で、その精神的・情緒的紐帯の中心と位置づけられた。ところが、この精神的紐帯とは、女が精神文明を担うことを含意するまでの深さをもつものだった。これは、明治期に国家が西欧からジェンダー表象を輸入し、応用していく際に、西欧との決定的なずれが生じていった結果でもあると思われる。

ボーヴォワールの『第二の性』（一九四九年）によれば、西欧の女性表象の歴史において、「男は精神、女は物質」として位置づけられ、男は文化に、女は自然に近いとされ、女が「第二の性」とされる根拠となっていた。しかし、日本では両性の特性論による女の高等教育が構想されていく際の議論において、そのずれが現れてくる。

たとえば、『婦人問題』（大正八年一月号）で、当時の日本女子大学学長成瀬仁蔵は「光輝ある婦人の使命」において、十九世紀は物質文明の時代で行き詰まっているとし、「今後の世紀、精神文明の機会は女子の特性によって開かるるを俟つもののようである……」と述べている[9]。また、早稲田大学学長平沼淑郎は、同号の「二十世紀の精神革命は婦人の職」において、「物質文明は男子の専売である。……要するに男子の作った文明は根本に於いて大に野獣性を含んでいる。女子に比すると、男子は野獣性を多く有っているから、従って女子よりも乱暴である」[10]。これを正すには、女子による精神革命が必要であるとしている。

両論とも、男は物質文明を代表し、女は精神文明を代表するという、完全な男女二元論に立っているが、両性の特性は西欧の「男は精神、女は物質」という男女二元論とはまったく逆になっている。当時の欧米における両性の特性論において、少なくとも男女の特性をこのように配分することは想像できない[11]。両性の特性論、すなわちジェンダー表象が輸入される際に、完全に逆転されてしまったのだ。

たしかに、明治民法はフランス民法典をモデルの一つにしており、家族内における権力構造において、夫権が絶対で、女はそれに従属し、法制度上無能力者とされ、公領域への参加（選挙権）を禁じられていた点では同じである。また、女は妻かつ母でなければならないことも同じである（Houbre 2004: 89-97）。明治民法では家が単位として考えられ、フランス民法典では夫婦家族（la famille conjugale）が単位として考えられていたという違いがあるにしても、法的存在としてはほぼ同じであった。しかし、大正期に新中間層が「家庭（ホーム）」を形成していく過程で、良妻賢母としての主婦は精神文明を担う役割を負ったのだ。

以上3、4節で述べてきたように、「主婦」の論理は、戦前の国家政策を通して表象されるジェンダー像＝「主婦」を主体的に引き受けつつ、戦後においても公領域、政治領域への直接的な回路を開いていったといえる。奥むめおの「主婦」の論理は、一九七〇―八〇年代の「主婦＝生活者」の論理へと引き継がれるなかで、「高学歴専業主婦」をモデルとする国家政策に対してわれ知らず自分から同化する関係となってしまった。

この、われ知らず国家政策に自分から同化する関係になってしまった、「主婦」の論理にもとづく女たちの主体のありようを「共犯的主体性」と名づけたい(12)。この「共犯的主体性」という言葉は、性別二分化においても公私領域においても明確に分離されていない主体のありようを指す。「男が主体で、女が他者」という欧米の「主体・他者」論の枠組みにおいても、日本の女の「主体化」の論理においても、この言葉は有効に使えると考える。

5 「主婦化」と「脱主婦化」の二重基準

「脱主婦化」の政策

これまで述べてきたように、国家政策による、新中間層を中心にした女の「主婦化」は明治期に始まり、戦後の高度経済成長期における新中間層の広範な形成を通して、一九七〇年代にジェンダー表象、実体ともに大衆レベルに浸透し、性別役割分業体制が確立した。

しかし一方で、国は、国連の人権宣言・規約にもとづく世界的な女性の地位向上、ジェンダー平等推進の流れのなかで、国連婦人の十年（一九七五―八五年）を経て、一九八五年「女子差別撤廃条約」を批准した。そのために、すでに述べたように、女性差別撤廃の視点から、男女雇用機会均等法の制定、国籍法の改正、家庭科の男女共修の実施を行い、同条約や世界女性会議の北京行動綱領などを理念とする国内行動計画を策定してきた。そして、一九九九年に国は「男女共同参画社会基本法」を制定した。つまり、女性の「主婦化」の確立期から、それとは反対の方向性をもつ政策も、いちおう同時平行に施行してきたのである。

男女共同参画政策では、「男は仕事・女は家庭」という性別役割分業を土台とする家族モデルではなく、性別役割分業体制と性役割意識の解消が含意され、男女が対等に社会に参画できる、「男女の社会における活動の選択に対して及ぼす影響をできる限り中立的なものにするような」社会制度と慣行の構築がめざされている。「脱主婦化」の可能性が内包されているといってよいだろう。たしかに、少子高齢社会を乗り切るための女性労働力の活用が含意され、女性の労働と家事の二重労働という新性別役割分業の危険性が孕まれているとしても。

二重基準の意味するもの

一九九〇年代のバブル崩壊と少子高齢化の急激な進行、グローバリゼーションのなかで、国家政策による「主婦化」と「脱主婦化」というまったく正反対の女性の位置づけを示すこの二重基準は、何を意味するのか。これは、国家政策によるものなのか。すなわち、日本の「後進性」が、明治期以来の文明化＝西洋化＝近代化のなかでつねにとってきた、国際社会に対する内と外の二重基準の使い分けの現れと見なすべきなのか。それとも女性の主体化の運動の流れからきているのか。

これは、日本の女性運動の成果であるともいえるが、しかしよりマクロに見れば、グローバリゼーションを生き抜くため、ジェンダー表象をめぐる国家の新たな「微調整」であり、この「微調整」をはかるうえで、日本型モデルの部分的修正を迫られた結果が、「男女共同参画社会基本法」や介護の社会化をはかる「介護保険法」の成立（一九九七年）であり、専業主婦優遇策の現在の見直し論なのだと思う(13)。育児の社会化もさらにはかられるだろう。バブル崩壊後、少子高齢社会の経済立て直しのなかで、女の労働力の活用が必要になったのだ(14)。「脱主婦化」の方向もこの「微調整」の枠内で進んでいくと思われる。

6　「高学歴専業主婦」はいなくなるのか

では、「高学歴専業主婦」の存在は、なくなるのだろうか。当面なくならないだろう。なぜなら、いままで述べてきたように、日本型モデルが根本的にモデル・チェンジしたわけではないからだ。それは、いまなお国家による女の位置づけの象徴であり、社会構造・制度・規範・意識は基本的には変わっていないからである。そして、一九九〇年代のグローバリゼーションのなかで経済戦争を生き抜くための総力戦体制としてそれらはまだ維持されているからである。また、女の側にもこのジェンダー表象を受け入れる「主婦」の論理は残っているからである。それは、最近の若い女性たちの保守化傾向を示す「男は仕事・家庭、女は家庭・趣味」という新・新性別役割分業意識のなかにも見られる（『女性のデータブック』2005: 146）。

ニュー・エコノミーといわれる市場・雇用構造の大きな変化（終身雇用、年功序列の減少、非正規雇用の増大など）と少子高齢化の進行のなかで、専業主婦優遇策の見直しが進めば、これまで専業主婦であった女たちも労働力として、稼ぎ手としてこれまで以上に労働市場に出ていくだろう。また、高学歴女性のうち、就労を継続する女性たちも増えている。しかし、夫の収入だけで暮らせる、一部の高賃金階層のエリート男性社員の高学歴の妻たちは、結婚・出産で退職した後、相変わらず「高学歴専業主婦」として残るだろう。夫の不在のなかで、家事・育児・教育・介護を一手に引き受けながら。それが階層の再生産あるいは上昇という階層幻想と連動している限りは。

おわりに

本論では、日仏の比較により日本における女の年齢別労働力率のM字型の継続と学歴別労働力率から「高学歴専業主婦」の存在に注目し、それが、日本の近現代の国家政策による女性表象の中心にあること、それに対して女たちがどのように反応してきたか、国家政策と「主婦」の論理が連動し、女たちがわれ知らず自分から同化する関係について述べてきた。それらを以下にまとめてみる。

1. 日本が近代化し、西欧と対等になるために、性別二分化された一夫一婦制という西欧のジェンダー表象が輸入されたこと。

2. しかし、近代天皇制国家建設の過程と総力戦体制のなかで、このジェンダー表象が応用される際に、日本的に「ずれ」て、妻ではなく、主婦となってしまったこと。

3. この「ずれ」たジェンダー表象は、断絶することなく、戦後の経済の総力戦体制のなかで維持されたこと。その後、経済大国となり、西欧のキャッチ・アップは終了したと見なされた後は、自助努力の日本型モデルのなかに明確に位置づけられたこと。

4. しかし同時に、女性の地位をめぐるジェンダー平等の国際基準と少子高齢化の同時平行のなかで、国は、日本型モデルの修正をはからざるを得なくなり、「主婦化」と「脱主婦化」の二重基準が進行していること。

5. 女たちは、「主婦」というジェンダー表象をその「ずれ」において受容し、「主婦」の論理から社会批判を行い、女の主体化をはかろうとしてきた。しかし、「主婦」の論理は国家政策に対して、われ知らず自分から同化する「共犯的主体」ともいうべきものにとどまっていること。

現在、ジェンダー平等に向けた「脱主婦化」の国際基準そのものを否定しようとするバックラッシュが国家政策の内部に生まれている(15)。そのようななかで、「共犯的主体」から脱するために、「主婦」の論理の何を継承し、何を革新するべきなのか。継承すべきは、対抗社会をつくるための生活者の論理、すなわち「女なみ平等」への論理の模索であり、革新すべきは、主婦自身による、私領域と公領域を直結させる回路への依存とそこからの脱却ではないか。それこそが、「共犯的主体」としての主婦を動員する装置なのだから。

注

(1)「活動専業・主婦」は、一九八〇年代に芝実生子が命名した。職業を持たず、環境問題や消費者運動、政治参加など地域活動を活発に行う既婚女性。高学歴・高経済階層主婦による社会変革活動の活発化から生まれた。「主婦フェミニズム」、「主婦リブ」は、こうした「活動専業・主婦」に重なる。

(2) 一九八七年にフランスのマルセイユの女性センター(CODIF)を訪れ、フェミニストの女性職員たちにインタビューした際、一九七〇年代のウーマン・リブの影響で、学歴のある女たちは考え方を変えて働き始め、労働者階級の女たちは生活のために働いているので、ほぼすべての女たちが働くようになったと語った。

(3) フランスの統計資料に女性の年齢別労働力率と学歴別をクロスしたものは見当たらない。しかし、出産後の離職率、職業活動縮小率がもっとも低いのは、もっとも高学歴の層である(*Population & Sociétés* 2006: 3)。また、三歳以上の子どもをもつ母親の83%が就労していることは、労働年齢のほぼすべての女が就労していると考えられる。

(4) すでに一九六一年以降、配偶者控除が導入され、結婚退職制度、社内結婚禁止とともに、女の主婦化を助長した（杉野・米村 2000: 182）。

(5) 成田龍一は「主婦」の創出の論理と呼んでいる（成田 1995: 180）。私は、すでに「主婦」は明治期に国家によって創出されているので、奥むめおはそれを引き受けて「主婦」の論理を創出したと考える。

(6) 生活者ネットワークは、生活クラブ生協が取り組んだ政治参画運動である。課題解決のために、主婦を市民の代表として議員（代理人）に選出し、地方議会に送り込んだ。資料は、神奈川ネットワーク運動のホームページの「神奈川ネットワーク運動のあゆみ」ほか、生活クラブ生協およびワーカーズ・コレクティブのホームページから得た。http://www.kgnet.gr.jp

(7) 逆説的であれ、日本で、近代産業社会批判と女性が働くことが天秤にかけられるのは、女性にとって、私領域が自分の場であり、抵抗の場たりうると観念されているからではないか。ただし、この女性の側からの働くこと、労働の意味についての問い直しは重要な視点だと考える。

(8) フランスでは、再生産 reproduction は生殖の意味で使われ、日本で再生産労働といわれるのは、家内労働 travail domestique と呼ばれている。マルクスの用語としても再生産 reproduction は家内労働のような意味には使われていないようだ。

(9) このずれを最初に発見したのは、棚沢直子である（棚沢 1996 参照）。成瀬仁蔵（1918; 1919）、平沼淑郎（1919）、下田次郎（1919）。

(10) 二〇〇三年の日仏女性資料センター（日仏女性研究学会）主催の日仏シンポジウム「〈母〉〈父〉どこ

までできたか?」で、高名な小児科医のアルド・ナウリ氏は「女は動物に近いから」と発言し、会場に一瞬どよめきが起こった。「男は文化、女は自然」という男女の表象が西欧でいかに根深いかを示すものだ。

(11) 大正期にゲオルク・ジンメルの女性文化論が紹介されている。だが、ジンメルのいう女性文化はあくまでも男性の「客観的文化」に対し、二次的な位置にとどまる。

(12) この言葉は、二〇〇〇年パリでの日仏女性研究学会シンポジウムの際に棚沢直子と中嶋公子がはじめて用いた。本書二九九頁参照。

(13) 専業主婦優遇策見直し論議の最大の争点は、社会保障制度を世帯単位から個人単位にすべきかどうかである。実際に見直しが行われたのは、配偶者控除に上乗せられた「配偶者特別控除」の廃止のみで、二〇〇三年から施行された。

(14) 日本経済新聞社編(1998: 167-169)によると、日本の専業主婦1333万人。サラリーマンの妻の5割は専業主婦(米国は3割)。500万人が専業主婦をやめて働きに出たら、日本の経済成長率は出ない場合に比べて、0・3ポイント高くなり、2・5%になると推定されている。

(15)「男女共同参画社会基本法」制定後、加速されてきた男女共同参画の流れに対して、バックラッシュがここ数年激しくなってきた。この流れの背後にフェミニズムがあるとして、批判、攻撃の矛先はおもに「男女共同参画条例」「ジェンダー・フリー教育」「性教育」に向けられている。とりわけ、パブリック・コメントの手法で集団的に、同一文言で批判してくる。バックラッシュ派は「新しい歴史教科書をつくる会」、宗教的保守団体、国会~市町村議員、草の根保守活動家、ナショナリストなどがネットワークとなり、メディアも一役買っている。

参考文献

天野正子 1996 『「生活者」とはだれか』中公新書
伊藤雅子 1973 『主婦とおんな』未来社
井上輝子・上野千鶴子・江原由美子編 1994 『日本のフェミニズム1 リブとフェミニズム』岩波書店
『岩波女性学事典』2002 井上輝子ほか編 岩波書店
犬塚都子 1989 「明治中期の〈ホーム論〉—明治一八—二六年の『女学雑誌』を手がかりとして」『お茶の水女子大学人文科学紀要』42: 49-61.
岩堀容子 1995 「明治中期欧化主義思想にみる主婦理想像の形成」脇田晴子、S・B・ハンレー編『ジェンダーの日本史』下 東京大学出版会
上野千鶴子 1982 『主婦論争を読む』Ⅰ・Ⅱ 勁草書房
大沢真理編 2000 『二一世紀の女性政策と男女共同参画社会基本法』ぎょうせい
大沢真理 2002 『男女共同参画社会をつくる』NHKブックス
奥むめお 1923-41 『婦人運動』職業婦人社
奥むめお 1941 『花ある職場へ』文明社
奥むめお 1942 『新女性の道』金鈴社
奥むめお 1952 『台所と政治——団結した主婦たち』全国社会教育連合
奥むめお 1988 『野火あかあかと』ドメス出版

小倉利丸・大橋由香子 1991『働くフェミニズム／働かないフェミニズム――家事労働と賃労働の呪縛?!』青弓社
金森トシエ・天野正子・藤原房子・久場嬉子 1989『女性ニューワーク論』有斐閣
落合恵美子 1997『二一世紀家族へ』ゆうひかく選書
落合恵美子 2000『近代家族の曲がり角』角川書店
鹿嶋敬 2000『男女摩擦』岩波書店
鹿野政直 2004『現代日本の女性史』有斐閣
加納実紀代 1985「社縁社会からの総撤退を――具体的解放戦略を提起する」『新地平』11: 18-31.
木本喜美子 1995『家族・ジェンダー・企業社会』ミネルヴァ書房
熊沢誠 2000『女性労働と企業社会』岩波新書
小山静子 1991『良妻賢母という規範』勁草書房
小山静子 1999『家庭の生成と女性の国民化』勁草書房
佐々木毅・金泰昌編 2002『公共哲学3　日本における公と私』東京大学出版会
下田次郎 1919「戦後の女子教育」『婦人問題』(大正8年) 1月号: 236-260.
自由民主党 1979『田園都市国家構想――田園都市国家構想研究グループ』大平総理の政策研究会報告書2　大蔵省印刷局
自由民主党 1979『家庭基盤の充実に関する対策要綱』大平総理の政策研究会報告書3　大蔵省印刷局
自由民主党 1979『日本型福祉社会』自由民主党研究叢書8　自由民主党広報委員会出版局

主婦連合会 1998『主婦連五〇周年記念 歩み』
『女性のデータブック』2005（第4版）井上輝子ほか編 有斐閣
『資料母性保護論争』1984 香内信子編 ドメス出版
杉野勇・米村千代 2000「専業主婦の形成と変容」原純輔編『日本の階層システム1 近代化と社会階層』東京大学出版会
盛山和夫 2000「ジェンダーと階層の歴史と論理」盛山和夫編『日本の階層システム4 ジェンダー・市場・家族』東京大学出版会
瀬地山角 1996『東アジアの家父長制』勁草書房
高橋雅子 2003「フランスにおけるカップルの生活形態—婚姻、ユニオン・リーブル、パクス」『Bulletin du CEFEF』3: 1-16.
武田京子 1972「専業主婦こそ解放された人間像」『婦人公論』4: 52-59, 8: 106-112.
利谷信義 1987『家族と国家』勁草書房
棚沢直子 1996「イリガライの母娘関係論を読む—日本・西欧比較の方法に向けて」水田宗子・北田幸恵・長谷川啓編『母と娘のフェミニズム——近代家族を超えて』田畑書店
中嶋公子 1988「フランスの家族政策と〈第三子〉」『女性空間』日仏女性資料センター（日仏女性研究学会）5: 52-61.
成田龍一 1995「母の国の女たち—奥むめおの《戦時》と《戦後》」山之内靖、ビィクター・コシュマン、成田龍一編『総力戦と現代化』柏書房

成瀬仁蔵 1918「女子高等教育の必要」『婦人問題』（大正7年）11月号：171-188.
成瀬仁蔵 1919「光輝ある婦人の使命」『婦人問題』（大正8年）1月号：168-174.
日本経済新聞社編 1998『女たちの静かな革命――「個」の時代が始まる』日本経済新聞社
原純輔編 2000『日本の階層システム1　近代化と社会階層』東京大学出版会
樋口美雄 2004『女性たちの平成不況』日本経済新聞社
平沼淑郎「廿世紀の精神革命は婦人の天職」『婦人問題』（大正8年）1月号：175-182.
ジャンヌ・ファニャニ 2006「家族政策・カップル・ひとり親家庭―《働く母親》モデルの地位向上」『女性空間』23: 134-148.
丸山茂 2005「フランス女性の地位と家族政策の基調」『家族のメタファー』早稲田大学出版部
山之内靖、ビィクター・コシュマン、成田龍一編 1995『総力戦と現代化』柏書房
労働省女性局編 2000『女性労働白書　平成11年版――働く女性の実情』財団法人二一世紀職業財団
シモーヌ・ド・ボーヴォワール 2001『決定版　第二の性』全3巻　『第二の性』を原文で読み直す会訳　新潮文庫

Arai Misako et Sébastien Lechevalier 2003 “Japon 20 ans de politiques de promotion de l’égalité hommes-femmes au travail.” *Chroniques International de l’IRES* n° 85 novembre.
Femmes et Hommes Regards sur la parité 2004 INSEE.
Houbre, Gabrielle 2004 “Mère-père-enfants: l’économie du pouvoir au sein des familles françaises（1850-1940）.”

『女性空間』21: 89-97.
Population & Sociétés 2006 n° 426 septembre. Paris: INED.
Thibault, Marie-Noëlle 1986 "Politiques familiales, politiques d'emploi." *Nouvelles Questions Feministes* 14-15: 147-161.

第Ⅱ部まとめ　どのように日本ジェンダー史を通観するか

棚沢　直子

第二部は日本ジェンダー史を通観した。まず古代の専門家ふたり、そのひとりは中世、近世までもカヴァーし、次に近代の研究者ふたり、最後に一九七五年以降の現代に焦点をあて分析するふたりと総勢六人があたった。通観といっても、その一歩を踏み出したかどうかの程度にすぎない。

古代王権専門の荒木敏夫は、六世紀末―八世紀末の間にある九二年間が八代六人の女帝統治の時代であり、これは中国史・朝鮮史と比較しても「極めて特記すべき事実」だと指摘する。荒木は六世紀に創設された「最高位のキサキ」制度から始める。この制度基盤がなかったら女帝統治もなかったと。女帝推古、皇極＝斉明、持統、元明は、最高位のキサキの経験があり、王の死後に即位したからだ。この地位のキサキには政治権力を行使できるいくつかの重要な役割があった。王の共同執政者、王の代行者、王権の次代継承の保証者としての役割である。その背景には、政治権力の行使に際して荒木によれば「性差を問わない」当時の時代的環境があったからだ。

とはいえ、女帝だけに課せられた特別の条件がある。それは再婚しないことである。荒木はその理由を不明とするが、女帝にも特定王族の血統の王権を次代へ継承させる役割があったからだと考えるのは単純すぎるだろうか。というのも、八世紀にはいると女帝選定に際して共同執政の経験より特定王族の血統の方が重視され、元正、孝謙＝称徳など不婚の女帝が誕生するからである。自分の血統を守るのに複数の婚姻相手が許される男帝と、自分の血統と同じくするとはいえ男の血統を守るために不婚が強制される女帝との間には、大きな性差があり、すでに男女の序列化がある。

八世紀から女帝統治の終焉に向けて時代が動き出す。八世紀最後の女帝称徳の死後に最高位のキサキとなる井上皇后はその地位をすぐに剝奪されてしまう。荒木はこれを最高位のキサキ制度の事実上の終焉とした。以後、女帝の出現は十六世紀までない。

最後に、荒木は王とキサキたちの居住空間に言及する。なんと彼らは宮城の中で同居しなかった(!!!)。八世紀の王は男帝も女帝も定められた特別区域に居住した。八世紀のキサキたちは、一般庶民も居住する区域に独自の「家」(家政機関)をもっていた。これは八世紀以前の王とキサキたちの居住の歴史を継承したと考えられると。

荒木の論考を出発点にすれば、何が推理できるか。

第一にジェンダー関係について。八世紀までは少なくとも王の「家」において王とキサキたちは同居しないのが一般的だった。この居住空間からすれば、彼らは相対的に独立した関係にあった。

荒木はこの時代を「男女というふたつの中心の時代」と表現している。

第二に世代関係について。王の「家」は夫婦別居・世代同居で営まれた。この居住空間から見ればジェンダー関係より世代関係の方が緊密だったと推理できないか。前者は何よりも後者を保証するものとしてあったようにみえる。

第三に法体系と国家政策の関係について。重要な法体系が外部から輸入されるとき、「実際の姿は法の規定と大きく異なって」くるようだ。この《ずれ》は慣習的な行動様式だけでなく、光明皇后の詔勅のように国家政策の文書にも表れる。国家政策は法体系の枠組みから外れることもある。

平安から江戸まで論じた服藤早苗は、政治権力、居住空間、性愛の観点から女の位置を通観した。この千年間は、九世紀から明確になってきた男女の序列化が、十―十一世紀を通じて天皇家中心の支配層で確立し、十九世紀までの間に一般庶民層へ拡大する過程である。

第一に政治権力からの女の排除について。九世紀に支配層で政治権力からの女の排除が始まる。皇后の役割は天皇の後継者を産むことだけになる。代わって天皇の母がときに「国母」として権力を行使できた。政治権力を行使する女の位置は、「皇后の執務室（常寧殿）が国母の執務室となったこと」を思えば、妻から母へ移行したといえるのかもしれない。九世紀後半には摂関政が始まり、十二世紀には院政になるが、その間にも国母が摂関の人事や天皇のキサキ選びに、絶大な権力を行使した例もある。一般庶民層では十世紀にすでに女は神祭りの長に就任できなかった。ただし村落経営の場では村の男女全員が年齢順に座り年長者が若者から饗応を受けていた。

中世の武家政権では、将軍の死後に妻が父権の代行と母権を行使し息子の将軍を後見する例があり、戦国時代では大名の出陣の間、妻には「家臣に命令し、支配領域を統括し、息子たちを教育する公的役割」があった。一般庶民層でも「男女がともに公的な村落維持に役割を果たしている」。ただし、村祭りの場で「男の座と女の座が別に設定された」。

近世になると将軍家でも各地の大名家でも「女は権力の場からほぼ排除された」。一般庶民層でも村祭りの場から「基本的に女は排除された」。支配層から始まった政治権力からの女の排除は一般庶民層にまで拡大した。

第二に「家」の成立にともなう男女の序列化について。十世紀に貴族層で夫婦同居の「家」が成立する。この「家」は、妻の両親と同居する妻方居住婚から始まり、やがて独立居住婚の単婚家族の空間になっていく。十一世紀半ばの貴族層の単婚家族内では、男女の序列関係の可視化はまだそれほど明確ではない。一般庶民層のあり方は服藤の論考からは不明である。

中世には「公家・武士・有力農民層で経営単位としての家が確立する」。また中世前半の独立居住の単婚を経て、中世後半には「武士から庶民まで次第に結婚当初から嫁取婚」＝夫方居住婚になる。それでも家構成員の統括権・衣料食料の管理分配権をもつのは家妻だった。貴族・上層武士層では、公的な接客用の座敷が家長の場、私的な寝室や居間が家妻の場となった。家長が留守のとき家妻が座敷で家長の代行をすることもできた。一般庶民層では接客用の座敷はなく塗籠（寝室・納戸）つきの居間があり、塗籠の前の家主座《えぬし》には家妻が、横座には家長が座った。この配置は納戸にある家産全体の管理権が妻にあることを象徴した。

近世になると、「どの階層でも」妻は家長を代行できなくなる。代わって「息子や家臣が家長を継承し代行した」。村祭りの場に女の座がない地域も多くなる。女に残された役割はおもに衣料食料の管理分配になった。女は次第に家の奥へ閉じ込められていく。家の確立は男女の序列化をさらに進行させせた。

第三に男による女の性愛支配の進行について。平安時代では貴族層・一般庶民層とも正式な夫がいないなら、女の性愛は自由だった。十世紀から買売春が始まるが、遊女は「貴族の正式な妻になり、その子は父の政治的地位を継ぐ場合もあった」。中世でも貴族層・武士層・一般庶民層ともに、不婚の女の性愛は自由だった。離婚も多かった。中世を経るうちに女から男へ遊女屋の経営は移行する。近世では「武士の妻や娘の貞操はある程度強制されたが、町人や農民は結婚前には女の性愛は自由だった」。しかし、妻の性愛は夫に支配され、買売春は男に管理搾取された。

一九一〇年代までの近代を論じた舘かおるは、美子皇后、出口なお、平塚らいてうを通して、女と権力や表象との関係ならびに女の主体性のあり方を考察した。

明治政府は、近代の男女の位置を国内外に示そうと、性別二分化された西欧の一夫一婦制を模倣して美子皇后のイメージを創った。美子皇后は、政治権力の行使の場から排除されながら、政治権力の表象の場には姿を見せるべき存在として、国家権力により創られたのである。与えられた役割を主体として果敢に演じた美子皇后を、舘は国家権力との《共犯的主体性》の至高の具現者と位置づけた。

大本教の教祖出口なおは国家権力の激しい批判者だった。なおは天皇・皇后ふたりを並べるような性別二分化した西欧化の表象とは異なる男女の形態を提示した。布教に際してなおは女の身体に男の権威と権力をもつ「男霊女体」「変性男子」の神になったと述べる。近代の性別二分化に逆らいつつ、霊と体の二分化は踏襲し、近世からの男尊女卑に沿って権威と権力の側に立つなお。権力表象と権力そのものを双方とも付与された天皇の霊性を批判して自分を神格化するなお。彼女は、「女霊男体」「変性女子」たる出口王仁三郎と互いに《共犯的主体》の関係となって、国家権力に対峙した。

平塚らいてうが女性運動の旗手になるまでには生死を賭けた「主体の探究」があった。らいてうは臨済禅に親しみ「自己即ち神」「自己即ち仏」の境地に立つことを希求する。彼女もまた自分を神とした。女が主体になるには男尊女卑的な自己否定から全的な自己肯定へと転換する必要があったからだ。しかし、彼女の提唱する「自他一つ」が「同じ体内にある」ような主体は、国家権力が総力戦に向けて「没我帰一」を強制的に迫ってくれば、われ知らず国家に一体化してしまう。平塚らいてうもまた、女性解放の方途を模索しつつも、国家権力との《共犯的主体》になる可能性を秘めていた。

加納実紀代は一九三一―四五年の昭和期における「銃後の女」を検証した。

第一に国内における「銃後の女」の役割について。一九三八年の国家総動員法による女への国家政策は、明治期からの良妻賢母の称揚とは異なっていた。武力戦が男の役割なら「経済戦・思想戦は女の役割」となる。「銃後の女」には「男の戦意を高揚させる」思想戦の役割まである。

第二に植民地における「銃後の女」の役割について。戦線がアジア太平洋地域に拡大すると、日本語を学ぶ女たちのために東南アジアに派遣された女は、教師や看護婦など「現地の女たちの指導者」の役割を担った。

第三に「銃後の女」の主体性について。「銃後の女」の役割を主体的に演じたのは一般の主婦だった。女たちは総力戦に向けた国家権力の要請に主体的に応えた。「銃後の女」は国家権力と一体化に至るほどの《共犯的主体性》を演じた。

ここから加納は「銃後の女」の戦争責任を問う。その主体性から見れば、彼女たちもまた戦争の加害者だったと。「植民地主義は戦後もかたちをかえて続いた」。この自己批判から二〇〇〇年の東京で「女性国際戦犯法廷」が開かれたのである。

佐藤浩子は、女の作家と漫画家の作品を通して、現代日本の家族解体を分析した。

戦前の家族を描いた向田邦子の作品では、父は存在感ある横暴な家長だが、「姑を含め七人の大家族の中心だったのは母である」。古き良き時代の中流家庭には、父母のいる風景があり家族の集う語らいがあった。

長谷川町子は『サザエさん』で戦後の家族の安定期を描いた。この一家は妻方居住の三世代である。服藤の描いた妻方居住の三世代という古代の家族形態が現代に再現されたかのようだ。漫画家本人の死後もテレビ放映が続く長期連載の秘密は、この再現にあるのかもしれない。家族安定は、近世以前からの女＝家主座・男＝横座の配置と近世からの家制度による男女の序列化という二つの日本伝統の「見事な微調整」にあったといえないか。

岡崎京子のマンガ『ハッピィ・ハウス』では安定した家族は崩壊している。「父は仕事・母は家庭」の性別役割はもはやない。家族は役割の集合でなく個人の集合になり始めた。『リバーズ・エッジ』では、もはや家族の食事風景もなく父母の姿も見えない。

『家族シネマ』の中で、柳美里は「家族を埋葬しようとした」。その後、彼女が出産を決意したのは、子どもの実の父でない昔の恋人と再会し、男の命が一年もないと知りつつも家族再生を求めたからだ。家族解体がすぐ家族再生に結びつく柳の作品には、家族への強い執着がある。家族の名はどうしても手放せないらしい。

中嶋公子は「高学歴専業主婦」の分析から現代日本における女の位置を考察する。「主婦」は女のあるべき幸せな姿として明治期後半から女を規定してきた。専業主婦は高度経済成長期に大量増加したが、広範な新中間層の形成を基盤にした女の高学歴化が、フランスにない高学歴専業主婦の表象を誕生させた。

日本ではフランスのように一九六〇―七〇年代の学生運動が男女関係をそれほど変えることなく家族形態も多様化しなかった。しかも国家政策は女の職業進出・キャリア形成を阻止する方向に動く。高学歴専業主婦は、ひとりで子育てと老親の介護をこなし、全面的に家庭責任を担うとされた。一九八〇年代には専業主婦優遇政策がとられている。

主婦を価値づける国家政策は、第一次大戦後の一九二〇年代には始まっていた。政府の呼びかけを全面的に引き受けた日本近代の主婦たちもまた国家体制との《共犯的主体性》の歴史を生きてきたが、現代の高学歴専業主婦はその先を行く。一九七〇年代後半に「生活者」であることを前面に押し出した社会運動が始まる。その中心的担い手こそ高学歴専業主婦だった。効率優先の産業社会を批判しオルタナティヴな社会を志向する彼女たちは、国家政策が価値づける主婦であることに居直りながら、その共犯性を逆手にとって、国家体制批判までやってのけるのだ。

高学歴専業主婦は今後なくなるのか。世界的な男女平等推進のなかで、一九八五年には男女雇用機会均等法を制定したうえで女子差別撤廃条約が批准され、一九九九年には男女共同参画社会基本法も制定された。この基本法に沿うならば国家政策は職業進出・キャリア形成できる方向に女の位置づけを変えるべきである。事実、二〇〇三年には配偶者特別控除が廃止された。すでに少子高齢化の進行により一九九七年に介護保険法が成立している。しかし、政府が仕事と家庭の両立支援策を打ち出しているとはいえ、フランスのような女性労働力の積極的な活用策も「働く母親支援」策もなく、共働き家庭の保育手当もなく男の育児休暇の具体的かつ画期的な推進策も実施されているとはいえない。

要するに国家政策では日本型男女モデルは基本的には変化していない。その証拠に専業主婦優遇政策そのものは継続している。政府の言う仕事と家庭の両立支援策とは、このモデルの枠内で、女ひとりが、これまでのように子育てと老親介護との全責任を負い、そのうえで職業進出と職業継続をはかるという、これまで以上の女の自助努力を期待する政策でしかない。高学歴専業主婦はなくならないと中嶋は言う。その存在は少数エリートのためにあるが、理想モデルとして多くの女たちのために残しておくということである。

結論

棚沢　直子
中嶋　公子

1　主題から探る日仏比較

「フランスから見る日本ジェンダー史」を貫く仮説を提示する前に、いくつかの主題について比較を試みる。

1. 権力と表象、2. 妻の位置・母の位置、3. 公領域・私領域、4. 性別二分化と性別役割、5. 法体系と国家政策、6. 戸籍と複数の「身分証書」、7. 近代国家と女たちの関係、8. 近代国家と植民地主義、である。

権力と表象

フランス史を通じて、女とくに母が政治権力の表象に使用されたことは、私たちの知る限りない。マリアにしても、カトリックという宗教界の存在であり、世俗の政治権力には関わらない。カトリック内でも父なる唯一神のもとに位置するだけで、マリア自身が唯一神ではない。政教分離が始まった十九世紀以後は、ルルドの泉の奇跡(1)で出現したように、マリアは若い女によって表象されイエスを抱くことは少なくなった。いずれにせよ、カトリック史を通じてマリアは欲望も発言もしない単なる客体である。日本では「聖母」とされるが、フランスでは「Sainte Vierge 聖処女」と呼ばれる方が多い。十九世紀以後にはフランス共和政の表象としてマリアンヌの彫像が各地に立てられ現在に至る。マリアンヌは架空の人物であり、とくに政治家が自己投影する客体である。まとめれば、フランスでは、

第一に、母は政治権力の表象にはならない。

第二に、フランス共和政の表象として若い女のマリアンヌはいるが、政治家に対する政治、自由、平等、祖国などといった女性名詞の観念の表象にすぎない。音楽家に対する音楽と同じである。

第三に、女が現実の政治権力を公的に担ったことは、原則的に一九四五年以後の現代を除いてフランスではない。フランス史上、女が「隠然たる勢力」として男の影で何度か例外的に政治権力を振るったことはあるが、大革命以後は法体系により女は政治権力から排除された。現代フランスのフェミニズムが、ボーヴォワールの主張のごとく、「男のように」政治権力に関わり社会進出を果たすことに専念したのは、納得できる。

これに対し、日本では、第一に、少なくとも古代において、女帝が六人八代いたように、男帝にないさまざまな条件がつくものの、女は政治権力を担う位置に立てた。これは村落共同体の運営という一般

庶民層の政治レベルでも同じだった。荒木は性別が強調されない時代的環境のせいだとする。

第二に、この歴史のせいで、近代において女（母）は政治権力の有効な表象となった。近代天皇制国家は、西欧化の影響で八百万の神々を後景へ退かせ、アマテラスだけを唯一神のごとく創り直し、国家権力の表象とした。これは天皇の現人神たる根拠とするためである。アマテラスは天皇の性別不分化の親（父＝母）であり、この親子は一体である。『古事記』によれば、アマテラスは発言主体だった。その発言を近代国家は縦横に使用した。

第三に、中世から近世を通じて、女は政治権力から排除されていく。西欧化した近代では、フランスと同じく政治権力から完璧に排除された。しかし、女（母）が公的な政治権力の表象として残ったことは、私領域において「隠然たる勢力（pouvoir より puissance）」をもつことや、公領域に進出するとき、主婦であることを前面に押し出し、その位置から発言を試みることにも通じていく。

妻の位置・母の位置

七―八世紀以前の日本古代では、義江明子によれば「古代女性史研究の貴重な成果」（義江 2007: 4-5）のひとつとして「ゆるやかで流動的な婚姻関係が想定されて」いる。この「一対の男女のゆるやかな結びつき（対偶婚）」（同上：216）のなかで、妻は「夫に依存しない経済生活」を営んでいた。夫から相対的に独立した関係にあるせいで、母子の間には強い絆があり、日常生活においては「母子＋夫（夫の部分は容易に入れ替わる）」が基本だったと義江は言う。

一九七〇年代には、西欧の「父性社会」に対立させて、日本は歴史を通じて「母性社会」だと精神医学の権威たちが言っていた。しかし、女が母として「隠然たる勢力」をもつようになるのは、以上のような妻（＝母）の位置にともなう政治権力が女から奪われたときである。日本は歴史の初めから単なる「母性社会」だったのではない。平安時代の「国母」は半公式的に政治権力を振るったりしたが（服藤、本書一一五頁）、やがて男性支配社会の到来とともに、母は「隠然たる勢力」となる。これは近現代まで続く。

このような歴史があるせいで、西欧化以後の日本の妻たちは、夫の同伴者というよりも、子どもとの関係を優先させつつ夫との関係も保つような、妻と母が明確に分化しないうえにプラス・アルファのつく《主婦》の位置を引き受けていくのである。

これに対して、フランスでは歴史の初めにゆるやかで流動的な「対偶婚」があったとは想定されておらず、婚姻関係は単婚（一夫一婦婚）のみとされている。このせいだろう、母はフランス文化のなかに確固たる位置を占めていない。現代の思想家クリステヴァ、イリガライによれば、西欧思想の成立期には象徴的な「母殺し」があったという。政治権力を振るった日本の「国母」のような例はフランス史上に現れてこず、母が「隠然たる勢力」になることを認める言説も、現代になってようやくコフマンが暴いた以外は、表面に浮上してこない。

代わってフランスでは、単婚からくる妻の位置が母の位置より高く見え、近現代では夫と対等にさえ思える。しかし、この妻は夫の同伴者でしかなく、ボーヴォワールが明らかにしたように、長い間、夫

（＝主体）が自己投影する《等身体の鏡》（＝客体）だった。

このように「対偶婚」から見えてくる男女のカップル関係は、単婚から見えてくる関係とは基本的に異なっている。そもそも「一対の男女のゆるやかな結びつき」なる「対偶」の含意は、フランス語でひとつの単語にならない。こうした歴史的文脈のちがいは、「妻の位置・母の位置」にも影響を及ぼしているように思える。

公領域・私領域

日本では近代期を歩むうちに公私領域が一体化され、一大家族国家の名のもとに私領域を公領域の支配下に置き始める。とくに戦時体制下では「私を捨て、命を捨て」との国家総動員法が発令されるほど、私領域は公領域に吸収されていく。戦後も経済復興、高度成長という経済戦を勝ち抜くために私領域は犠牲にされた。公私領域が直結しているために、現在でも職業欄に「主婦」の語が書き込める。

フランスでは大革命以後、公私領域は明確に分離された。そして家族という私領域にジェンダー関係と世代関係が閉じ込められ、男（夫＝父）だけが公私領域で可視化された。「主婦」は職業欄に「**sans** なし（つまり無職）」と書く以外ない。そもそもフランスには「主婦」なる概念はない。「**femme au foyer** 家庭〈にいる〉妻」か「**mère au foyer** 家庭〈にいる〉母」の表現しかない。これでは公領域に出没すると自己矛盾を起こす。

性別二分化と性別役割

性別二分化（性分化）とは男女を明確に区別することである。近代の性別役割とは基本的に公私分離に則っており「男は外、女は内」のことだと日本では思われているが、大革命以後のフランスでは長い間「男は外と内、女は内」のことだった。これは性別二分化から発する男女の序列関係が家庭内でも明確だからである。つまりフランスでは西欧古代から続く、性別二分化により大革命以後の性別役割が生まれたから、男は家庭内で夫（＝父）の権利・権威・権力を発揮する義務があった。国家が夫権を発揮できない男に代わることも稀でなかった。現代のフランスでも、男はこの権利・権威・権力を家庭内で女と対等に行使する。家庭経営や教育を女に任せないから、それが離婚の原因になる。

これに対し、日本近代期には《性別二分化の不明確さ》を残したまま、公私領域の分離にともなう性別役割が改めて西欧化により導入された。そして日本では夫権より以上に家父長権（戸主権）が明文化された。しかし、《性別二分化の不明確さ》のせいで、日本では主婦が家庭内で夫や父の役割までも引き受けて、家庭経営や教育に専念する。主婦は「家庭株式会社のオーナー経営者たる家庭長」（自民党政府、一九七九年）だそうである。男は家庭経営や教育にあまり参加しない。「男も内」の発想があまりないから、男の役割は「物質文明の担い手」つまり企業戦士として外で資本主義的発展に貢献することだけになってしまう（女は精神文明の担い手らしい）。この性別役割は西欧と逆である。性別二分化と性別役割を混同してはならない。

法体系と国家政策

法体系の枠組みと個々の国家政策の関係が日仏でちがう。フランスでは国家政策は原則的に法体系の枠内にあることになっている。法体系は、現美の変化に合わなくなれば、次から次へとその変化に合わせて変わっていく。十九―二十世紀を通じて、憲法だけでも目まぐるしく書き換えられた。

これに対し、日本では国家政策は法体系の枠組みから《ずれ》ることが多く、ときに《ずれ》て当り前とすることもある。法体系はあまり動かないから、法解釈だけが目まぐるしく変わっていく。国家政策は法体系を拡大解釈し、結局は法体系の枠組みから微妙に外れて創られていく。

近代の日本ジェンダー史は、西欧に倣って創られた法体系の枠組みと日本の歴史・文化的文脈も考慮して言語化した国家政策との《ずれ》を見ないかぎり、理解できない（そもそもその法体系の内容でさえも、明治の民法典のように西欧化から《ずれ》て設定されることもある）。本書は、とくに近現代において、この《ずれ》た国家政策の分析に主眼をおいた。

戸籍と複数の「身分証書」

明治期に、民法に先立って戸籍法が一八七一（明治四）年に制定された。一八九八（明治三一）年の民法では、こうした戸籍法の流れも加味した。戸主たる「家長から数えて六親等までの親族を家族の範囲とする」（西川、本書七四頁）近代日本の「家」家族が定められた。「〈家〉家族のすべての成員は一括して国家の〈戸籍〉に登録され」（同上）たから、戸籍は一種の「拡大家族」別編成になっていた。

ここから、同一血族の「親族関係の把握」（平田 1986, 1987）が容易になり、天皇を頂点に戴く日本という同一血族の一大家族国家が構想できたのである。

戦後は、戸籍を個人別編成にする議論もあったようだが、結局は、一組の夫婦と子どもたちに縮小した家族別編成となり、戸主を「戸籍筆頭者」に改めて、現在に至る。子どもは成人すれば分籍することもできる。

フランスで戸籍に相当するものが état civil である。フランス法に通じた研究者は「身分登録」と訳している。des actes de l'état civil「身分証書」は出生証書、婚姻証書、死亡証書からなる。この三つの証書をひとつにまとめて書き込む戸籍のような書類はなく、それぞれを関連づけ、その後の移動を知るためには「欄外付記」の方法が採られているだけである。三つの証書はそれぞれ届け出た地の役場に保管されるから、フランスの身分登録は個人別編成でさえなく、個人に関する事項別編成にすぎないとされる（同上）。

このほかに、livret de famille「家族手帳」と carte nationale d'identité「国民身分証明カード」があり、これらは当事者が保管する。

いずれにせよ、日本の戸籍は相変わらず家族別編成だが、フランスでもっとも公式な三つの身分証書は、現在でも単一の書類ではなく、（個人に関する）事項別編成にすぎない。

近代国家と女たちの関係

以下では、フランスのフェミニストに向けた加納実紀代の問い（本書一九〇頁）への答えを試みる。

フランスに戦争が促す男女平等はあったのか。

『女の歴史』第5巻二十世紀（デュビィ、ペロー監修 1998）の編集責任者テボーによれば、「第一次大戦は女たちを解放した」とする考えが、「戦時中ならびにその直後から、文学と政治的言説との常套句になっていた」。しかし、一九八〇年代から歴史家たちは、「資料を批判的に読み直した結果、この変化は一時的かつ表面的」で、「平常の状態に戻るまでの余談だ」とするようになった。

テボーは、後者の視座に賛同し、戦争による男女平等の成果は限定的であるとする。より重大なのは、戦争が「男女を徹底的に引き離し、前線と銃後の間に無理解と憎悪に至る溝を生んだ」ことだと結論づける。戦争のせいで「男女間に分断線が引き直され、男は戦って征服するもの、女は子どもを産んで育てるものという古い男性神話が甦った」と。戦争は男女関係について「根底から保守的な性格をもつ」と彼女は強調する（同上、原書：31-74, 訳書Ⅰ：45-131）。ほかの執筆者の論文も含め『女の歴史』第5巻を貫くのは、女性運動により男女平等が促進されたが、戦争も含む諸状況から反動に曝されて、現代に至っているという解釈にみえる。

次に、フランスに戦争が促す「女の国民化」はあったのか。

『女の歴史』第5巻第Ⅰ部の見出しが「女の nationalisation 国民化」であるように、「女の国民化」はあった。これについては、第一次大戦を中心に、第二次大戦の親独ヴィシー政権下も考察するのがよい。

総動員令は両大戦ともに発布されたが、第二次大戦ではドイツ軍の攻撃から一ヵ月でパリが占領され、すぐにフランスは休戦に調印したからである。しかし、日本と比較すると、「国民化」のあり方は大きく異なる。

第一に、前線と銃後の完全な分断である。カップルを組んでいた男女が、「引き裂かれて双方ともに心身の孤独感にさいなまれ」（同上、原書：56, 72ほか、訳書Ⅰ：95, 127ほか）、「不倫が増大し、兵士の復員のときには離婚が爆発的に増加した」（同上、原書：48, 訳書Ⅰ：78）のだ。この第一次大戦の経験に懲りて、ヴィシー政権は、占領軍がフランスに駐留していたこともあり、ドイツで捕虜になった兵士の妻の不品行を抑え込むために、彼女たちの行動を村、企業、家族に集団で監視させたという（同上、原書：196, 訳書Ⅰ：337）。日本のように戦地で生死をさまよう男たちとの一体化、国家権力との一体化に至るほどの女の《共犯的主体性》は感じられない。

第二に、第一次大戦でのフランスの女の動員はヨーロッパ交戦国の中で「もっとも組織的でなく寛容で自由主義的なやり方で」（同上、原書：38, 訳書Ⅰ：58）なされたとのことだ。ヴィシー政権下では、「労働、家族、祖国」が標榜され、女は家族を守り母たる運命を背負った。このせいで結婚した女の雇用労働は大幅に制限されたが、やがてドイツでの強制労働のために男が徴用されると、女も家庭を守りながら労働者として雇用されていく。ヴィシー政権下の「女の国民化」は、女たちにとって、次第に占領軍に完全に支配されていく「Etat français フランス国」との一体化への希求ではなく、生活上の必要に迫られたぎりぎりの選択だった。

第三に、「国民」の意味のちがいである。日本で「国民」と呼ぶときに、フランスでは「les Français フランス人」とか「le peuple français フランス人民」と言う。たしかにフランス語の Nation には「国民全体」の意味もあるが、それは「同時代に同地域に生まれた（natal）、言語と文化を同じくする個人集団」（*Le Robert, dictionnaire historique* 2004 参照。以下同）としての意味から出発し、「同じ血統の集団」と対立する語だった。一七八九年から「革命を遂行し Etat 国家機構を構成する第三身分の個人集団」の意味になり、「royauté 王権」とその「sujets 臣民」に対立する語となる。しかし、日本の「国民」は、戦前には天皇の「臣民」であり、この「臣民」は「同一血族」で成り立つとされた。

要するに、戦争の促す男女平等が限定的でカップルが分断され、「女の国民化」が国家権力を行使する個人集団の一員になることに結びつかず、女の中に国家権力と一体化していく《共犯的主体性》がないのであれば、フェミニストにとって加害者意識をもち自分の戦争責任を問う視座は必要ないのだ(2)。ましてやフランスにとって両大戦は侵略戦争ではない。逆にドイツに侵略された領土を取り返す「正義の戦争」という政治プロパガンダは行き渡っていた。フランス人にも「patriotisme 愛国心」はあるが、愛国心に論理的根拠を与える「cause nationale 国家の大義」（『女の歴史』第5巻、原書：61, 訳書Ⅰ：104）は、権利あるいは文明と同一化されている。この大義が戦争を遂行させた。これは日本の戦争の大義と大きくちがい、フランス人の中に加害者意識を萌芽させない遠因である。

近代国家と植民地主義

フランスのフェミニストは現在も続く植民地主義をどう考えるのか。

フランスでは植民地争奪が両大戦に直接結びつかなかった。それ以前に数百年かけて、それほど戦闘を交えずに、フランス人たちはアフリカ・アジア・太平洋などに植民していった。とはいえ、現代のフェミニストに植民地主義を正当化する視座はない。一九七〇年代後半に女性解放運動が一般化していくなかで、作家ブノワット・グルーは女を「最後の植民地」（グルー 1979）ととらえて解放を訴えた。フェミニストたちにとって植民地の人びとの解放は当然のことである。事実、グルーは、第二次大戦後のアルジェリア独立（一九六二年達成）とベトナム解放に共闘した世代に属している。フランス政府に抗して立ち上がった植民地の人びとを支援する当時の左翼知識人には、ボーヴォワールやアリミなど、のちに女性解放に関わったフェミニストもいた。

では現在も続くフランスの植民地の存在をどう考えるのか。フェミニストたちは、植民地の人びとが独立を希求しない限り、《主体的に》植民地を問題にしないだろう。

それにしても、『女の歴史』全5巻を通じて、植民地の女たちについてだれも何も触れていない。アルジェリア、ましてやベトナムの女たちには言及が一切ない。5巻のどれもが表紙を開くと、題が変わり『西欧における女の歴史』となる。あたかも「女の歴史」は「西欧の女の歴史」以外のなにものでもなく、そこに植民地の女たちはまったく関わらないかのようだ。こうした視座にはポスト・コロニアル研究の息吹きさえ感じられない。

2　フランスから見る日本ジェンダー史の仮説

日本ジェンダー史を、権力とその表象をめぐる女の位置の変化として、まとめよう。古代・中世・近世では居住空間、座、公私領域など《場》の分析から出発するのがわかりやすい。近代・現代では第一部の西川、棚沢の論考もあわせて考察する。

古代・中世・近世—政治権力を行使できる女の《場》

政治権力を行使できる女の位置には、居住空間の変化、すなわち夫婦同居の有無、さらに（夫の父母と同居する）夫方居住の有無が関わってくる。

古代では、夫婦別居ならば女は「妻（=母）の位置」において、朝儀の場、村落経営の場ともに、政治権力を行使できた。経営単位として夫婦同居の家が支配層で成立すると、妻方居住を経た独立居住の貴族層では、女は「妻（家妻）の位置」において夫と共同の家統括責任者になれたが、夫方居住の天皇家では「母の位置」でしか政治権力を行使できなくなった。一般庶民層における居住空間の形態の地域的な分布とその変化については、さまざまな説がある（義江 2007）。

中世には、公家、武士、有力農民に至るまで、経営単位の家が確立する。この家は、服藤によれば、中世前半の夫婦同居の独立居住を経て、中世後半の夫方居住の空間になっていく。夫方居住の普及とともに、家内部で公私領域の分離が進行する。それでも、家長が留守の間、家妻は、家の公領域たる座敷で「家長の代行」として接客し、家全体を統括できた。

近世になると、どの階層でも妻は家長を代行できなくなる。女は家の私領域たる寝室のある奥に閉じ込められ、公的な政治権力の場から排除されてしまう。近世以後の女の政治権力行使は、私領域から「母の位置」で「隠然たる勢力」を振るう以外なかった。

支配層から始まった男女の厳格な序列化には、一千年がかかっている。しかもそれが地域差を超えて一般庶民層の隅々にまで行き渡ったかどうかは怪しい。日本史の進行はかくも緩慢である。あたかも日本内部には対立矛盾を吸収するような、いわば《緩衝領域》とでも呼べるものが、存在するかのようだ。この領域内では《過去との共存》が当然のごとく可視化されている。このことは、歴史の進行を促すものが外部から輸入されるときでも、たとえば法体系の枠組みと実際の国家政策との《ずれ》として、顕れ出てくる。本書では、時空を貫いて存在するようなこの《緩衝領域》に位置するものを、さまざまなかたちで検証してきた。

たとえば、居住空間から見れば、夫婦別居が同居になるときの妻方居住の空間、夫方居住になる前の独立単婚居住の空間が、この領域に位置する。また公私分離の進行にしても、すぐに公＝政治＝男領域・私＝家＝女領域の厳格な序列化にはならない。たとえば、公領域内で村落経営という政治権力の場から女を排除する前に、男の座と分離して設定される女の座は、《緩衝領域》にあるといえないか。家内部で公私分離が始まっても、女は、私領域たる奥に閉じ込められる前に、「男の代行」として公領域たる座敷で権力を行使できた、等々。そもそも奉公人を抱えた家は公私分離の曖昧な空間だから、外向けに家長が男でも、男女の序列化は明確には見えてこない。しかも、日本では世代の方がジェンダーより優位にあるようにみえるから、「妻の位置」が低下すれば「母の位置」で、顕然とやがて隠然と、女は権力行使を試みようとしたのではないか。

古代・中世・近世の日本ジェンダー史とは、政治権力の行使に際して性別がそれほど問題にされない夫婦別居がまだ存在した時代から、さまざまなかたちの《緩衝領域》に位置するものを経て、夫婦同居・夫方居住にともなう男女の厳格な序列化に至る歴史だと思える。長い目で見れば、権力行使をめぐる女の位置は劇的に変化している。次のことをフランス・ジェンダー史の仮説の論点にするのは困難だろう。

権力と《場》の表象をめぐる女の位置の変化について、フランスから見る近代以前の日本ジェンダー史は、1．居住空間の変化にともない男女の厳格な序列化が緩慢に進行したこと、2．夫方居住の家の成立に至るまで女の位置が劇的に変化したこと、の二点が仮説になる。

近代・現代―政治権力表象から《共犯的主体性》へ

Représentationを「表象」とする訳語は、わかりにくい。フランス語のreprésentationは、「現実」に対立する語で、表現された欲動・思考・行動すべてと、その結果産み出されたものすべてを含意している。

近現代の考察では、男が利用する女の政治権力表象と女が発する言語表象との関係を分析の中心にして、女の主体性を考察した。

近代ははたして西欧化の時代なのか。むしろ近代以前の過去を再構成した時代ではなかったか。結局のところ、日本近代とは西欧化と過去の再構成との調合により生まれたのかもしれない。女の位置に関わる日本の過去は劇的に変化した。再構成のためにどの時代を切り取るかによって女の位置は異なって見えてくる。国家権力が採用した過去も近代を通じて変化している。現代まで間欠的に顕れ出るさまざまな時代という過去との共存もある。

舘の描いた明治から第Ⅰ部の『国体の本義』の昭和まで、女をめぐる西欧化と過去の再構成との調合はどう変化したか。西欧化のモデルたる西欧近代が政治権力から女を排除したことは、日本近世の女の位置に合致していた。女は政治権力を行使する場から排除されながら、国家の権力表象には徹底的に利用された。性別二分化して成立した明治期の皇后像は、植民地争奪の激烈な昭和期の国家表象には適切ではない。天皇・皇后の西欧化した夫婦像は結局は定着せずに終わった。代わって古代からアマテラスが切り取られる。アマテラスは女が政治権力を行使した時代の表象として利用でき、男だけでなく女の国家体制への主体的な参加を効果的に教唆できる。こうしてアマテラス－天皇の親子一体像が、君臣一体を国家の要にするために、頻繁に利用され始める。戦時期に入ると、銃後の女の《共犯的主体性》は国家権力との一体化にまで激化していく。

ところで、日本近代の国家権力と女の主体性との間には、近代に成立した家族制度が介在している。

日本型近代家族を論じた第Ⅰ部の西川は、この制度が「家」家族から出発したとする。「家」の法的な基盤は「戸籍」である。戸籍法は、西欧の法体系を参照した憲法や民法の成立に先立って一八七一（明治四）年に布告されており、憲法や民法と微妙に《ずれ》た内容をもっている。近代国家はこの「家」を秩序づけた家族系統樹の上に天皇を戴く一大家族国家とされた。この意味でのみ「近代家族とは近代国民国家の基礎単位とみなされた家族」との西川の定義は納得できる。女は「家」家族の成員として国家から位置づけられたのだ。

しかし、近代化により産業構造が急速に変化すると、居住空間にも変化が現れる。都市の給与生活者が、父や兄を戸主とする戸籍に属しながら、妻子とともに小家族の「家庭」を営み始めるからだ。この「家庭」家族は一九二〇年から始まり一九七五年にはモデルとして完成したと西川は言う。佐藤は「家」から「家庭」への家族形態の変化と後者の解体とを描いた。この解体の起源には、一九七五年頃からのワンルーム・マンションに独りで暮らす個人の誕生がある。日本の「個人」のイメージは「独り暮らしの個人」でしかないようにみえる。家族の解体の後に希求される共同生活には、今までどおりの家族を再生させる以外ないのだろうか。

というわけで、戸籍に則った近代の家族制度を是認する風土は、現代でも女の主体性の内部に行き渡っている。それは中嶋の高学歴専業主婦の分析に顕れている。専業主婦の座とは、かつて家を統括した家主《えぬし》座そのものである。それは明治期の皇后と昭和期のアマテラスとの権力表象の名残りも留めている。

企業戦士の男空間と専業主婦の女空間がここまで隔たっているのに、なぜ彼らは夫婦だと思えるのか。

なぜ私領域にいる主婦が、主婦の主体化をはかる社会運動などできるのか。なぜ分離したはずの私領域が公領域に直結するといえるのか。なぜその主体性は国家政策との共犯性を帯びるのか。フランス人なら以上の疑問がわくと思う。日本の夫婦には、夫婦別居のあった時代の相対的に独立した関係の集団記憶があるとでも答えれば納得させせられるのか。

日本では、分化・分離が始まっても、それが二項対立のかたちには簡単にならない。二項が分化・分離したままで共存するか、あるいは、対立を吸収し曖昧にする可視的な《緩衝領域》が形成されるかになる。公と私、国家と国民、男と女、主体と他者、これらの間の分離・対立・序列化はさほど自覚されない。極端な場合は、戦時中の国家権力のように、君臣一体・上下一如と称し、国民の《共犯的主体性》を煽動したりする。主婦運動はこの歴史風土から生まれた。

逆説的に、日本の女たちの《共犯的主体性》は、フランスにない展望をもたらしてくれると思う。今後、女たちが私領域から脱出し職業進出・キャリア形成するときに、男からの相対的に独立した位置、共犯性を逆手にとった国家体制批判、生活者の観点からの企業社会批判などを出発点にすれば、公領域で生きる女たちには、男のもてなかった新しい展望が開けてくるのではないか。かつて二十世紀の精神文明は女たちが開くだろうと、男たちからありがたくも激励されたではないか。

フランスから見る近代の日本ジェンダー史の仮説は、1．西欧化と近代以前の過去の再構成とが調合されたこと、2．公私領域が相似形的に重なり合うなかで、親子・世代を要とする一大家族国家が想定されたこと、3．そのなかで、女は、妻＝母＝親として可視化された権力表象を引き受けて、国家との《共犯的主体性》を生きたこと、などである。

現代では、1の西欧化がグローバル化にかたちを変え始めた、2の国家イメージを喪失し始めた、3の女に「個人としても」を付加する、などと改訂補足すれば、基本的に変化していない気がする。これらの諸点を近代のフランス・ジェンダー史全体の骨格にするのは無理があると思われる。

3　日本から見るフランス・ジェンダー史の仮説

最後に、日本から見るフランス・ジェンダー史の素描を試みる。このように視座を転換し、ジェンダーをめぐる日仏各々の歴史的文脈を一介の書でとらえ直すのは、あまりにも無謀な試みだとよく承知している。双方を通観してわかったことだが、日本のまとめは、視座の異なる六人の執筆者に頼っているうえに、基本的には「想定された現実」の歴史になっている。これに対し、これから描こうとするフランスのまとめは、「現実を想定する思想」のなかでもその主流の歴史でしかない。無謀の極みは、この次元のちがう比較の試みにある。しかし、私たちのこれからの日仏比較研究を踏み出す一歩のためには、避けて通れなかった。

以下は、ジェンダーをめぐる近代の諸学問分野の基礎にある思想体系の骨格だけを追っていく。その中でもフランス革命以後は法体系にある思想の骨格を中心にしている。「想定された現実」や非主流の思想のフランス・ジェンダー史研究は、私たちの今後の課題である。

古代・中世・近代―性別二分化による序列化

フランス・ジェンダー史を居住空間という《場》の分析から通観できるのか。これまでのフランス史研究において、男女の居住空間が劇的に変化したという確証は何もない。それどころか、中世から近代まで、地域によって大家族・小家族などの差があり、それらの形態が複雑に絡み合っているが、各地域で家族形態はさほど変化していないとする研究が、一九六〇年代から始まっている（Burguière et.al. 1986. 3参照）。そもそもフランス・ジェンダー史において居住空間の研究そのものが少ない。要するに《場》は見えてこないのだ。

代わって見えてくるのは《時間》である。その時間は、月の満ち欠けのような反復する円環的時間ではなく、直線的時間だとされる（クリステヴァ 1991）。古代ローマには太陽暦ができ、中世にはすでにキリスト誕生を基準にしたとする西暦紀元も設定されている。歴史はひとつの時間に沿って直線的に進行すべきであり、過去との共存は時間の停滞と同意である。過去へ退行しないために、人類は自然から文明へ進歩するとの思想が生まれ、思想を体系化する努力がなされる。現実は思想体系によって導かれるべきである！　それができないなら、現実が動く間に、同時進行的にその動きを表象し、その展望までも方向づける言語を生み出そう。フランス革命の「人間と市民の諸権利宣言」（一七八九年）はその例である。

ボーヴォワール以来のイリガライ、クリステヴァ、シクスー、コフマンなどフランス・ジェンダー史研究によれば、西欧では「象徴的な母殺し」に続く「男による娘の交換」が始まったことで、文明が成立したとされる。西欧思想体系は、古代ギリシャ・ローマの時代から、明確に性別二分化された「男」「女」を基盤にしている。たとえば悟性（やがて理性）と感性、近代になると精神と物質（＝身体）、文明と自然、さらに主体と他者などを対立させ、前者が「男」、後者が「女」の属性とする。しかも両者は序列化されていて、西欧中世ではこの序列がキリスト教と連結し、神―人間（＝男）―女―動物に拡大していた。神に近いのは男、動物に近いのは女というわけだ。「女」は西欧思想体系が創られるなかで「地下の支え台」にされたのである。

それでも女たちは、フランス中世から近代まで、仕事場や農地さらに家で、実際にはかなり自由に行動したと最近の研究にあるが、中世末期の法の発展過程において男性支配がもっとも明瞭に現れてくる（『女の歴史』第2巻、原書：277-335, 訳書Ⅱ 1994: 437-520）。十六世紀以後の「女たちの労働と日々は、男の眼差しに厳重に監視され、経済的・社会的にも拘束されて」（『女の歴史』第3巻、原書：22, 訳書Ⅰ 1995: 31）きた。さらに、十六世紀以後の近代思想から女の位置づけが次第に明確になってくる（たとえば、Poulain de la Barre 1984 ＝初版 1673）。それは、男との関係の中でしか存在しないという意味での「男の compagne 同伴者」の位置である。両者は対になっており、たとえば夫から相対的に独立したたの妻の位置は想像しがたい。いずれにしろ夫婦別居があったとされる時代はフランス史では想定されていない。この同伴者は、男が自己投影してつくるさまざまな女の表象の「支え台」であり、「男の代行」や「男との共同執政」の役割はない。この男女の位置は逆転しないから、男が女の同伴者になることはない。こうした男女の序列化は近代を通じて基本的に変化しなかった。

大革命以後──公私領域の分離

男女の序列化の思想は、フランス革命以後の共和政のもとで、公私領域が厳格に分離していくことで強化された。女は、Nation（「Etat 国家機構」を構成する第三身分の個人集団、が当時の意）という一般意志によって、「見えなくされた」（本書、序文vii頁）からである。このことは、「人間と市民の諸権利宣言」からもわかる。この宣言は女について一言も触れていない。女の位置は、実際には諸方向に議論されたのだが、一八〇四年の「ナポレオン法典」の成立により決定した。女は公領域で諸権利を与えられた市民になれないどころか、私領域でさえ結婚すれば法的に無能力にされたのだ。

「ナポレオン法典」は市民を規定する民法典である。では市民とは何者か。それは、まず公私領域に存在する男、基本的には既婚者、何よりも「propriétaire 所有者」である。共和政の標語が、自由・平等のあと兄弟愛に決定される前に、「propriété 所有」も候補のひとつだったのはあまり知られていない。何を所有するのか。まず不動産そして動産なのは当然だが、女・子どもなど家族も、市民の所有物とされたのだ！（男の間で交換されない成人した独身の娘は、公領域で何の権利もないが、法的には無能力とされない曖昧な存在だった）

ジェンダー関係と何よりも世代関係は、民主主義の平等原理に反するから、可視化しないことにしたわけだ。「ナポレオン法典」は徹底している。「人」「所有」「契約」の三部から構成されるなかで家族の語はかなりの頻度で現れるものの、目次には記されていない。私領域のすべては夫権（puissance maritale か autorité maritale あるいは droit marital）を発揮する男の所有である。この法典からは、家族に関わることは結婚、親子関係夫婦の財産、相続などを規定するだけで十分だとの思想が読みとれる。「親族関係の把握」（平田 1986, 1987）を主眼とし「家」別に編成された戸籍から始まる日本近代を貫く思想と、大きなちがいである(3)。

以上から、「近代家族が近代国民国家の基礎単位」なる西川の定義（本書七三頁）は、大革命以後の法体系の基礎にある思想には適応しないとわかるだろう(4)。もし大革命以後の「国家の基礎単位」（フランス語にない表現）があるとしたら、それは「諸権利と所有物のある市民」だとしか言いようがない（それでもフランス人たちはこんな言い方はしないだろうが）。十九世紀を通じて政治体制はさまざまに変化したが、基本的には民主主義の原理とともに、市民（＝個人）の概念も浸透していった。フランスの「個人」のイメージは日本のように「独り暮らし」ではない。結婚するかカップルを組み、多くは家族を抱える。「個人」の背後には同伴者や子どもが見え隠れする。フランスの個人主義はカップル主義の別名である。その小家族は、夫婦家族あるいはカップル中心家族と呼ばれ、二世代家族と命名されることはない（Bihr et Tanasawa éds. 2004）。

さて、政治権力の行使から排除された女たちは、せめて政治権力表象にはなれたのか。大革命以後に創られた共和政の表象としてマリアンヌの肖像は、現代でも切手や硬貨に描かれている。彼女は、女性名詞の「共和政」「祖国」「自由」「平等」など「フランス」そのものの表象だが、権力表象ではない。女の権力表象は、女が権力行使ができた時代の名残りを留めなければ、効果的に利用できない。マリアンヌ自体は、欲動・思考・行動する主体ではないから、女たちの主体化のモデルにならない。女たちにはモデルにする権力表象はなかった。

フランスで女が主体性を獲得するには、「Homme 人間＝男」になる以外なかった。もし女たちに「complicité 共犯性」があるとしても、それは男との間にしかない。これはボーヴォワールが『第二の性』で検証したことである。女が政治権力に参加するには、公領域に進出し、男と同じ諸権利をもつ市民になる以外の道はない。フランスの公領域と私領域の間には、境界線があって直結できないことになっている。

十九～二十世紀──家族、労働、母の役割

それでも十九世紀半ば近くには、「家族」の語が「労働」と対になって法体系に現れてくる。産業革命の進行は大量の労働者を誕生させた。彼らの労働とくに女・子どもの労働は苛酷だった。労働条件の改善が急務になる。労働者の参加する社会運動が台頭し普及してきた。一八四八年にすべての男が参加する普選法が成立する。男の労働者はようやく「諸権利と所有物のある市民」になれたのだ。彼らも家族を所有する権利がある！

十九世紀には政治体制の変化とともに憲法も次々に書き換えられるが、一八四八年発布の第二共和政憲法の前文には、「自由・平等・兄弟愛」の後に、「所有・公的秩序」と並んで「家族・労働」も共和政の基礎とすると記された。初めて憲法に「家族」の語が現れたのだ。しかし、この憲法は三年の命だった。ルイ・ナポレオンがクーデタを起こしたからだ。この頃から公文書では、日本の「国民」に近い語として、Nation に代わって「Peuple français フランス人民」が多く使用され始める。Nation の範囲が人民へと拡大した。

十九世紀後半から二十世紀前半まで、労働と家族に関わる法が次々に成立し、労働者の保護政策が始まった。一八七〇年以後の第三共和政のもとでは、社会主義の伝播とともに、労働者の家族生活の充実が図られ始める。これに呼応するように、カトリック系のさまざまな慈善団体も労働者の生活改善に乗り出してくる。その活動家は「所有物が豊かにある市民」の妻たちだった。もともとカトリックを中心とする保守主義者たちは、家族が「社会の基礎の cellule 房＝細胞」だとしていたが、この「社会の」は「教会の」からの発想である。

十九世紀には女性運動も始まっていた。オランプ・ド・グージュが「女性と女性市民の諸権利宣言」（一七九一年）を発表して断頭台に消えて以来、女性運動は、労働者運動と連携する場合を除いて、女の参政権と夫権の廃止との権利要求に集中していた。女の参政権は一九四五年まで行使されなかったが、夫権の語は一九三八年に廃止された。ようやく女にも諸権利をもつ市民になる道が開かれた。しかし、一九三八年の法には夫権に代わって「autorité paternelle 父権」を行使する「chef de famille 家族長」の語が登場する。男の権力行使は、妻に対して制限されるにしても、家庭全体や子どもに対しては残したのだ。この頃から家族を制度として見直す動きも活発になってくる。一九三八年はフランスにとって第二次大戦開始の前年である。

成立した家族法によって母の位置は変化したのか。十八世紀のルソーの頃から母性愛を称揚する思想は始まっていたが、それが母性保護法として法体系に組み込まれるのは二十世紀初頭である。母は公的に可視化され始めた。しかし、これは単に「母の役割」の承認であり、「母の位置」の価値づけとは言いがたい。事実、一九三八年に母親手当が設定されたが、この手当は父に支給されると決定された（クニビレール、フーケ 1994: 415）。西欧文明の成立期に象徴的に殺された「母」は復活しなかった。一九七〇年に家族長の語が消滅し、父権が「autorité parentale 親権」に書き換えられたときも、「autorité maternelle 母権」を単独で承認したのではなかった。母の位置における政治権力の行使は、現代でも考えられない。

フランスで家族の制度化の動きがもっとも活発になり、母の役割がもっとも称揚されたのは、ドイツ軍占領期のヴィシー政権（一九四〇―四四年）が樹立した「Etat français フランス国」（「République française フランス共和国」ではない）においてである。この「フランス国」の思想は共和政とどこがちがうか。まず「自由・平等・兄弟愛」の標語が「労働・家族・祖国」に代わった。参政権は取り消され、父なるペタン元帥の保護と引き換えに国民（まさに「国民」）の絶対的服従が要請される。「フランス国」は一大家族国家となった（「父」を戴くところが日本とちがう）。こうして「個人」確立の基礎にある結婚より公的秩序における家族が可視化され、女はなによりも母となる。母には父が不在のとき「父の代行」の役割まで承認された。一九四二年にはこれまでなかった「ménager familial 家庭科」を女子教育の必修科目にしたが、実際にはほとんど実施されなかったという（『女の歴史』第5巻、原書：194, 訳書Ⅰ 1998: 332）。「フランス国」は四年続く。ペタン元帥は一九四六年に死刑宣告され、フランス国は終焉した。

現代―家族の変化

現代は一九五八年に公布された第五共和政憲法のもとにある。この憲法では「自由・平等・兄弟愛」の標語がすでに復活しており（一九四六年の第四共和政憲法から）、「労働・祖国」と並んだ「家族」の語は消えた。

一九六八年以後のカップルの共同生活の変化が結婚の脱制度化で現れたことは、本書で佐藤の描いたとおりだ。一九七〇年代後半から結婚制度によらないユニオン・リーブル（自由な結合）が急速に増加した。現代の共和政もまた、現実の変化とその展望を法体系の中に迅速に組み込んでいく。一九九九年には内縁が民法で規定され、同性・異性を問わないカップルの連帯生活に法的権利を与える「Pacte civil de Solidarité 連帯の市民契約」（通称パクス法）が公布された。二〇〇一年には総出産数に占める婚外子の率は40％を超えた。

なぜ家族形態の変化が、結婚の脱制度化のかたちで現れるのか。なぜこの変化を追いかける国家政策も、働く母親支援、共働き家庭の保育手当支給、男の育児休暇推進など、すべて結婚・不婚を問わないのか。日本と同じく少子高齢化に悩まされても、なぜこれまでの結婚や家族を死守する政策を打ち出さないのか。以上見てきたフランス・ジェンダー史からすれば、その理由は明らかだろう。日本近代のように「家族が国家の基礎単位」でないからである。フランスが共和政である限り、社会の基礎にあるのは、諸権利をもちカップルを組む市民にほかならないだろう。フランス人にとって国民の訳語はあわない。彼らは、普遍性ある市民（bourgeois でなく citoyen）、それも欧州連合を超えて世界市民のつもりである。もちろん彼らの思想上のことだが。

現在、世代関係を再発見する動きが始まっている。「filiation 家族の系譜」や「succession 相続」の問題だけに留まらない世代関係そのものを考慮し、その中で平等になれない「依存者」とその世話労働（扶養・介護など）に携わるひとの位置を見つめる発想は生まれるだろうか。そこから新しい家族を想像できるだろうか。フランス人にとって公領域における家族と母との位置づけについては、ヴィシー政権時代の苦い思い出がある。しかし、ヨーロッパ統合が進行するときに、フランスと異なる家族の伝統がある諸国との思想的な調整は不可欠である。フランスに新しい家族思想が生まれるなら、その中で母の位置はどこにあるのか。

日本から見るフランス・ジェンダー史全体を貫く仮説として、1．古代から「男」「女」は明確に性別二分化され、思想体系のうえで男女は西欧文明の成立期に序列化されていたこと、2．フランス

近代において、女は、市民（＝男）の夫権に従属し、法体系のうえで「見えなくされた」こと、3．女が主体化するには市民（＝男）になる以外なかったこと、である。

注

（1）フランスのピレネー山麓の町ルルドに住む少女ベルナデットが一八五八年から一八回にわたって「白いものをまとった若い女性」を見た。お告げに従い洞窟の泥を掘り起こすと泉が湧き出した。これが難病を治す「奇跡の泉」となり、ルルドは聖なる大巡礼地となっていった（棚沢・草野 1999: 177-180）。クニビレール、フーケ（1994: 225）にも「マリアはしだいに母親として描かれなくなる。ルルドの岩屋で、ベルナデット・スビルーが見たのは、無原罪の宿りをなしたマリアである」とある。なお共和国の象徴マリアンヌについてはアギュロン（1989）と棚沢・草野（1999: 145-152）参照のこと。

（2）『女の歴史』の訳文に要注意。テボー論文中、「女性たちの戦争への加担振り、それもとくに、軍事産業の女性労働者たちの加担振り」（第5巻訳書Ⅰ 1998: 47）の原文は、ne pouvait ignorer la présence des femmes, particulièrement celle des travailleuses de guerre「女たちの存在、とくに軍事労働者としての存在を無視できなかった」とあるだけで、「加担」の意味はない（同上、原書 : 32）。また「戦争というものは、単に男性だけによる企てではない（……）、女性たちが責任ある立場にあり」（同上）の原文の responsabilités（同上）は複数形で、「家族長」の役割や「新しい職業」に就いて、「可動性と自信を獲得した」の文脈で述べていて、戦争への責任ではない。訳文は、日本の読者が理解できるように、おそらく無自覚的に現代の日本の思想的な文脈に沿っている印象を受ける。フランスの思想的な文脈を把握しなければ、原著者の言いたいことが正確に日本の読者に伝わらない。西欧思想の紹介に携わる研究者は、たとえばフランスならフランスの思想体系の中で熟慮してから紹介してほしい。

（3）それなのに、フランスの état civil を「戸籍」と訳す書物が後を絶たない。たとえばフュレ、オズーフ編（1999）や工藤（2007）など。とくに前者は「民法典」の項目だけでも「戸籍」の語が八ヵ所ある。訳書で読むとフランスの民法典は「戸籍」を中心に書かれたかのようだ。état civil は文字通りでは「市民の状態」の意であり、家族別編成の「戸籍」ではまったくなく、あくまでも個人に関する事項別登録であって、出発点では個人単位でさえない。平田陽一（1986, 1987）は「身分登録」と訳し、山口俊夫編（2002）は act de l'état civil を「（民事的）身分証書」と訳している。

（4）フランスの家族社会学では、「近代家族」なる分析概念は批判の対象にはなるが、認められていない。アリエスはアンシャン・レジーム期の「famille moderne 新しい家族」の意味で使用したにすぎない。シヨーターは批判されるだけで終わった（Burguière et. al. 1986; Singly 1993 など多数参照）。デルフィもそう言っていた。

参考文献

モーリス・アギュロン 1989『フランス共和国の肖像』阿河雄二郎ほか訳　ミネルヴァ書房（Agulhon, Maurice 1979 *Marianne au combat*. Paris: Flammarion）

フィリップ・アリエス 1980『〈子供〉の誕生』杉山光信・杉山恵美子訳　みすず書房（Ariès, Philippe 1973 *L'enfant et la vie familiale sous l'Ancien Régime*. Paris: Editions du Seuil）

稲本洋之助 1985『フランスの家族法』東京大学出版会
リュース・イリガライ 1987『ひとつではない女の性』棚沢直子・中嶋公子・小野ゆり子訳 勁草書房
A-M・ド・ヴィレーヌ 1995『フェミニズムから見た母性』中嶋公子ほか訳 勁草書房
フリードリヒ・エンゲルス 1965『家族・私有財産・国家の起源』戸原四郎訳 岩波文庫
工藤庸子 2007『宗教 vs. 国家』講談社現代新書
Y・クニビレール、C・フーケ 1994『母親の社会史』中嶋公子ほか訳 筑摩書房
ジュリア・クリステヴァ 1991『女の時間』棚沢直子・天野千穂子編訳 勁草書房
ブノワット・グルー 1979『最後の植民地』有吉佐和子、カトリーヌ・カドゥ訳 新潮社
サラ・コフマンほか 2005『サラ・コフマン讃』棚沢直子ほか訳 未知谷
小山静子 1995「家族の近代」西川長夫・松宮秀治編『幕末・明治期の国民国家形成と文化変容』新曜社
柴田三千雄ほか編 1995『フランス史』3 山川出版社
高橋朋子 1999『近代家族団体論の形成と展開』有斐閣
棚沢直子 1978「フランスにおける女性解放の歴史と現状」『日吉紀要』慶應義塾大学工学部 20: 28-59（1983『女性空間』日仏女性資料センター 1: 5-31）
棚沢直子 1996「イリガライの母娘関係論を読む」水田宗子・北田幸恵・長谷川啓編『母と娘のフェミニズム』田畑書店
棚沢直子編 1998『女たちのフランス思想』勁草書房
棚沢直子・草野いづみ 1999『フランスには、なぜ恋愛スキャンダルがないのか?』角川ソフィア文庫

棚沢直子 2001「権力と女性表象—日本の女性たちが発言する」『女性空間』18: 90-111.

棚沢直子 2002「フランスの恋愛思想」比較家族史学会監修　服藤早苗ほか編『恋愛と性愛』早稲田大学出版部 : 26-64.

棚沢直子 2003「文化比較の意義はどこにあるのか、そしてその方法は?—『皇后の肖像』を読む」『女性空間』日仏女性研究学会　20: 226-235.

棚沢直子 2006「《フラテルニテ fraternité》—翻訳の問題から「比較思想」の研究へ—（その1）」『東洋大学人間科学総合研究所紀要』5: 94-100.

G・デュビィ、M・ペロー監修 1994-98『女の歴史』全5巻10分冊　杉村和子・志賀亮一監訳　藤原書店（Duby, Georges et Michelle Perrot〔dir.〕1991-92 *Histoire des Femmes*〔*en Occident*〕. Paris: Plon, 5 tomes）

中村義孝編訳 2003『フランス憲法史集成』法律文化社

中嶋公子 2002「リュス・イリガライ」江原由美子・金井淑子編『フェミニズムの名著50』平凡社 : 183-192.

西川祐子 2000『近代国家と家族モデル』吉川弘文館

日仏女性研究学会（研究代表・棚沢直子）2002『日仏共同研究報告書　女性研究における日仏比較—新しい比較方法論の必要性をめぐって』日仏女性研究学会

日仏法学会編 2003『日本とフランスの家族観』有斐閣

平田陽一 1986「フランスの身分登録制度」『時の法令』1285: 53-68.

平田陽一 1987「フランスにおける身分登録の機能と背景」『法学研究年報』（日本大学大学院年報）17: 269-295.

フランソワ・フュレ、モナ・オズーフ編 1999『フランス革命事典4　制度』河野健二ほか監訳　みすず書房（Furet, François et Mona Ozouf 1992 *Dictionnaire critique de la Révolution française: Institutions et créations*. Paris: Flammarion）

シモーヌ・ド・ボーヴォワール 2001『決定版　第二の性』全3巻　『第二の性』を原文で読み直す会訳　新潮文庫（Beauvoir, Simone de 1949 *Le Deuxième Sexe* Ⅰ-Ⅱ. Paris: Gallimard）

山口俊夫編 2002『フランス法辞典』東京大学出版会

義江明子 2007『日本古代女性史論』吉川弘文館

ジャン＝ジャック・ルソー 1962-64『エミール』全3巻　今野一雄訳　岩波文庫（Rousseau, Jean-Jacques 1969 *Emile ou De l'éducation*, Paris: Gallimard）

Agulhon, Maurice 1997 *La République II, 1932 à nos jours*. Paris: Hachette Pluriel.

Agulhon, Maurice et Pierre Bonte *Marianne, Les visages de la République*. Paris: Découvertes Gallimard 146.（出版年不明、1991年以後）

Burguière, André, Christiane Klapisch-Zuber, Martine Segalen, Françoise Zonabend 1986 *Histoire de la famille*. Paris: Armand Colin, 3 tomes.

Nakajima Satoko 2004 "Dépendance des jeunes adultes à l'égard de leurs parents au Japonet en France." in *Les rapports intergénérationnels en France et au Japon*, Ouvrage coordonné par Alain Bihr et Naoko Tanasawa, Paris: L'Harmattan: 117-128.

Poulain de la Barre, François 1984 *De l'égalité des deux sexes*. Paris: Fayard.（初版 1673）

Singly, François de 1993 *Sociologie de la famille contemporaine*. Paris: Armand Colin.

Tanasawa Naoko 2004 "Conceptualiser les rapports sociaux de génération: quelle place pour la mère?" in *Les rapports intergénérationnels en France et au Japon*, Ouvrage coordonné par Alain Bihr et Naoko Tanasawa, Paris: L'Harmattan: 37-58.

Théry, Irène 1998 *Couple, filiation et parenté aujourd'hui*. Paris: Odile Jacob.

参考資料

大日本帝国憲法、日本国憲法、戸籍法

「明治憲法と日本国憲法に関する基礎的資料（明治憲法の制定過程について）」最高法規としての憲法のあり方に関する調査小委員会（平成一五年五月八日の参考資料）衆憲資第27号　平成一五年五月衆議院憲法調査会事務局

CODE CIVIL DES FRANÇAIS, Edition originale et seule officielle. A PARIS, De l'imprimerie de la République. An XII.-1804.

CODE CIVIL 1977-78 Dalloz.

CODE CIVIL 1982-83 Dalloz.

1804-2004 BICENTENAIRE DU CODE CIVIL, Dossier de Presse, Ministère de la Justice, Lundi 8 mars 2004.

La Constitution du 27 Octobre 1946（http://www.legiferance.gouv.fr）

La Constitution du 4 Octobre 1958（http://www.legiferance.gouv.fr）

Le Grand Robert de la Langue française 2001 deuxième édition, Alain Rey du Dictionnaire alphabétique et analitique de la langue française de Paul Robert, Paris: Dictionnaires Le Robert, 6 vols.

Le Robert, dictionnaire historique de la langue française 2004 Paris: Dictionnaires Le Robert（Réimpression mise à jour octobre 2004）

Dictionnaire français par Richelet 1680 Tokyo: France Tosho Reprints, 1969.

Le Dictionnaire de l'Académie Française 1694 Tokyo: France Tosho Reprints, 1967.

日仏女性研究シンポジウム報告

日本の女性たちが発言する！

「権力と女性表象」二〇〇〇年十二月・パリ

棚沢　直子（研究責任者）

1　準　備

一九九八年、国際シンポジウムのたぐいを超えて、日本の私たちがパリに乗り込んで女たちについて語る、との財政的にも大それた企画が生まれた。日仏女性研究学会の日仏共同研究企画が、日仏会館共同研究事業の一環として、二年間にわたる石橋財団助成金をもらえそうになったからだ。

「女性研究における日仏比較―新しい比較方法論の必要性をめぐって」と題する日仏共同研究企画は徐々に進行し、第一年度は、「文化間のずれと誤解をめぐって―女性研究における新しい比較方法をさぐる」という理論的な総合テーマを設け、一九九九年十二月四日に東京の日仏会館で公開シンポジウムを開催することが決まった。コラン、ドゥヴルー、西川祐子さん、棚沢の発表者も決定した。

一九九九年十二月四日当日、それぞれの発表には、かなりの食いちがいがあった。日本の二人は比較の項の間にある上下関係を問題にしたが、フランス側のコランは一元的普遍性を乗り越えるために複数普遍主義pluriversalismeを提唱し、ドゥヴルーは文化間の差異の主張に反対を唱え、二人とも上下関係については発言しなかった。四人とも間接的には比較方法論を話していたのだが、思想的な依りどころはバラバラだったから、「文化間のずれと誤解」をめぐる十分な議論にはならなかった。

第二年度は、二〇〇〇年十二月二日（金）・三日（土）、パリ日本文化会館を会場とすることが確定していたが、今度は理論的でなく具体的にしようという以外、何も決まっていなかった。かの地でシンポジウムを多く経験しているコランにまず相談する。

「あなたがたの言葉を聴きたいのだから、フランス人の発表は必要なし。フランス人には各セッションの司会を頼んだら？」等々、コランの次から次へと湧き出すアイディアが、二年度の枠組みの土台となった。

一九九九年四月からは研究協議会を組織し、月一回開く。六月からは発表者六人（荒木敏夫、服藤早苗、舘かおる、加納実紀代、佐藤浩子、中嶋公子）を中心に、出席者一五人でシンポジウムの内容の大筋を討議する。

私たちから何が発信できるのか。これまで男女についての西欧理論を学んできた私たちが、それらを輸入応用するのでなく、日本ジェンダー史の再検討を通してそれらの思考枠組みを検証し、修正し、新しい問題構成を発信していくことが重要である。だから、このシンポジウムはフランス向けと同時に日本向けでもあるのだ。

一日目「映画の夕べ」は、七月、最終候補作品となった『第七官界彷徨―尾崎翠を探して』の監督・浜野佐知さんと脚本家・山崎邦紀さんに企画委員らが会って決定した。浜野さんは、助監督から始めて、これまで三百本のピンク映画をつくり、今は独立しているという経歴も申し分ない。彼女は、トークショーも引き受けてくれた。この作品は二〇〇〇年度クレテイユ国際女性映画祭に出品されたから、字幕の問題はなし。コランの尽力により、トークショーの相手は、この映画祭の主宰者ジャッキー・ビュエに、あいさつ・司会は、ミシェル・ペローに決まった。

そもそも、一九九九年の「ずれと誤解」のテーマも、翻訳の問題から生まれた。翻訳は日仏の《間》の作業そのものだ。この《間》を埋めるために、私たちは可能な限り仏語資料を作った。一日目の「映画の夕べ」については、石原郁子さん（映画評論家）に依頼した「日本の女性監督の現在とその特性」の仏訳、一九九一年以降の日本女性監督の長編フィクション映画リスト、『第七官界彷徨』の作品と監督紹介・主要人物写真入り紹介、尾崎翠略年譜などのカラー資料を伊吹弘子さんが日仏両語で作成した。二日目の発表論文もすべてフランス人とコンビを組むなどして仏訳した。

ところが、この仏訳発表原稿は、当日、入口で配布されなかった！　読んでしまうと聴くのがおろそかになる、と通訳者たちが要求したからだ。参加者は、あれだけ努力した仏訳発表原稿を終了後にただ持ち帰るだけになってしまった。そのほか、予定どおり配布した仏語資料は、日仏女性研究学会の会員たちが手分けして作成した日本女性に関する参考文献（英仏語）・フランスで翻訳出版された日本女性作家の作品リスト、日本女性史年表、現代日本女性に関する統計資料、発表者六人のプロフィル、日仏女性研究学会の紹介と日仏共同研究企画の概要である。

二日目のシンポジウムへの参加は電話予約制。広報用に仏語のカラーポスター七〇枚とチラシ一五〇〇枚を作り、最大限の宣伝活動をした。『ル・モンド』の報知欄にも「日本の女性たちが発言する！」の副題を大きくして、二回掲載予定となった。十一月一日にパリ日本文化会館は電話予約を開始。会場に予定していた小ホールは七二人定員だが、当初はコランも私たちも、満員にできないだろうと予測していた。ところが、一週間で満席になり、予約受付が打ち切られた。急きょ相談し、無理を言って、大英断の末、大ホール（三四〇人収容）に変更してもらった。結局、同時通訳用カスク使用料などの関係で、二五〇人で打ち切られてしまった。

2 当日 聴衆の反応

第一日。入りは一五〇人強。老若世代のフランス人三分の二、日本人三分の一ぐらいで、女性が少し多い。トークショーでのビュエさんによる浜野監督の引き出し方がいい。ビュエさんは、この《Midori》がインスピレーションとなって、二〇〇一年度映画祭の主題が「忘れられた女たち」になったと述べた。浜野さんは率直に説得力をもって、自分のこと、映画への思い入れを語る。

コランが「〈ピンク映画〉というこれまでの経歴は《Midori》をつくったことでどう変化すると思いますか」と質問する。浜野さんは「セクシュアリティは自分の重要なテーマだから捨てない。次にピンクっぽくない年配者のセクシュアリティの映画が予定されている」と答えた。会場からの質問で、フランス人の哲学好きとこの映画の難しさの波長が合い、彼らのセクシュアリティ好きが浜野監督への興味をさらにかき立てているように思えた。

会場で回収された感想文は、日本語一八枚、フランス語三八枚。二十~八十歳、男女約半々。日本語では、ほぼ全員が、映画とトークショーに対して、感動、感銘、感服、大かっさい、大成功、素晴らしい、の文字を残す。フランス語の方は長〜い、深い思考が多い。

「映画、その演出だけでなく、女性監督、女性芸術家の条件への省察に非常な感銘を受ける。黒澤明、北野武の映画は、きわめて深い感性があるものの、根本的に男性的だと、《Midori》で思った。この映画は各人がもつだろう女性的な部分を探究しながら、自分の視野を広げるようにと強く促してくれた」（監督志望の男子学生、二十四歳）、

「日本文化に近づけば近づくほど、驚きが増し、当惑する。日本女性についてもつ私たちの紋切り型からすごく遠く、自分に近いように思えたり、しかしちがうと思えたりする。既成概念を壊すこの映画に感謝」（ジャーナリスト、五十一歳）等々。

第二日。雨。文化会館の正面玄関の案内板に「満員 complet」の斜めに貼られた細長い紙を発見。

午前は「古代、平安〜近世」の部。荒木さん、服藤さんの話が終わるや否や、それまでかなりのジェスチャーでイライラを表現していた女性二人——フェミニストと人類学者——が感情的な第一声を発した。「日本の女性たちが抑圧されていないなどと、男たちに言ってもらいたくない。フェミニズムがない頃に女たちが解放されていたなんて、聞いたことがない」。もう一人は「人類学で母系制と女性の権力との結びつきは否定されているのに、何をくだらないこと言っているんだ」という感じ。

荒木さんは「自分はフェミニストとして報告したのではなく、日本の王権の専門家として学問的に言っただけだ」と毅然と答えた。服藤さんはかなり強い調子で「私は一度も母系制には言及していない。婚姻

形態に関する日本史の研究成果を話したのだ」と応えた。

会場で回収されたフランス語の感想文の中には「ひとつの主題に限定して明快に説明されたきわめて質の高い各報告」に対して、「会場からの〝フェミニズム〟闘争の、主題から外れたかなり大バカな介入」とあった。歴史学を学んだ秘書の女性だった。

もちろん私はこの〝フェミニスト〟たちの気持をわかるつもりだ。二重に裏切られたのだ。自分たちより抑圧されているはずの日本女性の発言を聴いて、連帯してフェミニズムのために闘うつもりできたのに、いち脱けたと遅れたひとたちは言っているらしい。怒りは倍になる。

加納さんはあとで「何十年も前のなつかしい〝フェミニスト〟たちがフランスにはまだいるんだ」と感想を洩らした。

午後の「近代」の部は、あまりにも穏やかに過ぎ、拍子が抜けた。「なんで?」と舘さんが言ったが、おそらく「いち脱けた」の印象がない二発表だったからだろう。例の二人は、舘、加納さんと発表後の休憩時間に長く話していた。人類学者は、すべて終わった後も遅くまで残っていて、一緒に夕食をとらないかと佐藤さんを誘ったという。対話のきっかけを探っていたのか。感想文の中に「パリ日本文化会館の催しの中で、初めて対話の一歩が築けた」とあった。

続く「現代」の部が三百人近くになったのは、聴衆に高校の地理の先生が多かったからだ。近年「日本」が地理のバカロレアで、五つの主軸のひとつになった。日本に行ったこともないのに説明しなくてはならず、先生たちは困っていたのだ。

この部は、午前中についで荒れた。浜野監督(とわかったフランス人は少なかった)が、「日本の主婦たちは抑圧されている。働きたいのに働けないひとが多い。中嶋さんの発表は生ぬるい」という意味の発言をした。まわりで渦巻いていた不満を吸い上げるためだったそうだが、彼女自身もそう思っていたにちがいない。

中嶋さんは「今回はフランス人がもつ日本女性の紋切り型イメージをどう断ち切るかに力点があり、こういう発表になった」と応えたが、浜野さんは納得しない。私は苦しまぎれに思いつきで中嶋さんに「共犯的主体性の言葉で説明したら？」と紙切れを回す。『第二の性』の翻訳のとき、何度も二人で話し合った主題だから、彼女は、私などよりはるかにきちんと、この語で、主婦たちの位置を説明した。拍手が沸きおこる。理論のきっかけになる概念は、十年以上の共同研究を土台に、突然、こんな風にやってくるのか。

あとで脚本家の山崎さんから「全体のまとめとしてこの語はよかった」と手紙をもらった。佐藤さんへの質問の中には、年配の女性から、「日本の娘さんの結婚は、父親が決めるのか」とか、また「女性も相続できるのか」というものもあった。エリカ・アプフェルボムのよくまとまった結論ですべてが終わる。

回収された感想文は日本語二六枚、フランス語七七枚。フランスの地方からだけでなく、ニューヨーク、ロンドン、ジュネーヴ、京都、福岡、千葉からの参加者。韓国人、イラン人など。学生が目立つ。日本語では、たいへん興味深い、刺激的、などが多いなかで、会場とのやりとりから、「ずれと誤解」があるのに気づいた提言がかなりあった。そのなかで、ロンドン在住の女子学生の意見は参考になる。

「女性が古代に権力を持ち得たということは、歴史的につねに男性が非常に優位だったという現代一般の認識を否定し、現代を考えるうえでとても有意義だった。しかし、会場の反応を見て思うに、現代でも日本社会において女性が差別されているという日本人にとって当たり前の大前提をまずきちんと説明しておけば、今日の発表への理解がより深まったのではないか」。

私はシンポジウムの「目的と問題構成」として、最初にそのように説明したつもりだが、そのときの聴衆は「現代」の部の半分以下だった。それに彼女はシンポジウムの報告のひとつとしてこの大前提を話せと言っている。正しい。そうすれば、日本女性の歴史と現状の全体的把握へと一歩前進する。フランスでの紋切り型の否定に固執しすぎた。ずれを埋め、誤解を解くやり方をもっと学ぶべきだろう。ニューヨークから来た女性も同意見だった。

フランス語でも、ほぼ全員が、たいへん興味深い、夢中になる、たいへん良質の、明快な、またとない機会、オーガナイズがとても良い、資料がよく準備された、知識を多く得た、充実した、たいへん貴重な、新しいアプローチ、既成概念を打破した、心からの拍手、ありがとうの言葉を残す。例の〝フェミニスト〟的介入について、九人が、こっけいだ、攻撃的すぎる、ずれていると批判的で、報告者が確固として学問的に答えたことを評価。批判に終始したのは二枚だけ。〝フェミニスト〟たちへの支持者はなし。

だが、「日本の女性運動をもっと知りたかった」「民衆の女性たちの具体的な証言、彼女たちの期待、彼女たちの欲望が聴きたかった」「もっと理論っぽくなく」と希望するもの、「歴史をふりかえるのは重要」「歴史よりも現代をもっとさまざまにとらえてほしい」等々があった。

前述の二枚の批判文を全訳する。

「フラストレーションになった。なぜアメリー・ノトンブの描くような汚い現実を私たちは話さないのか。家庭内暴力や三十歳を過ぎた未婚女性への中傷を私たちは議論しないのか。なんだか、政治的に、作法にかなった議論の中にいる気がした！」(女子学生)。

「まとめれば、〝言わないことで結果的に嘘をつく〟シンポジウムと呼べる。この〝ご立派な〟会場で日本の立派なイメージを与える義務を負っているというわけだ。遠方からこうした人たちすべてに来てもらうのは高くつく。だから無害な〝フェミニストたち〟が来なくてはならなかったのだ。しかし、今世紀半ばの発表をした二人には拍手を送る。彼女たちは一番正直だった。また、結婚しない、子どものいないすべての女たちを私たちは無視している。こうした女たちは数からいっても無視できない。そんなこと以上に、もっと日仏のフェミニストたちの実り豊かな交流をすべきだ」(教師)。

後者は例のフェミニストだと推測する。批判ではあるが、前向きで有意義だ。聴衆にとって、一日目は直接的に理解した部分が多く、二日目はもっと深く理解したいという欲求が残った感じだ。学生はみな真剣で、もっと質問したかったと、多くが書き残す。

これら以外の反応。聴衆からの二通の手紙は、法律専門誌 *la Gazette du Palais* への寄稿依頼と社会科学高等学院のあるセミネールへの参加依頼。『フランス・ニュースダイジェスト』紙五六一号に、田中久美子さんが九ページ目の全面を使って写真入りで映画とシンポジウムの記事を掲載。パリで唯一残る女性研究誌『ジェンダー手帖』(*Cahiers des Genres.* 旧称 *Cahiers du GEDISST*)二〇〇〇年二九号に、エレーヌ・ル・ドアレさんがシンポジウム論評。

こうして、二年間にわたる日仏女性研究シンポジウムは終了した。本当に多くの方々の労を惜しまない協力に、心から感謝したい。

(『女性空間』第18号、日仏女性研究学会、二〇〇一年、九〇―一一〇頁の同報告を大幅に削除修正)

1999年　日仏女性研究シンポジウム

文化間のずれと誤解をめぐって
——女性研究における新しい比較方法をさぐる——

日 時：1999年12月4日（土）　13:30 〜 17:30
会 場：日仏会館ホール（入場無料　同時通訳付）
主 催：日仏会館　　日仏女性研究学会
協 賛：『グリフ手帖』
助 成：石橋財団

プログラム

開会の辞　日仏会館フランス学長あいさつ　ピエール・スイリ
　　　　　日仏女性研究学会代表あいさつ　加藤康子

発　表

〈対話的普遍に向けて〉フランスと日本：近代性との二様の関係
フランソワーズ・コラン

男女関係と国際比較——差異の概念は何に役立つのか——
アンヌ＝マリー・ドゥヴルー

西欧の普遍性と日本の特殊性をめぐって
——『国体の本義』の読解から出発して——　棚沢直子

日本型近代家族の変遷？——比較史の可能性と問題点——
西川祐子

休　憩

パネル・ディスカッション：〈新しい比較方法をさぐる〉

司　　会：林瑞枝
パネラー：フランソワーズ・コラン
　　　　　アンヌ＝マリー・ドゥヴルー
　　　　　棚沢直子
　　　　　西川祐子

2000年　日仏女性研究シンポジウム

権力と女性表象
──日本の女性たちが発言する──

日　時：2000年12月1日（金）・2日（土）
会　場：パリ日本文化会館大ホール（入場無料　同時通訳付）
主　催：日仏会館　　日仏女性研究学会
協　賛：『グリフ手帖』 IRESCO - CNRS
助　成：石橋財団

プログラム

12月1日（金）　映画の夕べ　15 : 00 〜 18 : 30
あいさつ・司会　ミシェル・ペロー
映画上映　「第七官界彷徨―尾崎翠を探して」
（浜野佐知 監督　1999年作 フランス語字幕付）
トークショー　　浜野佐知　ジャッキー・ビュエ

12月2日（土）　シンポジウム　10 : 30 〜 17 : 30
あいさつ　　磯村尚徳
シンポジウムの主旨説明：目的と問題構成
棚沢直子　アンヌ＝マリー・ドゥヴルー

発表・討論

第1部　古代〜近世（6世紀〜19世紀）　　司会：ピエール・スイリ
古代の政治権力と女性　　荒木敏夫
女性の位置とその変遷（10世紀〜19世紀）　　服藤早苗
休　憩（ビュッフェ）
第2部　近代（1868年〜1970年代）　　司会：クレール・ドダヌ
近代天皇制国家とジェンダー表象　　舘かおる
〈銃後〉の女性と植民地主義　　加納実紀代
休　憩
第3部　現代（1970年代〜2000年）　司会：フランソワーズ・コラン
女たちの居心地のよさ・わるさ──社会における女の状況──
中嶋公子
日本の家族とその解体──女性作家と女性漫画家──
佐藤浩子
まとめ　エリカ・アプフェルボム

あとがき

中嶋　公子

ジェンダー史について、この無謀ともいえる日仏比較の試みをなぜ行ったのか、補足しておきたい。私が事務局を務めている日仏女性資料センターは、フランスの出版社エディション・デ・ファムから『日本の女たち（*Des Japonaises*）』を一九八八年に出版し、明治以降の歴史、現代の家族、労働、政治などから女の状況を説明した。私の日本ジェンダー史との関わりはここから始まった。「フランスで日本の女はどう見られるのか」を初めて意識したのだ。内容紹介の書評の中には、ゲイシャのような女のイラストつきのものもあった。

その後も私たちは日本の女性研究を仏訳して、会報誌『女性空間』に載せ、フランスの女性研究・運動団体に送り、あるいはフランスの女性研究誌に発表してきた。それらの受け止められ方のずれや無関心からくる表層的理解に対して、どうすれば日本の女たちの状況がフランスのジェンダー研究全体の中で理解され位置づけられるのか、模索し続けてきた。

その結果、日本ジェンダー史をフランスと比較し説明しなければ、位置づけはおろか理解される一歩さえ踏み出せないと思うようになった。本書のもととなったふたつのシンポジウムはこうして誕生した。そのひとつを「日本の女たちが発言する—権力と女性表象」（二〇〇〇年パリ）と題したのは、日本にはフランスにない政治権力の女性表象があり、これが戦時下の国民統合に縦横に利用されたと思えたからだ。こうした表象のルーツも探りたかった。

私たちはシンポジウムから本書までに、フランスで二冊、日本で数冊書籍を出版し、ほかにもシンポジウムをいくつか開催した。それらは日本ジェンダー史についてさまざまなキーワードと仮説を生みだすことにつながった。おそらくそのなかでもっとも重要なのは「性別二分化の不明確さ」だろう。このせいで日本の男女はお互いに「共犯的主体性」をもつ。「性別二分化の不明確さ」はまた、日本近現代の性別役割分業にも影響している。

「高学歴専業主婦」は「家庭株式会社のオーナー経営者」だと、かつて自民党政府はフランスでは理解しがたい定義を行った。この例ひとつとっても、性別役割分業のあり方は同じようにみえても日仏でちがうし、日仏をほぼ同じに扱う「近代家族」という概念枠組みでは家族のあり方は分析しきれないことがわかる。今後の課題として、フランスの家族史を細部まで検討し、日本の家族史と比較したいと思う。「フランスから見る」という位置により、文化間のずれが照らし出され、より大胆（無謀？）な仮説を構想する力を発揮しうるのではないか。

なお本書は、日仏女性資料センター（日仏女性研究学会：日仏会館日仏関連学会所属）が刊行した『日仏共同研究報告書　女性研究における日仏比較——新しい比較方法論の必要性をめぐって』二〇〇二年が土台になっている。この共同研究を可能にしてくださった石橋財団、ふたつのシンポジウムの企画にご尽力くださった多くの日仏の協力者の方々、日仏会館を初めとした関係機関には感謝してもしきれない思いである。本書を編集し直してフランスで出版するのが、フランスに向けた私たちの次の作業になるだろう。

最後に、辛抱強く出版を待ってくださった共著者の方々と出版社の新曜社に心から感謝する。(二〇〇七年三月)

著者・訳者紹介（執筆順）

フランソワーズ・コラン（Françoise Collin）

哲学者，作家。フェミニズム研究誌『グリフ手帖』（1973 年創刊）の創始者。女性解放運動の理論家のひとりとして，最近は女性やジェンダーをテーマとしたシンポジウムで基調講演を行うことが多い。

著書　*Le différend des sexes*, Pleins Feux Eds., 1999；*L'homme est-il devenu superflu?*, Odile Jacob, 1999；*Groslay à bâtons rompus*, Valhermeil Eds. Du, 2006；*Les femmes de Platon à Derrida*, Plon, 2000（共著）　ほか

邦訳論文　F. コラン「モダンからポストモダンへ」新井文子・加藤康子訳『女性空間』16 号，1999 : 74-95.

アンヌ＝マリー・ドゥヴルー（Anne-Marie Devreux）

社会学者。CNRS（フランス国立科学研究センター）所属，CSU（文化と郊外社会）研究所メンバー。性社会関係社会学の創始者のひとり。性社会関係理論と社会の諸領域における性社会関係の機能および支配者としての男性の研究に従事。

著書・論文　*Les rapports sociaux de sexe: un cadre d'analyse pour des questions de santé?*,（共著）École nationale de la santé publique, 2001；"Les résistances des hommes au changement social: émergence d'une problématique", *Les Cahiers du Genre*, n°36, 2004；"Autorité parentale et parentalité. Droits des père et obligations des mères ?" *Dialogue*, n°165, 2004　ほか

邦訳論文　D. コンブ，A. M. ドゥヴルー「性的社会関係概念―その起源，構築，利用」支倉壽子・井上たか子訳，棚沢直子編『女たちのフランス思想』勁草書房，1998: 65-116.

伊吹　弘子（いぶき　ひろこ）

上智大学非常勤講師，日仏女性研究学会会員

専攻　フランス語教育

訳書　ミシェル・デイラス監修『女性と暴力―世界の女たちは告発する』（共訳）未来社，2000 年

加藤　康子（かとう　やすこ）

翻訳業，日仏女性研究学会代表運営委員

専攻　ジェンダー論・日仏比較女性研究

訳書　J. ラボー『フェミニズムの歴史』新評論，1987 年；G. ドゥヴルー『女性と神話―ギリシア神話にみる両性具有』新評論，1994 年；C. デルフィー『なにが女性の主要な敵なのか―ラディカル・唯物論的分析』（共訳）勁草書房，1996 年；S. ボーヴォワール『決定版 第二の性』（共訳）新潮社，1997 年（新潮文庫，2001 年）；S. コフマンほか『サラ・コフマン讃』（共訳）未知谷，2005 年　ほか

著者・訳者紹介

西川　祐子（にしかわ　ゆうこ）

京都文教大学人間学部教授　日仏女性研究学会会員

専攻　フランスと日本の近・現代文学・ジェンダー論

著書　『私語り　樋口一葉』リブロポート，1992 年；『借家と持ち家の文学史―「私」のうつわの物語』三省堂，1998 年；『近代国家と家族モデル』吉川弘文館，2000 年；『住まいと家族をめぐる物語―男の家，女の家，性別のない部屋』集英社新書，2004 年；『戦後という地政学』歴史の描き方第 2 巻（編著）東京大学出版会，2006 年　ほか

荒木　敏夫（あらき　としお）

専修大学文学部人文学科教授

専攻　日本古代史

著書　『日本古代の皇太子』吉川弘文館，1985 年；『可能性としての女帝―女帝と王権』青木書店，1999 年；『日本の女性天皇』主婦と生活社，2003 年（小学館文庫，2006 年）；『日本古代王権の研究』吉川弘文館，2006 年　ほか

服藤　早苗（ふくとう　さなえ）

埼玉学園大学人間学部人間文化学科教授

専攻　日本史（平安時代）・女性史・ジェンダー史

著書　『家成立史の研究―祖先祭祀・女・子ども』校倉書房，1991 年；『平安朝の母と子―貴族と庶民の家族生活史』中公新書，1991 年；『平安朝に老いを学ぶ』朝日選書，2001 年；『平安王朝の子どもたち』吉川弘文館，2004 年；『平安朝　女の生き方』小学館，2004 年；『平安王朝社会のジェンダー』校倉書房，2005 年　ほか

舘　かおる（たち　かおる）

お茶の水女子大学ジェンダー研究センター教授

専攻　女性学・ジェンダー研究

著書　『母性から次世代育成力へ―産み育てる社会のために』（共編著）新曜社，1991 年；『ライブラリ相関社会科学 2　ジェンダー』（共著）新世社，1994 年；『学校をジェンダー・フリーに』（共編著）明石書店，2000 年；『日本社会とジェンダー』叢書現代の経済・労働とジェンダー第 3 巻（共著）明石書店，2001 年；『女性とたばこの文化誌―そのジェンダー規範と表象』（編著）世織書房，2007 年　ほか

加納　実紀代（かのう　みきよ）

敬和学園大学人文学部教授

専攻　日本近現代史・女性史

著書　『女性と天皇制』（編著）思想の科学社，1979 年；『女たちの〈銃後〉』筑摩書房，1987 年（増補新版，インパクト出版会，1995 年）；『越えられなかった海峡』時事通信社，1994 年；『母性ファシズム』（編著）学陽書房，1995 年；『天皇制とジェンダー』インパクト出版会，2002 年；『戦後史とジェンダー』インパクト出版会，2005 年　ほか

佐藤　浩子（さとう　ひろこ）

川村学園女子大学文学部国際英語学科教授　日仏女性研究学会会員

専攻　現代フランス文学：女性作家とジェンダー（研究対象を 19 世紀女性作家へ展開中）

著書・論文『フランス文学研究』（共著）七月堂，1994 年；『限りなき視線』（共著）駿河台出版社，1996 年；「封印された記憶―デュラスの〈内なる闇〉」『女性空間』16 号，1999 年；「『愛人』における〈無意識の裏切り〉と〈詩的転位〉」『鈴木康司中央大学教授退職記念論文集』七月堂，2004 年；「ボーヴォワール―『第二の性』と〈母性〉」『川村学園女子大学女性学年報』3 号，2005 年　ほか

索　引

（頁は各章の初出頁のみ挙げた）

編者紹介

棚沢　直子（たなさわ　なおこ）

東洋大学経済学部教授　日仏女性研究学会会員

専攻　フランス思想・日仏比較思想

著訳書　『女たちのフランス思想』勁草書房（編著）1998年；『フランスには，なぜ恋愛スキャンダルがないのか？』（共著）角川ソフィア文庫，1999年；*Les rapports intergénérationnels en France et au Japon,* L'Harmattan, 2004（共編著）；L. イリガライ『ひとつではない女の性』（共訳）勁草書房，1987年；J. クリステヴァ『女の時間』（共編訳）勁草書房，1991年；S. ボーヴォワール『決定版　第二の性』全3巻（共訳）新潮社，1997年（新潮文庫，2001年）；S. コフマンほか『サラ・コフマン讃』（共訳）未知谷，2005年　ほか

中嶋　公子（なかじま　さとこ）

十文字学園女子大学非常勤講師　日仏女性研究学会事務局代表

専攻　ジェンダー論・日仏比較女性研究

著訳書　『フェミニズムの名著50』（「リュース・イリガライ」の項）平凡社，2002年；*Les rapports intergénérationnels en France et au Japon*, L'Harmattan, 2004（共著）；L. イリガライ『ひとつではない女の性』（共訳）勁草書房，1987年；Y . クニビレール，C. フーケ『母親の社会史—中世から現代まで』（共訳）筑摩書房，1994年；S. ボーヴォワール『決定版　第二の性』全3巻（共訳）新潮社，1997年（新潮文庫，2001年）；S. コフマンほか『サラ・コフマン讃』（共訳）未知谷，2005年　ほか

新曜社　**フランスから見る日本ジェンダー史**

権力と女性表象の日仏比較

初版第1刷発行　2007年5月10日©

編　者　棚沢直子・中嶋公子

発行者　堀江　洪

発行所　株式会社　新曜社

101-0051　東京都千代田区神田神保町2-10

電話 (03)3264-4973(代)・FAX(03)3239-2958

E-mail：info@shin-yo-sha.co.jp

URL：http://www.shin-yo-sha.co.jp/

印刷　長野印刷商工　Printed in Japan

製本　イマキ製本

ISBN978-4-7885-1041-8　C1036